GRAHAM GREENE

DE PRIVÉ FACTOR

THE HUMAN FACTOR

Vertaald door Bert Koning

Dit is een uitgave in de serie Crimezone Classics
www.crimezone.nl

ISBN: 987 90 475 0716 1 / NUR 332

Oorspronkelijke titel: *The human factor*
Omslagontwerp: Studio Imago/Peter Beemsterboer
Omslagfoto: Imago Foto

Inleiding

Graham Greene (1904-1991) behoort zonder twijfel tot de beste schrijvers van de twintigste eeuw. Veel van zijn boeken, waaronder *De derde man, Onze man in Havanna, De stille Amerikaan,* en *De privé-factor* hebben de status van klassiekers verworven. Henry Graham Greene werd geboren in Berkhamsted. Na zijn studie aan de universiteit van Oxford, bekeerde hij zich tot het katholicisme, was korte tijd getrouwd en begon een carrière als (film)journalist. Tijdens de Tweede Wereldoorlog werkte hij voor SIS, de Britse inlichtingendienst, waardoor hij de inspiratie opdeed voor een aantal succesvolle romans.

Greenes boeken zijn in een realistische stijl geschreven. Zijn hoofdpersonen zijn vaak eenlingen die worstelen met religieuze dilemma's en morele keuzes. Greene schreef doordachte verhalen waarin hij filosofische overpeinzingen, ethische vraagstukken en de chaotische, corrupte buitenwereld op een bijna achteloze manier met elkaar verbindt. *De privé-factor* (1978) is daarvan een schitterend voorbeeld. Volgens critici gaat het boek over de Greenes vriend, de dubbelspion Kim Philby, die zowel voor de Engelsen als voor de Russen werkte. Greene zelf heeft dit altijd ontkend. In *Ways of Escape* schrijft hij hierover: 'Na de oorlog was het mijn ambitie om een spionageroman te schrijven zonder het conventionele geweld erin. Ik wilde het werken bij de dienst laten zien als een onromantische, ongevaarlijke kantoorbaan. Toen ik tijdens de Tweede Wereldoorlog voor de geheime dienst werkte, heb ik weinig spannende dingen meegemaakt. Ik begon ruim tien jaar voordat het gepubliceerd werd met *De privé-factor.* Na ongeveer drie jaar heb ik het opzij gelegd, vooral vanwege de Philby-affaire. De hoofdpersoon in mijn boek, geheim agent Maurice Castle, leek noch in gedrag noch in karakter op Philby, maar ik moest er niet aan denken dat mensen het boek zouden lezen als een sleutelroman. Het zou het boek geen recht doen; ik kan geen echte mensen omvormen tot geloofwaardige romankarakters. Een echt persoon staat de fantasie hopeloos in de weg. Ik heb een exemplaar van *De privé-factor* naar mijn vriend Kim Philby in Moskou gestuurd. Zijn commentaar was dat ik de leefomstandigheden van mijn karakter Castle in Moskou veel te sober had beschreven. Toen Philby naar Moskou werd gehaald, kreeg hij veel meer luxe. Zelfs een schoenlepel, die hij daarvoor nooit gehad had.'

In *De privé-factor* beschrijft Greene de onontkoombaarheid van het lot, in een weergaloze en filmische stijl, waarmee de grens tussen misdaadroman en literatuur geheel vervaagt. Hij is de grootmeester van de spionageroman, door geen leerling ook maar in de verste verte benaderd.

Kees de Bree (Hoofdredacteur Crimezone.nl)

'Ik weet slechts dat hij die een band schept, verloren is.
Het zaad der corruptie is zijn ziel binnengedrongen.'

JOSEPH CONRAD

Een roman die gebaseerd is op het leven bij een geheime dienst moet noodzakelijkerwijs een belangrijk fantasie-element bevatten, want een realistische beschrijving zou zo goed als zeker inbreuk maken op de een of andere clausule van deze of gene wet betreffende het ambtsgeheim. Operatie Uncle Remus is niets anders dan een produkt van de verbeelding van de schrijver [en ik hoop dat het daarbij zal blijven], evenals de personages dat zijn, zowel de Engelse als de Afrikaanse, de Russische en de Poolse. Niettemin, om Hans Andersen aan te halen, een wijs auteur die zich ook met de fantasie bezighield,

'onze geschiedenissen van de verbeelding zijn naar de werkelijkheid gevormd'.

Voor mijn zuster Elisabeth Dennys,
die enige verantwoordelijkheid niet kan ontkennen.

DEEL I

DEEL 1

1

Sinds Castle als jong aspirant bij de firma was gekomen, nu al meer dan dertig jaar geleden, gebruikte hij zijn lunch in een gelegenheid achter St James's Street, niet ver van kantoor. Als hem gevraagd was waarom hij daar lunchte, zou hij de uitstekende kwaliteit van de saucijsjes genoemd hebben; hij mocht dan een ander merk bier dan Watney's prefereren, de kwaliteit van de saucijsjes woog toch zwaarder. Hij was er altijd op voorbereid om rekenschap af te leggen van zijn daden, zelfs de meest onschuldige, en hij was altijd stipt op tijd.

Dus klokslag één uur stond hij klaar om te vertrekken. Arthur Davis, zijn assistent, met wie hij een kamer deelde, ging punctueel om twaalf uur weg om te lunchen en kwam dan een uur later, zij het dikwijls slechts in theorie, weer op kantoor. Het was vanzelfsprekend dat, in geval van een dringend telegram, Davis of hij zelf altijd aanwezig moest zijn om de decodering op te nemen, al wisten ze allebei heel goed dat in hun speciale onderafdeling van het departement niets ooit werkelijk dringend was. Het tijdsverschil tussen Engeland en de diverse delen van oostelijk en zuidelijk Afrika, waarmee zij beiden te maken hadden, was meestal zo groot – zelfs in het geval van Johannesburg, waarvan het nauwelijks meer dan een uur was – dat niemand buiten het departement zich druk kon maken over een vertraging bij het overbrengen van een bericht: het lot van de wereld, was een uitspraak van Davis, zou nooit in hun werelddeel worden beslist, hoeveel ambassades China of Rusland ook mocht vestigen van Addis Abeba tot Conakry of hoeveel Cubanen er ook zouden landen. Castle maakte een notitie voor Davis: 'Als Zaïre antwoordt op No. 172, stuur dan afschriften naar Financiën en BZ.' Hij keek op zijn horloge. Davis was tien minuten te laat.

Castle begon zijn aktentas te pakken; hij deed er een lijstje in – wat hij voor zijn vrouw moest kopen bij de kaaswinkel in Jermyn Street en een cadeautje voor zijn zoon tegen wie hij die ochtend onaardig was geweest (twee pakjes Maltesers) – en een boek, *Clarissa Harlowe,* waarin hij nooit verder was gekomen dan Hoofdstuk LXXIX van het eerste deel. Op het moment dat hij het sluiten van een liftdeur hoorde en Davis' stappen op de gang, verliet hij de kamer. Zijn lunchpauze met de saucijsjes was met elf minuten bekort. In tegenstelling met Davis was hij altijd precies op tijd terug. Het was een van de deugden van de ouderdom.

Arthur Davis viel in het bezadigde kantoor op door zijn excentriciteiten. Men kon hem nu vanaf de andere kant van de lange witte gang zien aankomen, gekleed alsof hij net terug was van een nogal sportief weekend op het platteland, of anders van het toeschouwersterrein van een renbaan. Hij droeg een tweed sportcolbert met een groenig kleurdessin, en in zijn borstzakje pronkte een fel rode, gespikkelde pochet: hij zou op de een of andere manier iets met een totalisator te maken kunnen hebben. Maar hij was als een acteur die een rol had gekregen die hem niet lag: als hij zich naar zijn kostuum probeerde te gedragen, bracht hij er meestal niets van terecht. Ook al wekte hij in Londen de indruk dat hij zo van buiten kwam, op het land, als hij Castle bezocht, was hij onmiskenbaar een toerist uit de stad.

'Op de minuut af op tijd zoals gewoonlijk,' zei Davis met zijn gebruikelijke schuldbewuste grijns.

'Mijn horloge loopt altijd ietsje voor,' zei Castle als een verontschuldiging voor kritiek die hij niet uitgesproken had. 'Een bezorgdheidscomplex, denk ik.'

'Ben je weer eens topgeheimen naar buiten aan 't smokkelen?' vroeg Davis, en deed een speelse schijngreep naar Castles aktentas. Zijn adem rook zoetig: hij was verslaafd aan port.

'O, die laat ik allemaal voor jou liggen om te verkopen. Met die louche contacten van jou maak je er vast een betere prijs voor.'

'Bijzonder geschikt van je.'

'Bovendien ben je vrijgezel. Je hebt meer geld nodig dan een getrouwd man. Mijn kostje is gekocht...'

'Ah, maar die vreselijke kliekjes dan,' zei Davis, 'de lamsbout verwerkt tot shepherd's pie, de twijfelachtige gehaktbal. Is het dat wel waard? Bij een getrouwd man kan er zelfs niet een goede port af.' Hij ging hun gezamenlijke kamer binnen en belde om Cynthia. Davis was nu al twee jaar lang bezig Cynthia te strikken, maar als dochter van een generaal-majoor was ze op groter wild uit. Desondanks bleef Davis hopen; het was altijd veiliger, gaf hij als reden, om een verhouding binnen het departement te hebben – het zou niet beschouwd kunnen worden als een gevaar voor de geheimhouding, maar Castle wist hoe gehecht Davis in werkelijkheid was aan Cynthia. Hij had het diepe verlangen naar monogamie en de defensieve humor van een eenzaam man. Castle had hem een keer opgezocht in een flat, die hij met twee mannen van het departement van milieubeheer deelde, boven een antiekzaak niet ver van Claridge – zeer centraal en op stand.

'Je zou wat meer in de buurt moeten komen wonen,' had Davis Castle aangeraden in de overvolle zitkamer waar de sofa bezaaid lag met tijdschriften van verschillend allooi – de *New Statesman, Penthouse* en *Nature,* en waar de gebruikte glazen van een andermans feestje in de hoeken waren geschoven tot de werkster ze zou vinden.

'Je weet best wat ze ons betalen,' zei Castle, 'en ik ben getrouwd.'

'Een zeer ernstige vergissing.'

'Voor mij niet,' zei Castle, 'ik ben gesteld op m'n vrouw.'

'En dan zit je natuurlijk ook nog met die kleine *bastard,*' vervolgde Davis. 'Ik zou me geen kinderen kunnen veroorloven en ook nog een goed glas port.'

'Toevallig ben ik ook op de kleine *bastard* gesteld.'

Castle stond op het punt de vier stenen stoeptreden af te lopen naar Piccadilly toen de portier tegen hem zei: 'Generaal Tomlinson wil u spreken, meneer.'

'Generaal Tomlinson?'

'Ja. In kamer A.3.'

Castle had brigadegeneraal Tomlinson slechts eenmaal ontmoet, vele jaren geleden, meer jaren dan hij zich wenste te herinneren, op de dag dat hij benoemd werd – de dag dat hij zijn naam onder de Official Secrets Act zette, toen de generaal nog een zeer ondergeschikte officier was, zo hij al officier was geweest. Het enige dat hij zich van hem kon herinneren, was een kleine zwarte snor die als een UFO boven een veld van vloeipapier zweefde, dat volkomen blank en wit was, misschien om veiligheidsredenen. De afdruk van zijn handtekening nadat hij de wet had ondertekend, werd de enige smet op het oppervlak ervan, en dat blad zou zo goed als zeker verscheurd en naar de verbrandingsoven gestuurd worden. De Dreyfus-zaak had de gevaren van een prullenmand al bijna een eeuw geleden aangetoond.

'De gang door aan uw linkerhand, meneer,' herinnerde de portier hem toen hij de verkeerde kant op wilde gaan.

'Kom binnen, kom binnen, Castle,' riep generaal Tomlinson. Zijn snor was nu even wit als het vloeiblad, en met de jaren had hij een klein buikje ontwikkeld onder een vest met twee rijen knopen – alleen zijn dubieuze rang was onveranderlijk gebleven. Niemand wist tot welk regiment hij vroeger had behoord, indien zo'n regiment al bestond, want alle militaire titels in dit gebouw waren enigszins verdacht. De rangen zouden best eens een onderdeel kunnen zijn van de algehele dekmantel. Hij zei: 'Ik geloof niet dat u kolonel Daintry kent.'

'Nee. Ik geloof niet... Hoe maakt u het?'

Ondanks zijn keurige donkere pak en zijn scherp belijnde gezicht wekte Daintry meer de indruk een echte buitenman te zijn dan Davis ooit deed. Als Davis er op het eerste gezicht uitzag alsof hij zich thuis zou voelen op een bookmakersterrein, dan hoorde Daintry onmiskenbaar thuis op de chique tribune of op een jachtterrein met korhoenders.

Castle had er plezier in korte karakterschetsen van zijn collega's te maken: er waren momenten dat hij ze zelfs op papier zette.

'Ik meen dat ik een neef van u gekend heb bij het Corpus,' zei Daintry. Hij sprak minzaam, maar hij keek een beetje ongeduldig; hij moest waarschijnlijk een trein naar het noorden halen op King's Cross.

'Kolonel Daintry,' verklaarde generaal Tomlinson, 'is onze nieuwe bezem,' en Castle merkte hoe Daintry rilde van deze omschrijving. 'Hij heeft veiligheidszaken van Meredith overgenomen. Maar ik weet eigenlijk niet of u Meredith ooit hebt ontmoet.'

'Ik denk dat u mijn neef Roger bedoelt,' zei Castle tegen Daintry. 'Ik heb hem in geen jaren gezien. Hij heeft een eerste graad behaald bij zijn B.A. in Oxford. Ik geloof dat hij nu op Financiën werkt.'

'Ik heb kolonel Daintry de gang van zaken hier uiteengezet,' bazelde generaal Tomlinson door, zich strikt aan zijn eigen golflengte houdend.

'Ik heb zelf rechten gedaan. Maar een armzalige tweede graad,' zei Daintry. 'U heeft geschiedenis gestudeerd, dacht ik?'

'Ja. Een zeer armzalige derde graad.'

'Te Oxford?'

'Ja.'

'Ik heb kolonel Daintry uitgelegd,' zei Tomlinson, 'dat alleen u en Davis de Top Secret-telegrammen behandelen wat afdeling 6A betreft.'

'Voor zover er iets Top Secret is te noemen op onze afdeling. Watson krijgt ze ook onder ogen natuurlijk.'

'Davis – dat is toch een man van Reading University, is 't niet?' vroeg Daintry met iets dat een tikje geringschatting zou kunnen zijn in zijn stem.

'Ik merk wel dat u goed beslagen ten ijs komt.'

'Om de waarheid te zeggen, ik heb net een gesprek gehad met Davis zelf.'

'Dus dat is de reden waarom hij tien minuten te lang over zijn lunch heeft gedaan.'

Daintry's glimlach leek op de pijnlijke heropening van een wond. Hij had zeer rode lippen, en ze gingen in de hoeken met moeite van elkaar. Hij zei: 'Ik heb met Davis over u gesproken, dus spreek ik nu met u over Davis. Een open check. U moet de nieuwe bezem verontschuldigen. Ik moet erachter zien te komen hoe de vork hier in de steel zit,' voegde hij eraan toe, verstrikt rakend in zijn metaforen. 'De discipline moet gehandhaafd worden – ondanks het vertrouwen dat we in u beiden stellen uiteraard. Tussen haakjes, *heeft* hij u gewaarschuwd?'

'Nee. Maar waarom zou u me geloven? We kunnen wel onder één hoedje spelen?'

De wond ging weer een heel klein stukje open en sloot zich.

'Ik heb de indruk dat hij politiek wat links georiënteerd is. Klopt dat?'
'Hij is lid van de Labour Party. Ik veronderstel dat hij u dat zelf heeft verteld.'
'Daar is natuurlijk niets op aan te merken,' zei Daintry. 'En u...?'
'Ik doe niet aan politiek. Ik veronderstel dat Davis u dat ook verteld heeft.'
'Maar u stemt toch wel eens, neem ik aan?'
'Ik geloof niet dat ik sinds de oorlog nog één keer gestemd heb. De geschilpunten van tegenwoordig hebben vaak zo iets – nou ja, pietluttigs.'
'Een interessant standpunt,' zei Daintry afkeurend. Castle besefte dat de waarheid spreken een vergissing was geweest in dit geval, hoewel hij, behalve bij werkelijk belangrijke aangelegenheden, altijd de waarheid verkoos. De waarheid kan een kritisch onderzoek doorstaan. Daintry keek op zijn horloge. 'Ik zal u niet lang ophouden. Ik moet een trein halen op King's Cross.'
'Een weekend op jacht?'
'Ja. Hoe wist u dat?'
'Intuïtie,' zei Castle, en opnieuw had hij spijt van zijn antwoord. Het was altijd veiliger om onopvallend te zijn. Er waren momenten, die zich met het jaar vaker voordeden, dat hij dagdroomde van volledige conformiteit, zoals een andere persoonlijkheid de droom zou kunnen koesteren nog eens een spectaculaire honderd runs te maken op Lord's.
'U heeft zeker mijn geweerzak bij de deur zien staan?'
'Ja,' zei Castle, die hem tot op dat moment niet had gezien, 'dat bracht me op de gedachte.' Hij was blij toen hij zag dat Daintry gerustgesteld keek.
Daintry legde uit: 'Er is niets persoonlijks mee bedoeld, weet u. Louter en alleen een routinecontrole. Er zijn zoveel reglementen dat sommige ervan wel eens verwaarloosd worden. Zo is de menselijke aard. Het voorschrift, bij voorbeeld, dat er geen werk van kantoor meegenomen mag worden...'
Hij keek veelbetekend naar Castle's aktentas. Een officier en een gentleman zouden hem direct met een luchtig grapje openmaken ter inspectie, maar Castle was geen officier en evenmin kwalificeerde hij zichzelf ooit als een gentleman. Hij wilde wel eens zien hoever de nieuwe bezem onder de tafel zou vegen. Hij zei: 'Ik ga niet naar huis. Ik ga alleen maar lunchen.'
'U neemt me niet kwalijk, wel...?' Daintry stak zijn hand uit naar de aktentas. 'Ik heb van Davis hetzelfde gevraagd,' zei hij.
'Davis had geen aktentas bij zich,' zei Castle, 'toen ik hem zag.'
Daintry bloosde om zijn misser. Hij zou zich op dezelfde manier

beschaamd hebben gevoeld, wist Castle met zekerheid, als hij een drijver had aangeschoten. 'O, dan moet het die andere knaap zijn geweest,' zei Daintry. 'Ik ben zijn naam kwijt.'

'Watson?' opperde de generaal.

'Ja. Watson.'

'Dus u heeft zelfs onze chef gecontroleerd?'

'Het maakt allemaal deel uit van de discipline,' zei Daintry.

Castle deed zijn aktentas open. Hij haalde er een exemplaar uit van de *Berkhamsted Gazette*.

'Wat is dat?' vroeg Daintry.

'Mijn plaatselijke krant. Ik was van plan om hem te lezen tijdens mijn lunch.'

'O ja, natuurlijk. Dat was ik vergeten. U woont een flink eind weg. Vindt u dat niet een beetje lastig?'

'Nog geen uur met de trein. Ik heb een huis en een tuin nodig. Ik heb een kind, ziet u – en een hond. Geen van beide kun je in een flat zetten. Dat is niet gerieflijk.'

'Ik zie dat u *Clarissa Harlowe* aan 't lezen bent? Bevalt het u?'

'Ja, tot dusver wel. Maar er zijn nog vier andere delen.'

'Wat is dit?'

'Een lijstje van dingen die ik moet onthouden.'

'Onthouden?'

'Mijn boodschappenlijst,' legde Castle uit. Onder het gedrukte adres van zijn huis, 129 King's Road, had hij geschreven: 'Twee Maltesers. Half pond Earl Grey. Kaas – Wensleydale? of Double Gloucester? Yardley Pre-Shave Lotion.'

'Wat zijn in 's hemelsnaam Maltesers?'

'Een soort chocolaatje. U zou ze eens moeten proeven. Ze zijn verrukkelijk. Naar mijn mening beter dan Kit Kats.'

Daintry zei: 'Denkt u dat het iets voor mijn gastvrouw zou zijn? Ik zou graag iets voor haar meebrengen dat een beetje bijzonder is.' Hij keek op zijn horloge. 'Misschien kan ik de portier er op uitsturen – er is nog net even tijd. Waar koopt u ze?'

'Hij kan ze krijgen bij een KGB op de Strand.'

'KGB?' vroeg Daintry.

'Koolzuur-Gefermenteerd Broodbedrijf.'

'Koolzuur-gefermenteerd brood... wat is in 's hemelsnaam...? Nou toe maar, er is nu geen tijd om daarop in te gaan. Weet u zeker dat die Mal – eh – dingen een passend geschenk zouden zijn?'

'Smaken verschillen natuurlijk.'

'Fortnum is hier vlak naast de deur.'

'Daar kunt u ze niet krijgen. Ze zijn zeer goedkoop.'

'Ja maar, ik wil niet krenterig lijken.'

'Zoek het dan in de hoeveelheid. Laat hem er drie pond van halen.'

'Hoe heten ze ook alweer? Misschien wilt u het even aan de portier doorgeven als u weggaat.'

'Is mijn inspectie dan voorbij? Ga ik vrijuit?'

'O ja. Jazeker. Ik zei toch dat het puur formeel was, Castle.'

'Goede jacht.'

'Dank u zeer.'

Castle gaf de portier de boodschap door. 'Drie pond heeft-ie gezegd?'

'Ja.'

'Drie pond Maltesers!'

'Ja.'

'Kan ik een verhuiswagen nemen?'

De portier riep de hulpportier die een seksblaadje zat te lezen. Hij zei: 'Voor drie pond Maltesers voor kolonel Daintry.'

'Dat zal zo'n honderdtwintig pakjes zijn of iets in die buurt,' zei de man na enig gereken.

'Nee, nee,' zei Castle, 'zo erg is het ook weer niet. Het gewicht, dacht ik, is wat hij bedoelde.'

Hij liet ze rekenend achter. Hij kwam een kwartier te laat in het café en zijn vaste hoekplaats was bezet. Hij at en dronk snel en rekende uit dat hij drie minuten had ingehaald. Toen kocht hij de Yardley Lotion bij de drogist in St James's Arcade, de Earl Grey bij Jackson, de Double Gloucester ook daar om tijd te besparen, al ging hij gewoonlijk naar de kaaswinkel in Jermyn Street. De Maltesers die hij van plan was bij de KGB te kopen, waren echter uitverkocht tegen de tijd dat hij daar aankwam – de winkeljuffrouw vertelde hem dat er een onverwacht grote afname was geweest, zodat hij in plaats daarvan Kit Kats moest nemen. Hij was slechts drie minuten over tijd toen hij weer bij Davis binnenstapte.

'Je hebt me helemaal niet verteld dat ze inspectie hielden,' zei hij.

'Ik werd tot geheimhouding verplicht. Hebben ze je ergens op betrapt?'

'Helemaal niet.'

'Mij wel. Hij vroeg wat er in de zak van mijn regenjas zat. Ik had dat rapport van 59800 bij me. Ik wou het nog eens doorlezen onder de lunch.'

'Wat zei hij?'

'O, hij liet het bij een waarschuwing. Hij zei dat reglementen er waren om nageleefd te worden. Te bedenken dat die kerel Blake (waarom moest hij zo nodig vluchten?) voor veertig jaar vrijgesteld is van inkomstenbelasting, geestelijke inspanning en verantwoordelijkheid, en dat wij daar nu voor moeten boeten.'

'Ik had niet veel moeite met kolonel Daintry,' zei Castle. 'Hij kende een neef van me bij het Corpus. Dat soort dingen maakt wel iets uit.'

2

Het lukte Castle meestal de trein van zes uur vijfendertig vanaf Euston te halen. Die bracht hem om precies twaalf over zeven in Berkhamsted. Zijn fiets stond klaar bij het station – hij kende de controleur al vele jaren en deze paste er altijd op. Dan fietste hij via de langere weg naar huis, ter wille van de lichaamsbeweging – de kanaalbrug over, langs de Tudor-school, de High Street door, langs de grijze keistenen kerk waarin zich de helm van een kruisvaarder bevond, daarna omhoog tegen de Chilterns op naar zijn kleine half vrijstaande woning in King's Road. Hij arriveerde daar altijd, als hij niet vanuit Londen telefonisch gewaarschuwd had, tegen halfacht. Er was dan nog net tijd om de jongen welterusten te zeggen en een of twee whisky's te drinken voor het avondeten om acht uur.

Bij een bizar beroep krijgt alles wat tot een dagelijkse regelmaat behoort grote waarde – misschien was dat een van de redenen dat hij, na zijn terugkomst uit Zuid–Afrika, ertoe besloot naar zijn geboorteplaats terug te keren: naar het kanaal onder de treurwilgen, naar de school en de ruïnes van een eens befaamd kasteel dat een belegering door prins Jan van Frankrijk had weerstaan en waarbij, naar het verhaal ging, Chaucer bouwopzichter was geweest en – wie weet? – misschien een voorvaderlijke Castle een van de ambachtslieden. Het bestond nu alleen nog uit een paar met gras begroeide wallen en enkele meters keistenen muur, uitkijkend op het kanaal en de spoorlijn. Erachter liep een lange weg het land in, omzoomd met meidoornhagen en tamme kastanjes, die tenslotte naar de vrijheid van de Meent voerde. Jaren geleden hadden de inwoners van de plaats het recht bevochten om hun vee op de Meent te weiden, maar in de twintigste eeuw was het twijfelachtig of welk dier dan ook, op een konijn of een geit na, voedsel zou kunnen vinden tussen de gaspeldoorns en de adelaarsvarens.

Toen Castle een kind was, waren er op de Meent nog altijd de resten te vinden van oude loopgraven die tijdens de eerste oorlog met Duitsland in de zware rode klei gegraven waren door leden van de Inns of Court in officiersopleiding, jonge juristen die daar geoefend hadden voor ze als leden van minder elitaire eenheden naar België of Frankrijk gingen om te sneuvelen. Het was onveilig om er zonder kennis van het terrein rond te dwalen, aangezien de oude loopgraven, ontworpen naar het originele loopgravenstelsel van de Old Contemptibles rond Yperen, meer dan een meter diep waren zodat een vreemde daar een plotselinge val en een gebroken been riskeerde. Kinderen die van jongs af aan hun omgeving hadden leren kennen, zwierven er vrij rond tot de herinnering begon te vervagen. Castle was het zich om de een of andere reden altijd blijven herinneren, en op dagen dat hij vrij was van kantoor nam hij Sam wel eens bij de hand om hem de vergeten schuilplaatsen en de veelsoortige gevaren van de Meent te leren kennen. Hoeveel guerrillacampagnes had hij daar als kind niet uitgevochten tegen een verpletterende overmacht. Wel, de tijd van de guerrilla was teruggekeerd, dagdromen waren werkelijkheid geworden. Op deze wijze met het reeds lang vertrouwde levend, voelde hij zich geborgen zoals een oude bajesklant zich voelt als hij weer in een bekende gevangenis terugkomt.

Castle trapte tegen de helling van King's Road op. Hij had zijn huis na zijn terugkeer in Engeland met de steun van een bouwvereniging gekocht. Hij had gemakkelijk geld kunnen uitsparen door contant te betalen, maar hij wenste niet af te steken tegen de leraren aan weerszijden – het salaris dat ze verdienden liet sparen niet toe. Om dezelfde reden handhaafde hij het nogal kakelbonte glas-in-loodraam van de Lachende Cavalier boven de voordeur. Hij had er een hekel aan; het deed hem aan tandartsen denken - in provincieplaatsen was het zo dikwijls glas in lood dat de marteling in de stoel voor buitenstaanders verborg – maar alweer, omdat zijn buren hun exemplaar duldden, gaf hij er de voorkeur aan het te laten zitten. De leraren van King's Road waren overtuigde handhavers van de esthetische principes van North Oxford, waar velen van hen de thee hadden gebruikt met hun mentors, en ook daar, in de Banbury Road, zou zijn fiets niet misstaan hebben, in de gang onder de trap.

Hij maakte zijn deur open met een Yale-sleutel. Hij had er wel eens over gedacht om een insteekslot te kopen, of iets zeer speciaals uit te zoeken bij Chubb in St James's Street, maar hij had zich ervan weerhouden – zijn buren waren tevreden met Yale, en er was de laatste drie jaar geen inbraak dichterbij dan Boxmoor voorgekomen om het te rechtvaardigen. De gang was leeg; en ook de zitkamer, die hij door de openstaande deur kon zien: uit de keuken kwam geen enkel geluid. Hij merkte direct op dat de whiskyfles niet klaarstond naast de sifon op het buffet. De gewoonte van jaren was doorbroken en Castle voelde een schrik als de steek van een insekt. Hij riep, 'Sarah', maar er kwam geen antwoord. Hij stond net over de drempel van de gangdeur, naast de paraplubak, en nam met snelle blikken het bekende tafereel in zich op waarin dat ene essentiële object – de whiskyfles – ontbrak, en hij hield zijn adem in. Sinds hun komst was hij er altijd van overtuigd geweest dat op zekere dag het noodlot hen zou achterhalen, en hij wist dat hij, als dat gebeurde, zich niet moest laten verblinden door paniek: hij moest snel weggaan, zonder een poging te doen om nog scherven op te rapen van hun leven samen. 'Zij die in Judea zijn, moeten hun toevlucht zoeken in de bergen...' Hij dacht om de een of andere reden aan zijn neef op Financiën, alsof het een talisman was, die hem kon beschermen, een mascotte, en toen kon hij weer opgelucht ademhalen daar hij stemmen hoorde op de etage boven hem en de voetstappen van Sarah die de trap afkwam.

'Lieverd, ik heb je niet gehoord. Ik was met dokter Barker aan 't praten.'

Dokter Barker volgde haar – een man van middelbare leeftijd met een vuurrode wijnvlek op zijn linkerwang, gekleed in een spikkelig grijs, met twee vulpennen in zijn borstzak; of misschien was de ene een zaklampje om in kelen te turen.

'Is er iets aan de hand?'

'Sam heeft de mazelen, lieverd.'

'Hij knapt wel weer op,' zei dokter Barker. 'Geef hem maar wat rust. Niet te veel licht.'

'Wilt u een glas whisky, dokter?'

'Nee, dank u. Ik moet nog twee visites afleggen en ik ben toch al te laat voor het eten.'

'Waar zou hij het opgedaan hebben?'

'O, het is een hele epidemie. U hoeft zich geen zorgen te maken. Het is maar een lichte aanval.'

Toen de dokter vertrokken was, kuste Castle zijn vrouw. Hij streek met zijn hand over het stugge zwarte haar; hij streelde haar hoge jukbeenderen. Hij betastte de zwarte contouren van haar gezicht zoals een man zou doen die een sculptuur van grote kwaliteit heeft gevonden tussen al het massahoutsnijwerk dat op de stoeptreden van een hotel voor blanke toeristen staat uitgestald; hij overtuigde zich ervan dat het meest waardevolle in zijn leven nog intact was. Aan het eind van een dag had hij altijd het gevoel alsof hij jaren weg was geweest en haar weerloos had achtergelaten. Toch had niemand hier bezwaar tegen haar Afrikaanse bloed. Er bestond hier geen wet die hun leven samen bedreigde. Ze waren veilig – althans zo veilig als voor hen maar mogelijk was.

'Wat is er met je?' vroeg ze.

'Ik was bezorgd. Het scheen allemaal niet te kloppen vanavond toen ik binnenkwam. Jij was er niet. Zelfs de whisky niet...'

'Wat een gewoontedier ben je toch.'

Hij begon zijn aktentas uit te pakken terwijl zij de whisky toebereidde.

'Is er echt niets om bezorgd over te zijn?' vroeg Castle. 'Ik houd nooit zo van de manier waarop dokters praten, vooral niet als ze bemoedigend doen.'

'Heus niet.'

'Kan ik even naar hem toegaan?'

'Hij slaapt nu. Maak hem maar niet wakker. Ik heb hem een aspirientje gegeven.'

Hij zette Deel Eén van *Clarissa Harlowe* in de boekenkast terug.

'Heb je het uit?'

'Nee, ik betwijfel of dat er ooit van zal komen. Het leven is gewoon wat te kort.'

'Maar ik dacht dat je altijd zo van dikke boeken hield.'

'Misschien dat ik *Oorlog en vrede* eens probeer voor het te laat is.'

'Dat hebben we niet.'

'Ik ga het morgen kopen.'

Ze had zorgvuldig een vier-op-één whiskysoda afgemeten naar de Engelse cafénorm, en ze bracht hem het glas nu en drukte het hem in de hand, alsof het een boodschap was die niemand anders mocht lezen. Het was ook zo, de mate van zijn drankgebruik was alleen hun bekend: doorgaans dronk hij niets sterkers dan bier wanneer hij met een collega of zelfs met een vreemde in een bar zat. Alles wat zelfs maar naar alcoholisme zweemde, kon in zijn beroep altijd argwaan wekken. Alleen Davis was zo onverschillig dat hij de glazen met ferme achteloosheid achteroversloeg, zich niet bekommerend om wie hem zag, maar hij bezat dan ook de vermetelheid die voortkomt uit een mentaliteit van volledige onschuld. Castle had zijn vermetelheid evenals zijn onschuld voor altijd verloren in Zuid-Afrika toen hij daar wachtte tot het mes zou vallen.

'Je vindt het toch niet erg, hè,' vroeg Sarah, 'als we vanavond niet warm eten? Ik ben de hele avond met Sam in de weer geweest.'

'Nee hoor.'

Hij legde zijn arm om haar heen. De innigheid van hun liefde was even geheim als de dubbele whisky. Met anderen erover te spreken zou gevaar uitlokken zijn. Liefde betekende alles op alles zetten. De literatuur had dat altijd verkondigd. Tristan, Anna Karenina, zelfs de wellust van Lovelace – hij had het laatste deel van *Clarissa* vluchtig ingezien. 'Ik ben gesteld op mijn vrouw' was het uiterste dat hij ooit, zelfs tegen Davis, had gezegd.

'Ik weet niet wat ik zonder jou zou doen,' zei Castle.

'Niet veel anders dan wat je nu doet. Twee dubbele drinken voor het eten om acht uur.'

'Toen ik thuiskwam en jij er niet was met de whisky, was ik bang.'

'Bang waarvoor?'

'Om alleen achter te blijven. Arme Davis,' voegde hij eraan toe, 'die 's avonds terugkeert naar niets en niemand.'

'Misschien heeft hij wel veel meer plezier.'

'Dit is mijn plezier,' zei hij. 'Een gevoel van geborgenheid.'

'Is het leven daarbuiten dan zo bedreigend?' Ze nam een slokje uit zijn glas en beroerde zijn mond met lippen die nat waren van de J. & B. Hij kocht altijd J. & B. vanwege de kleur – een grote whiskysoda oogde niet sterker dan een slappe van een ander merk.

De telefoon ging op de tafel naast de sofa. Hij nam de hoorn op en zei 'Hallo', maar niemand gaf antwoord. 'Hallo.' Hij telde in zichzelf tot vier, legde de hoorn neer toen hij hoorde dat de verbinding verbroken werd.

'Niemand?'

'Ik denk dat het verkeerd verbonden was.'

'Het is deze maand al drie keer voorgekomen. Altijd als je nog laat op kantoor bent. Denk je niet dat het een inbreker kan zijn die nagaat of we thuis zijn?'

'We hebben niets in huis dat een inbraak waard is.'

'Je leest van die afschuwelijke verhalen, lieverd – mannen met nylonkousen over hun hoofd. De tijd na zonsondergang vind ik echt akelig als je nog niet thuis bent.'

'Daarom heb ik Buller voor je aangeschaft. Waar is Buller eigenlijk?'

'Hij is in de tuin gras aan 't eten. Hij is ergens door van streek. In elk geval, je weet hoe hij is tegen vreemden. Hij kruipt voor ze.'

'Tegen een kousemasker zou hij toch wel eens bezwaar kunnen hebben.'

'Hij zou denken dat het voor zijn plezier werd gedaan. Je weet wel toen met Kerstmis... met die papieren mutsen...'

'Voor we hem hadden, dacht ik altijd dat boxers felle honden waren.'

'Dat zijn het ook – als het om katten gaat.'

De deur piepte en Castle keek snel om: de vierkante zwarte snuit van Buller duwde de deur wijd open, en toen wierp hij zijn lijf als een zak aardappels in Castles kruis. Castle weerde hem af. 'Af, Buller, af.' Een lange sliert speeksel droop langs Castles broekspijp. Hij zei: 'Als dat kruipen is, dan zet iedere inbreker het op een lopen.' Buller begon krampachtig te blaffen en met zijn achterlijf te kronkelen, als een hond die wormen heeft, terwijl hij zich achterwaarts naar de deur bewoog.

'Koest, Buller.'

'Hij wil alleen maar uit.'

'Om deze tijd? Ik dacht dat je zei dat hij ziek was.'

'Hij schijnt genoeg gras gegeten te hebben.'

'Koest, Buller, verdorie nog aan toe. Niet uit.'

Buller liet zich log op de grond ploffen en kwijlde wat op het parket om zich te troosten.

'De meteropnemer was bang voor hem vanmorgen, maar Buller wou alleen maar vriendelijk zijn.'

'Maar de meteropnemer kent hem.'

'Deze was nieuw.'

'Nieuw. Hoezo?'

'O, onze gewone man heeft griep.'

'Heb je hem om zijn legitimatie gevraagd?'

'Natuurlijk. Lieverd, begin *jij* nu bang voor inbrekers te worden? Hou op, Buller. Hou op.' Buller was zijn intieme delen aan 't likken met de gretigheid van een soep slurpende wethouder.

Castle stapte over hem heen en liep de gang in. Hij onderzocht de meter zorgvuldig, maar er was niets bijzonders aan te zien, en hij ging weer naar de kamer.

'*Ben* je ergens bezorgd over?'

'Het is eigenlijk niets. Er is op kantoor wat voorgevallen. Een nieuwe veiligheidsman die een hoop drukte maakt. Het irriteerde me – ik ben al meer dan dertig jaar bij de firma, en ik zou nu wel eens vertrouwd mogen worden. Straks moeten we onze zakken nog leeghalen als we weggaan om te lunchen. Hij *heeft* in mijn aktentas gekeken.'

'Wees redelijk, lieverd. Het ligt niet aan hen. Het ligt aan het beroep.'

'Het is nu te laat om dat te veranderen.'

'Het is nooit ergens te laat voor,' zei ze, en hij wilde dat hij haar kon geloven. Ze gaf hem nog een kus en liep langs hem heen naar de keuken om het koude vlees te halen.

Toen ze gingen zitten en hij nog een whisky had genomen, zei ze: 'Zonder gekheid, je drinkt *echt* te veel.'

'Alleen thuis. Niemand ziet het behalve jij.'

'Ik bedoel niet voor je baan. Ik bedoel voor je gezondheid. Die baan interesseert me geen klap.'

'Nee?'

'Een afdeling van Buitenlandse Zaken. Iedereen weet toch wat dat betekent, maar jij moet altijd je mond dichthouden alsof je een misdadiger bent. Als je mij zou vertellen – mij, je vrouw – wat je vandaag had gedaan, zouden ze je aan de kant zetten. Ik wou dat ze je aan de kant zetten. Wat *heb* je vandaag gedaan?'

'Ik heb wat met Davis gekletst, ik heb aantekeningen gemaakt op een paar dossierkaarten, ik heb een telegram verstuurd – o, en ik ben ondervraagd door die nieuwe veiligheidsofficier. Hij kende mijn neef toen hij bij het Corpus was.'

'Welke neef?'

'Roger.'

'Die snob op Financiën?'

'Ja.'

Op weg naar bed zei hij: 'Zou ik even bij Sam kunnen kijken?'

'Natuurlijk. Maar hij zal nu diep in slaap zijn.'

Buller liep achter hen aan en legde een kloddertje speeksel als een bonbon op de dekens.

'O, Buller.'

Hij kwispelde met wat er over was van zijn staart alsof hij geprezen werd. Voor een boxer was hij niet intelligent. Hij had een heleboel geld gekost en misschien was zijn stamboom wel een beetje te perfect.

De jongen lag diagonaal in zijn teakhouten bed te slapen met zijn hoofd op een doos loden soldaatjes in plaats van op het kussen. Een zwarte voet hing helemaal buiten de dekens en tussen zijn tenen zat een officier van het Tank Corps geklemd. Castle keek hoe Sarah hem weer goed neerlegde, de officier tussen zijn tenen uit pakte en een parachutist onder een dij vandaan groef. Ze hanteerde zijn lichaam met de nonchalance van een expert, en het kind bleef vast doorslapen.

'Hij ziet er erg warm en droog uit,' zei Castle.

'Dat zou jij ook doen als je een temperatuur had van achtendertignegen.' Hij zag er Afrikaanser uit dan zijn moeder, en Castle moest denken aan een hongersnoodfoto die hij eens had gezien – een lijkje met uitgespreide ledematen op het woestijnzand, gadegeslagen door een gier.

'Dat lijkt me erg hoog.'

'Niet voor een kind.'

Hij verbaasde zich altijd over haar zelfvertrouwen: ze kon een nieuw gerecht maken zonder een kookboek in te zien, en niets mislukte haar ooit. Nu draaide ze de jongen hardhandig op zijn zij en stopte hem stevig in, zonder dat er ook maar een ooglid trilde.

'Het is een goeie slaper.'

'Behalve die nachtmerries dan.'

'Heeft hij er weer een gehad?'

'Altijd dezelfde. Wij gaan allebei weg met de trein en hij blijft alleen achter. Op het perron wordt hij door iemand – hij weet niet wie – bij zijn arm gepakt. Het is niets om bezorgd over te zijn. Hij is nu op de leeftijd voor nachtmerries. Ik heb ergens gelezen dat kinderen er last van krijgen als de dreiging van de school nadert. Ik wou dat hij niet naar de prepschool hoefde. Hij zou best eens moeilijkheden kunnen krijgen. Soms zou ik bijna willen dat je hier ook apartheid had.'

'Hij is een goeie hardloper. In Engeland krijg je geen moeilijkheden als je maar in een of andere sport uitblinkt.'

Die nacht in bed werd ze wakker uit haar eerste slaap en zei, alsof de gedachte in een droom bij haar opgekomen was: 'Het is toch vreemd, is 't niet, dat je zo dol bent op Sam.'

'Natuurlijk ben ik dat. Waarom niet? Ik dacht dat je al sliep.'

'Daar is niets natuurlijks aan. Kleine bastaard die hij is.'

'Zo noemt Davis hem altijd.'

'Davis? Die weet het toch niet?' vroeg ze angstig. 'Dat kan hij toch niet weten?'

'Nee, maak je geen zorgen. Het is een benaming die hij voor ieder kind gebruikt.'

'Ik ben blij dat zijn vader diep onder de grond ligt,' zei ze.

'Ja. Ik ook, de arme drommel. Misschien was hij op den duur toch nog met je getrouwd.'

'Nee. Ik was al die tijd verliefd op jou. Zelfs toen ik Sam liet komen, was ik op jou verliefd. Het is meer jouw kind dan het zijne. Ik probeerde aan jou te denken toen hij met me vrijde. Het was een lauwe figuur. Op de universiteit noemden ze hem een Uncle Tom. Sam zal niet lauw zijn, geloof je ook niet? Warm of koud, maar niet lauw.'

'Waarom praten we over al die dingen uit het verre verleden?'

'Omdat Sam ziek is. En omdat je bezorgd bent. Als ik niet op mijn gemak ben, herinner ik me hoe ik me voelde toen ik wist dat ik je over hem moest vertellen. Die eerste nacht over de grens in Lourenço Marques. Het Polana Hotel. Ik dacht: "Hij trekt zijn kleren weer aan en verdwijnt voor altijd." Maar dat deed je niet. Je bleef. En we gingen met elkaar naar bed al had ik Sam in mijn buik.'

Ze lagen stil naast elkaar, al die jaren later, terwijl alleen hun schouders elkaar raakten. Hij vroeg zich af of zo het geluk van de oude dag ontstond, dat hij wel eens op het gezicht van een vreemde had gezien, maar als zij haar oude dag bereikte, zou hij allang dood zijn. De oude dag was iets dat zij nooit samen zouden beleven.

'Betreur je het nooit,' vroeg ze, 'dat we geen kind hebben gemaakt?'

'Sam geeft al verantwoordelijkheid genoeg.'

'Ik zeg het niet zomaar. Zou je niet graag een kind van ons samen hebben gehad?'

Hij begreep nu dat dit zo'n vraag was waaraan niet te ontkomen viel.

'Nee,' zei hij.

'Waarom niet?'

'Je zoekt het altijd zo diep, Sarah. Ik houd van Sam omdat hij van jou is. Omdat hij niet van mij is. Omdat ik niets van mezelf hoef te zien als ik naar hem kijk. Ik zie alleen iets van jou in hem terug. Ik wil mezelf niet eindeloos voortzetten. De ezel gaat tot zover en niet verder.'

3

1

'Een geslaagd ochtendje jagen,' merkte kolonel Daintry halfhartig op tegen Lady Hargreaves, de modder van zijn laarzen stampend alvorens het huis binnen te gaan. 'De vogels kwamen goed op de wieken.' Achter hem kwamen zijn medegasten uit de auto's zetten met de geforceerde jovialiteit van een stel voetballers die hun sportieve enthousiasme willen tonen en niet hoe koud en modderig ze zich in werkelijkheid voelen.

'De drankjes staan klaar,' zei Lady Hargreaves. 'Bedient u zelf. Lunch over tien minuten.'

Er kwam nog een auto tegen de heuvel op door het park aanrijden, heel in de verte. Iemand bulderde van het lachen in de koude vochtige lucht, en een ander riep: 'Daar heb je Buffy dan eindelijk. Op tijd voor de lunch uiteraard.'

'En voor uw fameuze steak-and-kidney pudding?' vroeg Daintry. 'Daar heb ik zoveel over gehoord.'

'Mijn pastei, bedoelt u. Heeft u echt een geslaagde ochtend gehad, kolonel?' Haar spraak had een licht Amerikaans accent – licht genoeg om aangenaam te zijn, als een vleugje van een duur parfum.

'Niet veel fazanten,' zei Daintry, 'maar verder uitstekend.'

'Harry,' riep ze over zijn schouder, 'Dicky' en toen 'Waar is Dodo? Is hij soms verdwaald?' Niemand noemde Daintry bij zijn voornaam omdat niemand die kende. Met een gevoel van eenzaamheid keek hij hoe de elegante langgerekte gestalte van zijn gastvrouw de bordestreden afhinkte om 'Harry' te begroeten met een kus op beide wangen. Daintry liep alleen naar binnen en ging de eetkamer in waar de dranken klaarstonden op het buffet.

Een kleine, gezette, blozende man in een tweed pak van wie hij dacht dat hij hem al eens eerder had gezien, was bezig een dry Martini klaar te maken. Hij droeg een bril met een zilveren montuur dat glinsterde in het zonlicht. 'Maak er ook maar een voor mij,' zei Daintry, 'als u ze tenminste goed dry maakt.'

'Tien op een,' zei de kleine man. 'Een vleugje van de kurk, hè? Zelf gebruik ik altijd een parfumspuitje. U bent kolonel Daintry, is het niet? U kent me niet meer. Ik ben Percival. Ik heb uw bloeddruk eens opgenomen.'

'O, ja. Dokter Percival. We werken min of meer voor dezelfde firma, nietwaar?'

'Dat klopt. C wilde dat we in alle rust bijeen zouden zijn – al die onzin met spraakvervormers is hier niet nodig. Die van mij krijg ik nooit goed afgesteld, u wel? Het vervelende is echter, dat ik niet jaag. Ik vis alleen. Bent u hier voor 't eerst?'

'Ja. Wanneer bent u aangekomen?'

'Een beetje vroeg. Rond het middaguur. Ik ben een Jaguar-maniak. Kan niet onder de honderdzestig blijven.'

Daintry keek naar de tafel. Naast ieder bord stond een fles bier. Hij hield niet van bier, maar om de een of andere reden scheen men altijd te vinden dat bij een jachtpartij bier hoorde. Misschien paste het bij de jongensachtigheid van het gebeuren, zoals ginger-ale op Lord's. Daintry was niet jongensachtig. De jacht betekende voor hem het beoefenen van een strikt competitieve vaardigheid – hij was een keer tweede geworden bij de King's Cup. In het midden van de tafel stonden nu kleine zilveren bonbonschaaltjes waarin naar hij zag zijn Maltesers lagen. Hij had zich de avond tevoren wat gegeneerd gevoeld toen hij Lady Hargreaves bijna een kist vol van het snoepgoed had aangeboden; ze had kennelijk geen idee wat het was of wat ze ermee moest doen. Hij had het gevoel dat hij opzettelijk voor de gek was gehouden door die Castle. Hij was blij om te zien dat ze er in zilveren schaaltjes wat gedistingeerder uitzagen dan toen ze nog in de plastic zakjes zaten.

'Houdt u van bier?' vroeg hij Percival.

'Ik houd van alles wat alcoholisch is,' zei Percival, 'behalve Fernet-Branca,' en toen kwamen de jongens luidruchtig binnenvallen – Buffy en Dodo, Harry en Dicky en iedereen; het tafelzilver en de glazen vibreerden van de hilariteit. Daintry was blij dat Percival er was, want Percivals voornaam scheen ook niemand te kennen.

Helaas werd hij aan tafel van hem gescheiden. Percival had al snel zijn eerste fles bier opgedronken en was aan een tweede begonnen. Daintry voelde zich verraden, daar Percival evengoed met zijn tafelburen scheen te kunnen opschieten alsof ze ook lid waren van de oude firma. Hij was aan een visverhaal begonnen waar de man die Dicky heette, om had moeten lachen. Daintry zat tussen de knaap waarvan hij aannam dat het Buffy was en een schrale oudere man met een advocatengezicht. Hij had zich voorgesteld, en zijn achternaam kwam hem bekend voor. Hij was of de procureur-generaal of de advocaat-generaal, maar Daintry kon zich niet herinneren of het nu het een of het ander was; die onzekerheid bemoeilijkte de conversatie.

Buffy zei plotseling: 'Mijn God, als dat geen Maltesers zijn!'

'Kent u dan Maltesers?' vroeg Daintry.

'Ik heb ze in geen eeuwigheid geproefd. Kocht ze altijd in de bioscoop toen ik nog een jochie was. Smaken fantastisch. Er is hier toch geen bioscoop in de buurt?'

'Het geval is dat ik ze uit Londen heb meegebracht.'

'Gaat u wel eens naar de film? Heb er in geen tien jaar een gezien. Ze verkopen dus nog steeds Maltesers?'

'Je kunt ze ook in winkels krijgen.'

'Dat heb ik nooit geweten. Waar kwam u ze tegen?'

'In een KGB.'

'KGB?'

Daintry herhaalde met twijfel in zijn hart wat Castle had gezegd: 'Koolzuur-Gefermenteerd Broodbedrijf.'

'Asjemenou! Wat is dat, koolzuur-gefermenteerd brood?'

'Dat weet ik niet,' zei Daintry.

'Wat ze allemaal niet uitvinden tegenwoordig. Het zou me niet verbazen als hun brood door computers werd gemaakt, gelooft u ook niet?' Hij boog zich naar voren en pakte een Malteser en knisperde hem bij zijn oor als een sigaar.

Lady Hargreaves riep vanaf de andere kant van de tafel: 'Buffy! Niet vóór de steak-and-kidney pastei.'

'Sorry, liefje. Kon het niet weerstaan. Sinds ik een jochie was, heb ik ze niet meer geproefd.' Hij zei tegen Daintry: 'Buitengewone vinding die computers. Ik heb er eens vijf pond voor betaald om een vrouw voor me uit te laten zoeken.'

'Bent u dan niet getrouwd?' vroeg Daintry, kijkend naar de gouden ring die Buffy droeg.

'Nee. Draag dit altijd als bescherming. Het was niet echt serieus, snapt u. Houd er alleen van om nieuwe uitvindingen te proberen. Moest een formulier van hier tot ginder invullen. Opleiding, interesses, beroep, en wat niet al.' Hij nam nog een Malteser. 'Echte zoetekauw,' zei hij. 'Altijd geweest.'

'En kreeg u er nog kandidaten op?'

'Ze stuurden een meisje op me af. Meisje! Vijfendertig, zo niet ouder. Ze wou thee hebben. Sinds mijn moeders dood heb ik geen thee meer gedronken. Ik zei: "Liefje, hoe denk je erover als we daar eens whisky van maken? Ik ken de ober hier. Hij geeft het ons wel onder de toonbank!" Ze zei dat ze niet dronk. Niet dronk!'

'Had de computer zich vergist?'

'Ze had een graad in economie van London University. En een grote bril. Plat als een plank. Ze zei dat ze goed kon koken. Ik zei dat ik altijd bij White at.'

'Heeft u haar ooit nog teruggezien?'

'Nooit meer gesproken, maar ze heeft een keer vanuit een bus naar me gezwaaid toen ik de stoep van mijn club afkwam. Gênant! Omdat ik juist Dicky bij me had. Dat kreeg je toen ze St James's Street voor bussen openstelden. Niemand was meer veilig.'

Na de steak-and-kidney pastei kwam er een strooptaart en een grote Stilton-kaas op tafel en Sir John Hargreaves liet de port rondgaan. Er heerste een vage stemming van rusteloosheid aan tafel alsof de vakantie al te lang had geduurd. De aanwezigen begonnen blikken door het raam te werpen naar de grijze lucht: over een paar uur zou de duisternis invallen. Ze dronken haastig hun port alsof het met een schuldgevoel gepaard ging – ze waren daar niet echt voor onbezorgd vermaak – behalve Percival die zich nergens om bekommerde. Hij was weer een visverhaal aan het vertellen en had vier lege bierflesjes naast zich staan.

De advocaat-generaal – of was het de procureur-generaal? – zei nadrukkelijk: 'We moesten maar eens opstappen. De zon gaat al onder.' Hij was hier zeker niet voor zijn plezier, alleen maar ambtshalve, en Daintry had begrip voor zijn onrust. Hargreaves zou er nu echt een einde aan behoren te maken, maar Hargreaves was bijna in slaap gevallen. Na jaren in de koloniale dienst – hij was eens een jong districtscommissaris geweest van wat toen de Goudkust was – had hij de kunst geleerd zijn middagdutje te doen onder de meest ongunstige omstandigheden, zelfs te midden van twistende stamhoofden, die dan meer lawaai maakten dan Buffy.

'John,' riep Lady Hargreaves over de tafel, 'word wakker.'

Hij opende zijn blauwe serene onschokbare ogen en zei: 'Een hazeslaapje.' Er werd verteld dat hij als jongeman ergens in Ashanti ongewild mensenvlees had gegeten, maar zijn spijsvertering had er niet onder geleden. Volgens het verhaal had hij tegen de gouverneur gezegd: 'Ik kan me er werkelijk niet over beklagen, meneer. Ze bewezen me een grote eer door me mee te laten eten van wat de pot schafte.'

'Nou, Daintry,' zei hij, 'het lijkt me tijd worden dat we het mes er eens inzetten.'

Hij ontvouwde zich van de tafel en gaapte. 'Je steak-and-kidney pastei, lieve, is *te* lekker.'

Daintry keek met afgunst naar hem. Hij benijdde hem in de eerste plaats om zijn positie. Hij was een van de zeer weinige mannen buiten de dienst die ooit tot C werden benoemd. Niemand van de firma wist waarom hij gekozen was – alle mogelijke duistere invloeden werden vermoed, want zijn enige ervaring met het inlichtingenwerk had hij tijdens de oorlog in Afrika opgedaan. Daintry benijdde hem ook zijn vrouw; ze was zo rijk, zo decoratief, zo onberispelijk Amerikaans. Een Amerikaans huwelijk kon, naar het scheen, niet geclassificeerd worden als een buitenlands huwelijk: om met een buitenlander te trouwen moest

een speciale permissie worden aangevraagd en het werd dikwijls geweigerd, maar een Amerikaanse trouwen werd misschien wel als een ver-
sterking van de speciale band beschouwd. Hij vroeg zich niettemin af of
Lady Hargreaves wel bevredigend doorgelicht was door MI 5 en positief
was bevonden door de FBI.

'Vanavond,' zei Hargreaves, 'gaan we een babbeltje maken, nietwaar,
Daintry? Jij en ik en Percival. Als dit gezelschap naar huis is.'

2

Sir John Hargreaves hinkte rond, sigaren uitdelend, whisky's inschen-
kend, het vuur oppokend. 'Ik houd zelf niet zo van jagen,' zei hij. 'Heb
in Afrika nooit gejaagd, behalve met een camera, maar mijn vrouw
houdt zo van al die oude Engelse gewoontes. Als je land hebt, zegt ze,
moet je ook gevogelte hebben. Helaas waren er niet genoeg fazanten,
Daintry.'

'Ik heb een zeer geslaagde dag gehad,' zei Daintry, 'al met al.'

'Ik wou dat u er een forellenstroom op na hield,' zei dokter Percival.

'O ja, uw sport is vissen, is 't niet? Wel, je zou kunnen zeggen dat waar
het nu om gaat wel iets met vissen te maken heeft.' Hij sloeg met zijn pook
op een houtblok. 'Zinloos,' zei hij, 'maar ik zie graag de vonken spatten.
Er schijnt een lek te zitten ergens in sectie 6.'

Percival zei: 'Op de basis of in het veld?'

'Ik ben er niet zeker van, maar ik heb het akelige gevoel dat het hier in
het land is. In een van de Afrikaanse secties – 6A.'

'Ik ben net klaar met het checken van sectie 6,' zei Daintry. 'Alleen
maar een routine-inspectie. Om de mensen te leren kennen.'

'Ja, dat is me verteld. Dat is de reden dat ik u gevraagd heb hier te
komen. Vond het ook gezellig om u hier op de jacht te hebben natuurlijk.
Heeft u iets opgemerkt?'

'De veiligheidsdiscipline is enigszins verslapt. Maar dat is bij alle andere secties ook het geval. Ik heb bijvoorbeeld een ruwe check gehouden
van wat de mensen in hun aktentas meenemen als ze gaan lunchen. Niets
van ernstige aard, maar ik was wel verbaasd over het aantal aktentassen...
Het is een waarschuwing, niet meer dan dat, natuurlijk. Maar een waarschuwing zou een nerveus man kunnen doen schrikken. We kunnen ze
toch moeilijk vragen om zich uit te kleden.'

'Ze doen dat wel bij de diamantmijnen, maar ik geef toe dat uitkleden
in het West End wat vreemd zou worden gevonden.'

'Iemand werkelijk ergens op betrapt?' vroeg Percival.

'Niet op iets ernstigs. Davis van 6A had een rapport bij zich – zei dat hij het wou doornemen tijdens zijn lunch. Ik heb hem natuurlijk een waarschuwing gegeven en ervoor gezorgd dat hij het bij generaal Tomlinson achterliet. Verder ben ik alle achtergronden nagegaan. Het doorlichten is zeer degelijk gebeurd sinds de Blake-affaire aan het licht kwam, maar er zijn nog steeds een aantal mensen die al bij ons waren in de slordige oude tijd. Sommigen van hen dateren zelfs nog uit de tijd van Burgess en Maclean. We *zouden* ze weer helemaal opnieuw kunnen nalopen, maar het valt niet mee om een koud spoor op te pikken.'

'Het is natuurlijk mogelijk, niet onmogelijk,' zei C, 'dat de informatie uit het buitenland afkomstig is en dat ze het bewijsmateriaal hier ondergeschoven hebben. Ze zouden ons graag willen ontwrichten, het moreel schaden en ons bij de Amerikanen in diskrediet brengen. Het bekend worden van het feit dat er een lek is, zou wel eens meer schade kunnen berokkenen dan het lek zelf.'

'Dat dacht ik ook juist,' zei Percival. 'Vragen in het Parlement. Al die oude namen die weer opgehaald worden – Vassall, de Portland-affaire, Philby. Maar als ze op publiciteit uit zijn, is er weinig dat we kunnen doen.'

'Ik denk dat er dan een Koninklijke Commissie benoemd zou worden om de put af te sluiten,' zei Hargreaves. 'Maar laten we even aannemen dat ze werkelijk op informatie uit zijn en niet op schandaal. Sectie 6 lijkt me toch een uiterst ongeschikte afdeling voor dat doel. Er zijn geen atoomgeheimen in Afrika: alleen guerrilla's, stamoorlogen, huurlingen, kleine dictators, mislukte oogsten, bouwschandalen, goudaders, niets dat daar nou zo geheim is. Dat is waarom ik me afvraag of het motief niet gewoonweg schandaal zou kunnen zijn, door te bewijzen dat ze de Britse Geheime Dienst weer eens gepenetreerd hebben.'

'Is het een belangrijk lek, C?' vroeg Percival.

'Het is meer een onbeduidend gedrup, voornamelijk economisch, maar het interessante is dat het afgezien van de economie ook de Chinezen betreft. Is het niet mogelijk – de Russen zijn zulke beginnelingen in Afrika – dat ze van onze dienst gebruik willen maken om informatie over de Chinezen te krijgen?'

'Er is verduiveld weinig dat ze van ons te weten kunnen komen,' zei Percival.

'Maar u weet hoe de mensen zijn op welk Centrum dan ook. Eén ding dat niemand daar ooit kan verdragen, is een lege witte kaart.'

'Waarom sturen we ze geen doorslagen, met onze complimenten, van wat we de Amerikanen geven? Er wordt toch geacht een *détente* te zijn? Zou iedereen een hoop moeite besparen.' Percival haalde een klein spuitbusje uit zijn zak en sprayde zijn brilleglazen, veegde ze toen af met een schone witte zakdoek.

'Bedien u zelf met de whisky,' zei C. 'Ik ben te stijf om me te bewegen na die verwenste jacht. Nog ideeën, Daintry?'

'De meeste mensen in sectie 6 zijn van na Blake. Als hun achtergronden onbetrouwbaar zijn dan is niemand safe.'

'Hoe dan ook, de oorsprong schijnt sectie 6 te zijn – en waarschijnlijk 6A. Hetzij hier of in het buitenland.'

'Het hoofd van sectie 6, Watson, is een betrekkelijke nieuwkomer,' zei Daintry. 'Hij is zeer grondig doorgelicht. Dan heb je Castle – die is al heel lang bij ons, we hebben hem zeven jaar geleden uit Pretoria teruggehaald omdat ze hem in 6A nodig hadden, en er waren ook persoonlijke redenen – moeilijkheden over een meisje dat hij wilde trouwen. Hij dateert natuurlijk uit de tijd dat er slordig doorgelicht werd, maar volgens mij is hij betrouwbaar. Nogal saaie man, maar eerste-klas met dossiers uiteraard – het zijn doorgaans de briljante en ambitieuze types die gevaarlijk zijn. Castle is degelijk getrouwd, voor de tweede keer, zijn eerste vrouw is dood. Ze hebben een kind, een huis onder hypotheek bij Metroland. Levensverzekering – de betalingen zijn up to date. Geen weelderig leven. Hij houdt er zelfs geen auto op na. Ik geloof dat hij dagelijks op de fiets naar het station gaat. Een derde graad in geschiedenis te Oxford. Zorgvuldig en nauwgezet. Roger Castle op Financiën is zijn neef.'

'U denkt dus dat hij zeer betrouwbaar is?'

'Hij heeft zijn eigenaardige trekjes, maar ik kan niet zeggen van een gevaarlijke soort. Bijvoorbeeld, hij raadde me aan om die Maltesers voor Lady Hargreaves mee te nemen.'

'Maltesers?'

'Het is een lang verhaal. Ik zal u er nu niet mee lastig vallen. En dan is er nog Davis. Ik weet niet of ik met Davis wel zo gelukkig ben, ondanks zijn positieve doorlichting.'

'Schenk me nog een whisky in, wil je, Percival, m'n beste. Ieder jaar zeg ik weer dat het mijn laatste jacht is geweest.'

'Maar die steak-and-kidney pasteien van uw vrouw zijn verrukkelijk. Ik zou ze niet graag missen,' zei Percival.

'Ik denk dat we daar wel een ander excuus voor kunnen vinden.'

'U zou kunnen proberen om forel in die stroom uit te zetten...'

Daintry ervoer opnieuw een steek van afgunst; wederom voelde hij zich buitengesloten. Zijn leven had niets gemeen met dat van zijn metgezellen in de wereld buiten de grenzen van de veiligheidsdienst. Zelfs als jager voelde hij zich professioneel. Van Percival werd gezegd dat hij schilderijen verzamelde, en C? Een hele sociale wereld was voor hem geopend door zijn rijke Amerikaanse vrouw. De steak-and-kidney pastei was het enige dat Daintry vergund was buiten kantooruren met hen te delen – voor de eerste en misschien wel de laatste keer.

'Vertel eens wat over Davis,' zei C.

'Reading University. Wis- en natuurkunde. Heeft een deel van zijn militaire dienst in Aldermaston vervuld. Heeft nooit – althans niet openlijk – aan protestdemonstraties meegedaan. Labour Party natuurlijk.'

'Zoals vijfenveertig procent van de bevolking,' zei C.

'Ja, ja, natuurlijk, maar evengoed... Hij is vrijgezel. Woont alleen. Geeft nogal royaal uit. Verzot op goede port. Wedt bij de koersen. Dat is een klassieke manier natuurlijk om te verklaren waarom je je kunt veroorloven...'

'Wat veroorlooft hij zich dan? Behalve port.'

'Nou, hij heeft een Jaguar.'

'Die heb ik ook,' zei Percival. 'Ik neem aan dat we u niet moeten vragen hoe het lek ontdekt is?'

'Ik zou u niet hier hebben laten komen als ik dat niet mocht vertellen. Watson weet het, maar niemand anders van sectie 6. De informatiebron is ongewoon – een sovjetoverloper die nog ter plaatse is.'

'Zou het lek bij sectie 6 in Afrika kunnen zitten?' vroeg Daintry.

'Het zou kunnen, maar ik betwijfel het. Het is wel zo dat één rapport dat ze in handen kregen regelrecht uit Lourenço Marques scheen te komen. Het was woord voor woord zoals 69300 het opgesteld had. Bijna een fotokopie van het oorspronkelijke rapport, zodat men zou kunnen denken dat het lek daar zat, ware het niet dat er enkele correcties en doorhalingen in zijn aangebracht. Onnauwkeurigheden die er alleen maar hier uitgepikt kunnen zijn doordat het rapport met de dossiers is vergeleken.'

'Een secretaresse?' opperde Percival.

'Daintry is begonnen met hen te checken, nietwaar? Ze worden intensiever doorgelicht dan wie ook. Dus resten ons Watson, Castle en Davis.'

'Wat me niet bevalt,' zei Daintry, 'is dat Davis degene was die een rapport van kantoor wilde meenemen. Een uit Pretoria. Niet van uitzonderlijk belang, maar het had wel een Chinees aspect. Hij zei dat hij het nog eens wou overlezen tijdens zijn lunch. Hij en Castle moesten het later met Watson bespreken. Ik heb dat bij Watson op waarheid getoetst.'

'Wat stelt u voor om te doen?' vroeg C.

'We zouden een maximum-security-check kunnen instellen met medewerking van 5 en Special Branch. Van iedereen in sectie 6. Brieven, telefoongesprekken, flats afluisteren, hun gangen nagaan.'

'Als de zaak zo eenvoudig lag, meneer Daintry, zou ik u niet lastig gevallen hebben om hier te komen. Het is maar een tweederangs jachtpartij, en ik wist dat de fazanten u zouden teleurstellen.'

Hargreaves tilde zijn pijnlijke been met beide handen op en zette het voorzichtig dichter bij het vuur. 'Veronderstel dat we zouden kunnen

33

bewijzen dat Davis de schuldige is – of Castle of Watson. Wat moeten we dan doen?'

'Dat zou dan toch een zaak van de rechtbank zijn,' zei Daintry.

'Koppen in de kranten. Alweer een besloten rechtszaak. Niemand daarbuiten zou weten hoe klein en onbeduidend de lekken waren. Wie het ook is, het zal hem niet op veertig jaar komen te staan zoals Blake. Misschien zal hij er tien uitzitten als de gevangenis goed beveiligd is.'

'Dat is toch onze zorg niet.'

'Nee, Daintry, maar het vooruitzicht van zo'n rechtszaak trekt me absoluut niet aan. Hoeveel medewerking kunnen we daarna nog van de Amerikanen verwachten? En bovendien zitten we met onze bron. Zoals ik al zei, hij is nog steeds ter plaatse. We willen hem niet prijsgeven zolang hij van nut blijkt te zijn.'

'In zeker opzicht,' zei Percival, 'zou het beter zijn om als een gedogende echtgenoot onze ogen te sluiten, en wie het ook is naar een of andere onschadelijke afdeling over te plaatsen. De zaak vergeten.'

'En medeplichtig zijn aan een misdaad?' protesteerde Daintry.

'Ach, misdaad,' zei Percival en hij glimlachte tegen C als een samenzweerder. 'We begaan allemaal wel eens een misdaad, nietwaar? Het is het werk dat we doen.'

'Het vervelende is,' zei C, 'dat de situatie inderdaad een beetje op een wankel huwelijk lijkt. In een huwelijk, als de gedogende echtgenoot de minnaar begint te vervelen, kan deze altijd een schandaal uitlokken. Hij heeft de troefkaart in handen. Hij kan zelf zijn moment kiezen. Ik wil geen schandaal uitgelokt zien.'

Daintry haatte adremheid. Adremheid was als een geheime code waarvan hij de handleiding niet bezat. Hij was gerechtigd om telegrammen en rapporten met de aanduiding Strikt Geheim te lezen, maar dit soort adremheid was zo geheim dat hij zelfs geen sleutel had om het te doorgronden. Hij zei: 'Persoonlijk zou ik liever mijn ontslag nemen dan de zaak in de doofpot stoppen.' Hij zette zijn glas whisky zo hard neer dat er een kristalsplinter afsprong. Lady Hargreaves weer, dacht hij. Ze zal met niets minder genoegen nemen dan kristal. Hij zei: 'Neem me niet kwalijk.'

'Natuurlijk heb je gelijk, Daintry,' zei Hargreaves. 'Trek het je niet aan van dat glas. Denk alsjeblieft niet dat ik je helemaal hier heb laten komen om je te overreden de zaak te laten vallen, als we voldoende bewijs hebben... Maar een rechtszaak is niet per definitie het juiste antwoord erop. De Russen brengen hun zaken ook meestal niet voor de rechtbank, wat hun eigen mensen betreft. Het proces tegen Penkovsky was een geweldige morele stimulans voor ons, ze overdreven zijn belangrijkheid zelfs, evenals de CIA. Ik vraag me nog steeds af waarom ze dat proces

gevoerd hebben. Ik wou dat ik een schaker was. Schaak jij, Daintry?'
'Nee, ik ben een bridger.'
'De Russen bridgen niet, heb ik me laten vertellen.'
'Is dat van belang?'
'We doen spelletjes, Daintry, spelen, wij allemaal. Het is van belang om een spel niet te serieus te nemen, want anders verliezen we het. We moeten flexibel blijven, maar het is natuurlijk ook van belang dat we hetzelfde spel spelen.'

'Het spijt me, meneer,' zei Daintry, 'ik begrijp niet waar u het over heeft.'

Hij was zich ervan bewust dat hij te veel whisky had gedronken, en hij was zich ervan bewust dat C en Percival opzettelijk elkaars blik meden – ze wilden hem niet vernederen. Ze hadden koppen van steen, dacht hij, steen.

'Zullen we nog één whisky nemen,' zei C, 'of maar niet? We hebben een lange dag met veel nattigheid gehad. Percival...?'

Daintry zei: 'Ik wil er nog wel een.'

Percival schonk de glazen in. Daintry zei: 'Het spijt me dat ik zo lastig ben, maar ik zou de zaken graag wat duidelijker willen hebben voor we naar bed gaan, anders slaap ik niet.'

'Het is in feite zeer simpel,' zei C. 'Houd je maximum-security-check zo je wilt. Misschien schrikt de vogel erdoor op zonder verdere moeilijkheden. Hij zal spoedig beseffen wat er gaande is – als hij schuldig is tenminste. Je zou een of andere test kunnen bedenken – de oude truc van het gemerkte bankbiljet mislukt zelden. Als we er volkomen zeker van zijn wie onze man is, dan lijkt het me dat we hem gewoon moeten elimineren. Geen proces, geen publiciteit. Als we eerst nog informatie over zijn contacten uit hem kunnen krijgen, zoveel te beter, maar een publieke ontvluchting en vervolgens een persconferentie in Moskou mogen we niet riskeren. Een arrestatie is ook uitgesloten. Aangenomen dat hij in sectie 6 zit, dan is welke informatie hij ook maar kan doorspelen minder schadelijk dan het schandaal van een rechtszaak.'

'Eliminatie? U bedoelt...'

'Ik weet dat eliminatie tamelijk nieuw voor ons is. Meer iets in de lijn van de KGB of de CIA. Dat is waarom ik wilde dat je Percival hier zou ontmoeten. We hebben de hulp van zijn wetenschapsjongens misschien nodig. Niets opzienbarends. Een doktersverklaring. Geen lijkschouwing als die vermeden kan worden. Een zelfmoord zou makkelijk genoeg zijn, maar anderzijds komt aan een zelfmoord altijd een lijkschouwing te pas, en dat zou kunnen leiden tot vragen in het Huis. Iedereen weet nu wel wat een "afdeling van Buitenlandse Zaken" beduidt. "Waren er op enigerlei wijze veiligheidszaken bij betrokken?" Je kent het soort vragen dat een of ander onbelangrijk kamerlid altijd wel zal stellen. En niemand die ooit het officiële antwoord gelooft. Zeker de Amerikanen niet.'

'Ja,' zei Percival, 'ik begrijp het precies. Hij moet rustig, vredig sterven, ook pijnloos, de arme kerel. Pijn is soms op het gezicht te lezen, en er kunnen familieleden zijn waarmee rekening moet worden gehouden. Een natuurlijke dood...'

'Het zal niet makkelijk zijn, besef ik, met al die nieuwe antibiotica,' zei C. 'Er voorlopig van uitgaande dat het Davis *is,* het is een man van net over de veertig. In de bloei van zijn leven.'

'Dat is zo. Een hartaanval zou misschien nog geregeld kunnen worden. Tenzij... Weet iemand van u of hij veel drinkt?'

'Zei je niet iets over port, Daintry?'

'Ik zeg niet dat hij schuldig is,' zei Daintry.

'Geen van ons zegt dat,' zei C. 'We nemen Davis alleen maar als een mogelijk voorbeeld... als hulpmiddel om het probleem te onderzoeken.'

'Ik zou graag zijn medisch rapport eens inzien,' zei Percival, 'en ik zou hem graag met een of ander smoesje willen leren kennen. Wel beschouwd is hij mijn patiënt, nietwaar? Dat wil zeggen als...'

'Jij en Daintry kunnen dat samen wel regelen. Het heeft geen grote haast. We moeten er eerst volkomen zeker van zijn dat hij onze man is. En nu – het is een lange dag geweest – te veel hazen en te weinig fazanten – welterusten. Ontbijt op een blad. Eieren met bacon? Saucijsjes? Thee of koffie?'

Percival zei: 'Alles compleet, koffie, bacon, eieren en saucijsjes, als het kan.'

'Negen uur?'

'Negen uur.'

'En jij, Daintry?'

'Alleen koffie en toast. Acht uur als het niet bezwaarlijk is. Ik kan nooit zo lang slapen en er wacht een hoop werk op me.'

'Je zou je wat meer moeten ontspannen,' zei C.

3

Kolonel Daintry was een dwangmatige scheerder. Hij had zich voor het avondmaal al geschoren, maar nu ging hij ten tweeden male met zijn Remington over zijn kin. Daarna schudde hij wat stof in de wasbak en het aanrakend met zijn vingers voelde hij zich gerechtvaardigd. Vervolgens zette hij zijn elektrische tandensproeier aan. Het zachte gezoem was voldoende om het klopje op zijn deur te overstemmen, dus was hij verbaasd toen hij in de spiegel de deur open zag gaan en dokter Percival beschroomd binnen zag stappen.

'Sorry dat ik je stoor, Daintry.'

'Kom toch binnen. Iets vergeten mee te nemen? Kan ik je iets lenen?'

'Nee, nee. Ik wilde voor het slapen gaan nog even een praatje maken. Grappig apparaatje heb je daar. Modern ook. Het zal echt wel beter zijn dan een gewone tandenborstel, of niet?'

'Het water kan tussen de tanden komen,' zei Daintry. 'Mijn tandarts raadde het me aan.'

'Ik heb daar altijd een tandestoker voor bij me,' zei Percival. Hij haalde een kleine rode Cartier-cassette uit zijn zak. 'Aardig, hè? Achttien-karaats. Voor mij heeft mijn vader hem al gebruikt.'

'Ik vind dit toch hygiënischer,' zei Daintry.

'O, dat staat nog te bezien. Dit is gemakkelijk af te wassen. Ik ben huisarts geweest, zie je, Harley Street en alles, voor ik in deze organisatie terechtkwam. Ik weet niet waarom ze me wilden hebben – misschien om overlijdensaktes te tekenen.' Hij beende de kamer rond, met belangstelling voor alles. 'Ik hoop dat je je niet inlaat met al die fluor-onzin.' Hij bleef staan bij een foto die in een uitklapbaar etui op de toilettafel stond. 'Is dat je vrouw?'

'Nee. Mijn dochter.'

'Knap meisje.'

'Mijn vrouw en ik zijn gescheiden.'

'Ik ben zelf ook niet getrouwd,' zei Percival. 'Om de waarheid te zeggen, ik heb nooit veel belangstelling gehad voor vrouwen. Begrijp me niet verkeerd – ook niet voor jongens. Een goede forellenstroom daarentegen... Ken je de Aube?'

'Nee.'

'Een zeer klein riviertje met zeer grote vissen.'

'Ik kan niet zeggen dat ik ooit veel belangstelling heb gehad voor vissen,' zei Daintry, en hij begon zijn apparaat op te bergen.

'Wat dram ik toch door, hè?' zei Percival. 'Kan nooit eens rechtstreeks een onderwerp aanpakken. Het is weer net als met vissen. Soms moet je wel honderd droogworpen doen voor je de vlieg kan plaatsen.'

'Ik ben geen vis,' zei Daintry, 'en het is over twaalven.'

'Beste kerel, het spijt me werkelijk. Ik beloof dat ik je geen minuut langer op zal houden. Ik wilde alleen niet dat je ontdaan naar bed zou gaan.'

'Was ik ontdaan?'

'Ik kreeg de indruk dat je wat geschokt was door C's houding – ik bedoel ten aanzien van dingen in 't algemeen.'

'Ja, misschien was ik dat wel.'

'Je bent nog niet zo lang bij ons, lijkt me, anders zou je weten dat we allemaal in hokjes zitten – weet je wel – hokken.'

'Ik begrijp het nog steeds niet.'

'Ja, dat heb je al eens eerder gezegd, nietwaar? Begrip is in ons beroep niet zo erg noodzakelijk. Ik zie dat ze je de Ben Nicholson-kamer hebben gegeven.'

'Ik begrijp...'

'Ik zit in de Mirò-kamer. Goede lithografieën, vind je niet? Eigenlijk is het mijn idee geweest – deze wandversieringen. Lady Hargreaves wilde jachttaferelen. In overeenstemming met de fazanten.'

'Ik begrijp moderne schilderijen niet,' zei Daintry.

'Kijk eens naar die Nicholson. Wat een knap evenwicht. Vierkanten van verschillende kleur. En toch zo vreedzaam samenlevend. Niets botst. De man heeft een geweldig oog. Verander slechts een van de kleuren – of zelfs de afmeting van het vierkant, en er zou niets meer van deugen.' Percival wees naar een geel vierkant. 'Daar heb je je sectie 6. Dat is jouw vierkant van nu af aan. Je hoeft je geen zorgen te maken over het blauwe en het rode. Het enige dat je moet doen is vaststellen wie onze man is en het me dan vertellen. Je bent niet verantwoordelijk voor wat er in het blauwe of rode vierkant gebeurt. Feitelijk zelfs niet in het gele. Je brengt alleen verslag uit. Geen kwaad geweten. Geen schuldgevoel.'

'Een handeling heeft niets te maken met de consequenties ervan. Is het dat wat je bedoelt?'

'De consequenties worden elders besloten, Daintry. Je moet het gesprek van vanavond niet te ernstig nemen. C houdt ervan ideeën op te gooien en te kijken hoe ze neerkomen. Hij houdt ervan om te choqueren. Je kent het kannibalenverhaal. Voor zover ik weet zal de misdadiger – als er een misdadiger is – gewoon op de geijkte manier aan de politie worden overgedragen. Niets om wakker van te liggen. Probeer alleen wel dat schilderij te begrijpen. Vooral het gele vierkant. Als je het maar met mijn ogen kon zien, dan zou je vannacht goed slapen.'

DEEL 2

1

Een oude jongeman met haar dat over zijn schouders bungelde en de hemel-gepreoccupeerde blik van een achttiende-eeuwse *abbé* was een discotheek aan het uitvegen op de hoek van Little Compton Street toen Castle voorbijliep.

Castle had een vroegere trein dan gewoonlijk genomen, en hij hoefde pas over drie kwartier op kantoor te zijn. Om deze tijd had Soho nog iets van de charme en onschuld die hij zich uit zijn jeugd herinnerde. Het was op deze hoek dat hij voor het eerst naar een vreemde taal had geluisterd, en in het goedkope restaurantje daarnaast had hij zijn eerste glas wijn gedronken; Old Compton Street oversteken in die jaren betekende voor hem iets dat het meest in de buurt kwam van het Kanaal oversteken. 's Morgens om negen uur waren de striptease clubs allemaal gesloten en alleen de delicatessenwinkels uit zijn herinnering waren open. De namen naast de flatbellen – Lulu, Mimi en dergelijke – waren het enige dat op de middag- en avondactiviteiten van Old Compton Street duidde. Door de goten stroomde fris water, en de vroege huisvrouwen passeerden hem onder de bleke nevelige hemel, uitpuilende zakken salami en leverworst meedragend met een air van opgewekte triomf. Er was geen politieagent te bekennen, terwijl men ze als het donker was bij paren zag lopen. Castle stak de vredige straat over en stapte een boekwinkel binnen waar hij al verscheidene jaren kwam.

Het was een ongewoon degelijke boekwinkel voor dit gedeelte van Soho, volkomen verschillend van de boekhandel aan de overkant van de straat die het eenvoudige opschrift 'BOEKEN' droeg in helrode letters. De etalage onder de helrode lichtreclame vertoonde seksbladen die men niemand ooit zag kopen – ze fungeerden als een teken in een simpel, reeds lang gebroken codesyteem; ze gaven de aard aan van de onderhandse waren en belangen daarbinnen. Maar de zaak van Halliday & Son confronteerde de rode 'BOEKEN' met een etalage vol Penguins en Everyman's en tweedehandsdelen van de World's Classics. De zoon was er nooit te zien, alleen de oude heer Halliday zelf, gebogen en witharig, met een air van hoffelijkheid om zich heen als een oud kostuum waarin hij waarschijnlijk graag begraven zou worden. Hij schreef al zijn zakenbrieven in schoonschrift: hij was nu met zo'n brief bezig.

'Een mooie herfstochtend, meneer Castle,' merkte meneer Halliday op, terwijl zijn hand met grote zorg de frase 'Uw onderdanige dienaar' vormde.

'Er was een tikje vorst vanmorgen op het land.'

'Dat is al wat vroeg,' zei meneer Halliday.

'Ik wilde eens vragen of u een exemplaar van *Oorlog en vrede* voor me heeft. Ik heb het nooit gelezen. Het wordt tijd dat ik er eens aan begin.'

'Heeft u *Clarissa* al uit, meneer?'

'Nee, maar ik vrees dat ik er niet doorheen kan komen. Als ik denk aan al die delen die nog volgen... Ik wil eens wat anders lezen.'

'De Macmillan-uitgave is uitverkocht, maar ik geloof dat ik nog een net tweedehands exemplaar heb in de World's Classics in één deel. De vertaling van Aylmer Maude. Wat Tolstoi betreft is Aylmer Maude onovertroffen. Het was niet zomaar een vertaler, hij was met de schrijver bevriend.' Hij legde zijn pen neer en keek spijtig naar 'Uw onderdanige dienaar'. Het schoonschrift was kennelijk onder de maat.

'Die vertaling wil ik graag hebben. Twee exemplaren natuurlijk.'

'Hoe staat het leven, als ik mag vragen, meneer?'

'Mijn zoon is ziek. De mazelen. O, niets om bezorgd over te zijn. Geen complicaties.'

'Ik ben blij om dat te horen, meneer Castle. Het is een ziekte die tegenwoordig zeer zorgwekkend kan zijn. Alles goed op kantoor, naar ik hoop? Geen crisissen in de internationale aangelegenheden?'

'Voor zover ik weet niet. Zeer kalm allemaal. Ik denk er ernstig over om met pensioen te gaan.'

'Het spijt me dat te horen, meneer. Er is behoefte aan bereisde heren zoals u om de buitenlandse kwesties te behandelen. Ze zullen u toch wel een goed pensioen geven, mag ik hopen?'

'Ik betwijfel het. Hoe staat het met uw zaken?'

'Stil, meneer, zeer stil. De mode is veranderlijk. Ik herinner me de veertiger jaren, hoe de mensen toen in de rij stonden voor een nieuwe World's Classic. Er is tegenwoordig weinig vraag naar de grote schrijvers. De oudere worden oud, en de jongere – wel, die schijnen lange tijd jong te blijven, en hun smaak is anders dan de onze... Mijn zoon doet betere zaken dan ik – in die winkel aan de overkant.'

'Hij moet daar wel rare types krijgen.'

'Daar sta ik maar liever niet bij stil, meneer Castle. De twee zaken blijven gescheiden – daar heb ik altijd op gestaan. Geen politieman zal hier ooit binnenkomen voor wat ik, onder ons gezegd, steekpenningen zou noemen. Niet dat de dingen die de jongen verkoopt echt kwaad kunnen. Het is als preken tot de bekeerden, zeg ik maar. Je kunt de verdorvenen niet verderven, meneer.'

'Ik moet uw zoon toch eens ontmoeten.'

'Hij komt 's avonds hier naar toe om me met de boekhouding te helpen. Hij heeft een beter hoofd voor cijfers dan ik ooit heb gehad. We hebben het vaak over u, meneer. Hij stelt er belang in om te horen wat u gekocht heeft. Ik denk dat hij me benijdt om het soort klanten dat ik heb, hoe weinig het er ook mogen zijn. Hij krijgt de steelse types, meneer. Het is niet het soort dat over een boek discussieert zoals u en ik doen.'

'U zou hem eens kunnen zeggen dat ik een uitgave van *Monsieur Nicolas* heb die ik wil verkopen. Niets voor u, lijkt me.'

'Ik ben er niet zeker van, meneer, of het wel wat voor hem is. Het is toch een soort klassiek werk, moet u toegeven – de titel is niet suggestief genoeg voor *zijn* klanten, en het is duur. In een catalogus zou het eerder als *erotica* dan als *curiosa* worden omschreven. Hij zou misschien wel een lener kunnen vinden. De meeste van zijn boeken zijn te leen, ziet u. Ze kopen een boek de ene dag en ruilen het de dag daarop. Zijn boeken zijn niet om te hebben – zoals een mooie serie van Sir Walter Scott vroeger was.'

'Vergeet u niet om het hem te zeggen? *Monsieur Nicolas.*'

'O nee, meneer. Restif de la Bretonne. Beperkte oplage. Uitgegeven bij Rodker. Ik heb een encyclopedisch geheugen, voor zover het de oudere boeken betreft. Wilt u *Oorlog en vrede* nu meenemen? Als ik even vijf minuten in de kelder mag zoeken...'

'U kunt het wel opsturen naar Berkhamsted. Ik heb vandaag toch geen tijd om te lezen. Vergeet u alleen niet om uw zoon te zeggen...'

'Ik heb nog nooit een boodschap vergeten door te geven, of wel soms, meneer?'

Toen Castle de winkel verlaten had, stak hij de straat over en tuurde hij een ogenblik bij de andere zaak naar binnen. Het enige dat hij zag was een smoezelige jongeman die somber een rek met *Men Only* en *Penthouse* afzocht... Achterin de winkel hing een groen ripsen gordijn. Het verborg waarschijnlijk zowel de meer erudiete en kostbare artikelen als de schuwere klanten, en wellicht ook de jonge Halliday die Castle ongelukkigerwijs nog nooit had ontmoet – indien, dacht hij, de term ongelukkigerwijs hier van toepassing was.

2

Davis was deze keer eens eerder op kantoor dan hij. Verontschuldigend zei hij tegen Castle: 'Ik ben vandaag maar vroeg gekomen. Ik dacht bij mezelf – de nieuwe bezem kan nog wel eens aan 't rondvegen zijn. En daarom leek me... enig vertoon van dienstijver... Dat kan nooit kwaad.'

'Daintry komt niet op maandagmorgen. Hij is ergens een weekend gaan jagen. Is er al iets van Zaïre binnen?'

'Helemaal niets. De Yanks vragen om meer inlichtingen over de Chinese missie in Zanzibar.'

'Wij hebben ze niets nieuws te melden. Het is een zaak van MI 5.'

'Door al die drukte die ze maken zou je denken dat Zanzibar even dicht bij hen lag als Cuba.'

'Dat scheel ook niet veel – in het jettijdperk van nu.'

Cynthia, de dochter van de generaal-majoor, kwam binnen met twee koppen koffie en een telegram. Ze droeg een bruine pantalon en een coltrui. Ze had iets met Davis gemeen, want ook zij voerde een act op. Zoals de trouwhartige Davis er zo onbetrouwbaar uitzag als een beroepswedder, zo zag de huishoudelijk ingestelde Cynthia er zo driest uit als een jonge commando. Het was jammer dat haar spelling zo slecht was, maar misschien had haar spelling, evenals haar naam, iets elizabethaans. Ze was waarschijnlijk op zoek naar een Philip Sidney, en tot dusver had ze alleen maar een Davis gevonden.

'Uit Lourenço Marques,' zei Cynthia tegen Castle.

'Jouw akkevietje, Davis.'

'En buitengewoon interessant ook,' zei Davis. '"Uw 253 van 10 september verminkt. Herhalen s.v.p." Dat is *jouw* akkevietje, Cynthia. Kom, wees een flinke meid en codeer het opnieuw en spel het nu eens goed. Het scheelt heus. Weet je, Castle, toen ik in deze business stapte, was ik een romanticus. Ik dacht aan atoomgeheimen. Ze hebben me alleen aangenomen omdat ik een goeie wiskundige was, en in natuurkunde was ik ook niet slecht.'

'Atoomgeheimen vallen onder sectie 8.'

'Ik dacht dat ik op z'n minst wel wat interessante foefjes zou leren, zoals het gebruik van geheime inkt. Ik weet zeker dat jij alles van geheime inkt afweet.'

'Vroeger wel – tot het gebruik van vogelpoep toe zelfs. Ik heb er een opleiding voor gehad voor ze me aan het eind van de oorlog op een missie uitstuurden. Ze gaven me een mooi houten kistje, vol met flesjes zoals in zo'n scheikundeset voor kinderen. En een elektrische waterketel – met een voorraad plastic breinaalden.'

'Waarvoor in 's hemelsnaam?'

'Om brieven open te maken.'

'En heb je het ooit gedaan? Brieven openmaken, bedoel ik?'

'Nee, al heb ik het wel een keer geprobeerd. Er was me geleerd om een brief niet bij de klep te openen maar aan de zijkant, en als ik hem dan weer dichtdeed werd ik geacht dezelfde soort lijm te gebruiken. Het vervelende was dat ik de goeie lijm niet had, dus moest ik de brief verbranden na hem gelezen te hebben. Hij was toch niet van belang.

Gewoon een liefdesbrief.'

'En een Luger? Je zal toch wel een Luger hebben gehad. Of een ontplofbare vulpen?'

'Nee. We zijn hier nooit zo James Bondachtig geweest. Het was me niet toegestaan om een pistool te dragen, en mijn enige auto is een tweedehands Morris Minor geweest.'

'Ze hadden ons toch op z'n minst een Luger voor ons samen kunnen geven. We zitten in het tijdperk van het terrorisme.'

'Maar we hebben wel een spraakvervormer,' zei Castle in de hoop Davis te sussen. Hij herkende het soort verbitterde dialoog dat altijd dreigde te ontstaan als Davis uit zijn humeur was. Een glas port te veel, een teleurstelling met Cynthia...

'Heb je ooit een microdot onder ogen gehad, Castle?'

'Nooit.'

'Zelfs een ouwe oorlogsrot als jij niet? Wat was de meest geheime informatie die je ooit onder je hebt gehad, Castle?'

'Ik heb eens bij benadering de datum van een invasie geweten.'

'Normandië?'

'Nee, nee. Alleen de Azoren maar.'

'*Is* daar dan een invasie geweest? Ik ben het vergeten – of misschien heb ik het nooit geweten. Maar goed, ouwe, we zullen onze tanden op elkaar moeten zetten en die vervloekte Zaïre-santenkraam aan moeten pakken. Kan jij me vertellen waarom de Yanks geïnteresseerd zijn in onze voorspelling van de koperopbrengst?'

'Ik denk dat het van invloed op de begroting is. En dat kan weer invloed hebben op de hulpverlening. De Zaïrese regering zou wel eens in de verleiding kunnen komen om haar hulp elders aan te vullen. Kijk hier maar eens – rapport 397 – iemand met een nogal Slavische naam heeft de 24ste met de president geluncht.'

'Moeten we dat zelfs aan de CIA doorgeven?'

'Natuurlijk.'

'En denk je nou dat ze ons daar één klein geleide-projectiel-geheimpje voor terug zullen geven?'

Het was beslist een van Davis' moeilijkste dagen. Zijn ogen hadden een gele tint. God mocht weten wat voor drankmengsel hij de vorige avond gedronken had in zijn vrijgezellenhok in Davies Street. Hij zei mopperig: 'James Bond zou Cynthia allang hebben gehad. Op een blank strand onder een hete zon. Geef me Philip Dibba's kaart even aan, alsjeblieft?'

'Wat is zijn nummer?'

'59800/3'

'Wat heeft hij uitgehaald?'

'Het gerucht gaat dat zijn aftreden als directeur van de Posterijen in

Kinshasa gedwongen was. Hij liet te veel postzegels misdrukken voor zijn particuliere verzameling. Daar gaat onze meest effectieve agent in Zaïre.'

Davis legde zijn hoofd in zijn handen en stootte een hondachtige jammerkreet uit van pure ellende.

Castle zei: 'Ik weet hoe je je voelt, Davis. Soms zou ik ook het liefste met pensioen gaan... of van baan veranderen.'

'Daar is het te laat voor.'

'Ik weet het niet. Sarah zegt altijd dat ik wel een boek zou kunnen schrijven.'

'Ambtsgeheimen.'

'Niet over ons. Over apartheid.'

'Dat is niet wat je noemt een onderwerp voor een bestseller.'

Davis hield op met op Dibba's kaart te schrijven. Hij zei: 'Zonder gekheid, ouwe, zet het alsjeblieft uit je hoofd. Ik zou deze baan niet kunnen verdragen zonder jou. Ik zou gek worden als er hier niet iemand was waarmee ik om de dingen kan lachen. Ik ben bang om te glimlachen met alle anderen hier. Zelfs met Cynthia. Ik houd van haar, maar ze is zo verdomd dienstgetrouw, ze zou me kunnen rapporteren als een gevaar voor de geheimhouding. Aan kolonel Daintry. Zoals James Bond die het meisje doodt waarmee hij naar bed is geweest. Alleen is ze zelfs niet met me naar bed geweest.'

'Ik was niet echt serieus,' zei Castle. 'Hoe *zou* ik weg kunnen? Wat zou ik hierna nog kunnen doen? Behalve met pensioen gaan. Ik ben tweeënzestig, Davis. Al over de officieel vastgestelde leeftijd. Ik denk wel eens dat ze me vergeten zijn, of misschien zijn ze mijn dossier kwijtgeraakt.'

'Hier vragen ze om antecedenten van een vent genaamd Agbo, een employé van Radio Zaïre. 59800 draagt hem voor als subagent.'

'Waarvoor?'

'Hij heeft een contact bij Radio Ghana.'

'Dat klinkt niet erg waardevol. En hoe dan ook, Ghana valt buiten ons rayon. Geef het door aan 6B en zie maar of zij hem kunnen gebruiken.'

'Wees niet overhaast, Castle, laten we niet zomaar het neusje van de zalm weggeven. Wie zal zeggen wat er uit agent Agbo voort kan komen? Vanuit Ghana kunnen we misschien zelfs Radio Guinee infiltreren. Dat zou Penkovsky in de schaduw stellen. Wat een triomf. De CIA is nooit zover doorgedrongen in donker Afrika.'

Het was een van Davis' moeilijkste dagen.

'Misschien is het zo dat we alleen maar de saaie kant van de dingen in 6A zien,' zei Castle.

Cynthia kwam terug met een envelop voor Davis. 'Je moet hier tekenen voor ontvangst.'

'Wat zit erin?'

'Hoe weet ik dat nou? Het is van de administratie.' Ze pakte het enige vel papier uit de uit-bak. 'Is dit alles?'

'We hebben het niet bepaald razend druk op het moment, Cynthia. Ben je nog vrij voor de lunch?'

'Nee, ik moet inkopen doen voor het eten vanavond.' Ze deed de deur ferm achter zich dicht.

'O best, andere keer dan. Volgende keer beter.' Davis maakte de envelop open. Hij zei: 'Wat kunnen ze nu nog verzinnen?'

'Wat is er?' vroeg Castle.

'Heb jij zoiets niet gekregen?'

'O, een medisch onderzoek? Natuurlijk. Ik weet niet hoe vaak in mijn leven ik al onderzocht ben. Het heeft te maken met de verzekering – of je pensioen. Voor ze me naar Zuid-Afrika stuurden, probeerde dokter Percival – misschien ken je dokter Percival helemaal niet – aan te tonen dat ik suikerziekte had. Ze stuurden me naar een specialist die ontdekte dat ik te weinig suiker had in plaats van te veel... Die arme ouwe Percival. Ik denk dat hij de geneeskunde een beetje ontwend was door zijn besognes met ons. Veiligheidszaken zijn belangrijker dan een juiste diagnose bij deze firma.'

'Dit briefje *is* ondertekend door Percival, Emmanuel Percival. Wat een naam. Was Emmanuel niet de brenger van goede tijding? Denk je dat ze mij misschien ook naar het buitenland sturen?'

'Zou je daar voor voelen?'

'Ik heb er altijd van gedroomd dat ik op een goeie dag naar Lourenço Marques zou worden uitgezonden. Onze man daar is aan verandering toe. De port zal er goed zijn, denk je niet? Ik neem aan dat ook de revolutionairen daar port drinken. Kon ik Cynthia maar meenemen...'

'Ik dacht dat je zo voor het vrijgezellenleven was.'

'Ik heb het niet over trouwen. Bond hoefde ook nooit zo nodig te trouwen. Ik houd van de Portugese keuken.'

'Het zal nu wel de Afrikaanse keuken zijn geworden. Weet je iets van de plaats af, behalve uit de telegrammen van 69300?'

'Ik heb een heel dossier aangelegd van de nachttenten en de restaurants voor die verdomde revolutie kwam. Misschien zijn ze nu allemaal gesloten. Desondanks geloof ik niet dat 69300 ook maar half zo goed weet wat zich daar afspeelt als ik. Hij heeft de dossiers niet, en hij is eigenlijk zo verdomd serieus – ik denk dat hij met zijn werk naar bed gaat. Moet je je voorstellen wat wij met z'n tweeën zouden kunnen declareren.'

'Met z'n tweeën?'

'Cynthia en ik.'

'Wat een dromer ben je toch, Davis. Je krijgt haar nooit. Denk aan haar vader, de generaal-majoor.'

47

'Iedereen heeft zijn droom. Wat is de jouwe, Castle?'

'O, ik geloof dat ik wel eens van veiligheid droom. Ik bedoel niet Daintry's soort veiligheid. Om gepensioneerd te zijn. Met een goed pensioen. Genoeg voor mij en mijn vrouw...'

'En die kleine *bastard* van je?'

'Ja, en ook die kleine *bastard* van me natuurlijk.'

'Ze zijn niet erg royaal met pensioenen in dit departement.'

'Nee, ik geloof dat we geen van beiden onze droom zullen verwerkelijken.'

'Evengoed – deze medische controle *moet* iets te betekenen hebben, Castle. Die keer dat ik naar Lissabon ben geweest – onze man daar nam me mee naar een soort grot voorbij Estoril, waar je het water kon horen bruisen beneden je tafel... Ik heb nooit zo goed kreeft gegeten als toen. Ik heb gelezen over een restaurant in Lourenço Marques... Ik houd zelfs van die groene wijn die ze daar hebben, Castle. Eigenlijk hoor ik daar te zitten – niet 69300. Hij weet het goede leven niet te waarderen. Jij kent het daar toch?'

'Ik heb er twee nachten doorgebracht met Sarah – zeven jaar geleden. In het Polana Hotel.'

'Twee nachten maar?'

'Ik had inderhaast Pretoria verlaten – dat weet je – met de BOSS op mijn hielen. Ik voelde me niet veilig zo vlak bij de grens. Ik wilde zo gauw mogelijk een oceaan tussen BOSS en Sarah in hebben.'

'O ja, jij had Sarah. Geluksvogel. In het Polana Hotel. Met daarbuiten de Indische Oceaan.'

Castle dacht aan de vrijgezellenflat – de gebruikte glazen, *Penthouse* en *Nature*. 'Als je het echt meent, Davis, zal ik met Watson praten. Ik zal je voordragen voor een uitwisseling.'

'Ik meen het absoluut. Ik wil dit ontvluchten, Castle. Ten koste van alles.'

'Vind je het dan zo erg?'

'We zitten hier maar zinloze telegrammen te schrijven. We voelen ons belangrijk omdat we ietsje meer weten dan iemand anders over de aardnoten of wat Moboetoe op een besloten diner gezegd heeft... Weet je dat ik in dit baantje ben gestapt om wat te beleven? Wat te beleven, Castle. Wat een dwaas was ik toch. Ik begrijp niet hoe jij het al die jaren hebt kunnen harden...'

'Misschien is het makkelijker als je getrouwd bent.'

'Als ik ooit zou trouwen, zou ik mijn leven hier niet willen slijten. Ik ben doodziek van dit verdomde land, Castle, elektriciteitsstops, stakingen, inflatie. Ik maak me geen zorgen over de prijs van de levensmiddelen – het is de prijs van goede port die me benauwt. Ik heb deze baan genomen in de hoop naar het buitenland gestuurd te worden, ik heb zelfs Portugees geleerd, maar ik zit hier nog steeds telegrammen uit Zaïre te beantwoorden, met berichten over aardnoten.'

'Ik heb altijd gedacht dat je plezier in je leven had, Davis.'

'O, ik heb plezier in het leven als ik een beetje dronken ben. Ik houd van dat meisje, Castle. Ik kan haar niet uit mijn hoofd zetten. En daarom hang ik de clown uit om haar te behagen, maar hoe meer ik de clown uithang hoe minder ze me mag. Misschien als ik naar Lourenço Marques zou gaan... Ze heeft eens gezegd dat ze ook wel naar het buitenland wilde.'

De telefoon ging. 'Ben jij dat, Cynthia?' maar ze was het niet. Het was Watson, de chef van sectie 6. 'Ben jij dat, Castle?'

'Nee, met Davis.'

'Geef me Castle eens.'

'Ja,' zei Castle, 'hier ben ik. Wat is er?'

'C wil ons spreken. Haal je me op onderweg naar beneden?'

3

Het was een lange weg naar beneden, want C's kantoor was één etage onder de grond, gevestigd in wat rond 1890 de wijnkelder van een miljonair was geweest. De kamer waar Castle en Watson moesten wachten tot er een groen licht zou gaan branden boven C's deur was de aangrenzende kelder voor kolen en hout geweest, en C's kantoor had eens de beste wijnen van Londen geborgen. Er werd verteld dat, toen het departement het huis in 1946 had overgenomen en de architect met de reconstructie van het gebouw begon, er een loze muur in de wijnkelder werd ontdekt waarachter als mummies de verborgen schat van fabuleuze wijnjaren van de miljonair lag opgetast. Ze werden verkocht – zoals de legende wilde – door een onwetende klerk van Openbare Werken aan het leger en de marine voor de prijs van gewone tafelwijn. Het verhaal was waarschijnlijk niet waar, maar iedere keer als er bij Christie een historische wijn werd geveild, zei Davis somber: 'Dat was er een van ons.'

Het rode licht bleef eindeloos branden. Het was als wachten in een auto tot er een verkeersongeluk uit de weg geruimd zou zijn.

'Weet je ook wat er aan de hand is?' vroeg Castle.

'Nee. Hij heeft me alleen gevraagd alle mannen van sectie 6 die hij nog niet kent aan hem voor te stellen. Hij heeft 6B gehad en nu is het jouw beurt. Ik moet je voorstellen en weer weggaan. Zo zijn de voorschriften. Het komt me voor als een overblijfsel van het kolonialisme.'

'Ik heb de oude C maar één keer ontmoet. Voor ik de eerste keer werd

49

uitgezonden. Hij had een zwart oogglas. Het was nogal afschrikwekkend om aangestaard te worden door die zwarte O, maar het enige dat hij deed was me de hand schudden en me succes wensen. Ze denken er toch niet over om me weer naar het buitenland te sturen?'

'Nee. Hoezo?'

'Herinner me eraan dat ik met je over Davis praat.'

Het licht werd groen.

'Ik wou dat ik me vanmorgen beter geschoren had,' zei Castle.

Sir John Hargreaves was, in tegenstelling met de oude C, helemaal niet afschrikwekkend. Hij had een koppel fazanten op zijn bureau liggen en hij was aan het telefoneren. 'Ik heb ze vanmorgen meegebracht. Mary dacht dat je er wel prijs op zou stellen.' Hij wuifde met zijn hand naar twee stoelen.

Dus daar heeft kolonel Daintry het weekend doorgebracht, dacht Castle. Om fazanten te jagen of om rapport uit te brengen over de veiligheid? Hij nam de kleinste en hardste stoel met een gepast gevoel voor protocol.

'Ze maakt het best. Een beetje reumatiek in haar zieke been, meer niet,' zei Hargreaves en legde de telefoon neer.

'Dit is Maurice Castle, meneer,' zei Watson. 'Hij heeft de leiding van 6A.'

'De leiding klinkt wat al te gewichtig,' zei Castle. 'We zijn maar met z'n tweeën.'

'U behandelt topgeheimen, nietwaar? U – en Davis onder uw leiding?'

'En die van Watson.'

'Ja, uiteraard. Maar Watson heeft 6 in z'n geheel onder zich. U delegeert veel, veronderstel ik, meneer Watson?'

'De enige sectie die mijn volle aandacht eist is 6C. Wilkins is nog niet zo lang bij ons. Hij moet zich nog inwerken.'

'Wel, ik zal u niet langer ophouden, Watson. Bedankt voor het brengen van Castle.'

Hargreaves streelde de veren van een van de dode vogels. Hij zei: 'Net als Wilkins moet ik me ook nog inwerken. In mijn ogen komt de situatie hier enigszins overeen met toen ik als jongeman in West-Afrika was. Watson is een soort provinciecommissaris en u bent een districtscommissaris en in hoge mate onafhankelijk in uw eigen gebied. Maar u kent Afrika toch ook, is 't niet?'

'Alleen Zuid-Afrika,' zei Castle.

'Ja, dat vergat ik. Zuid-Afrika is voor mij nooit helemaal het echte Afrika. En het noorden evenmin. Dat valt onder 6C, nietwaar? Daintry heeft me de zaken uiteengezet. Tijdens het weekend.'

'Heeft u een goede jacht gehad, meneer?' vroeg Castle.

'Middelmatig. Ik geloof niet dat Daintry volkomen tevreden was. U moet ook eens komen voor een jachtpartijtje volgend najaar.'

'Ik zou er niet veel van terechtbrengen, meneer. Ik heb nog nooit in mijn leven iets geschoten, zelfs geen mens.'

'Ah, ja, dat is het mooiste doelwit. Om u de waarheid te zeggen, vogels interesseren mij ook niet erg.'

C keek naar een vel papier op zijn bureau. 'U heeft zeer goed werk geleverd in Pretoria. U wordt beschreven als een eersteklas administrateur. U heeft de kosten van de post daar aanzienlijk verminderd.'

'Ik nam het over van een man met een groot talent voor het werven van agenten, maar hij had niet veel inzicht in geldzaken. Het ging me makkelijk af. Voor de oorlog heb ik een tijd bij een bank gewerkt.'

'Daintry schrijft hier dat u wat persoonlijke moeilijkheden heeft gehad in Pretoria.'

'Moeilijkheden zou ik het niet willen noemen. Ik werd verliefd.'

'Ja. Dat zie ik hier. Op een Afrikaans meisje. Wat die lui daar zonder onderscheid Bantoe noemen. U heeft hun rassenwetten overtreden.'

'We zijn nu veilig getrouwd. Maar we hebben daar wel een moeilijke tijd gehad.'

'Ja. Dat heeft u ons ook gerapporteerd. Ik wou dat al onze mensen als ze wat moeilijkheden hebben zo correct zouden handelen. U was bang dat de Zuidafrikaanse politie u in de gaten had en u het vuur na aan de schenen zou leggen.'

'Het leek me niet gunstig om de dienst met een kwetsbare vertegenwoordiger te laten zitten.'

'U ziet wel dat ik uw dossier vrij nauwkeurig heb doorgenomen. We hebben u gezegd onmiddellijk te vertrekken, hoewel we nooit hadden gedacht dat u het meisje ook mee zou nemen.'

'HQ heeft haar laten doorlichten. Ze was helemaal in orde. Was het niet juist vanuit uw gezichtspunt om haar mee te nemen? Ik had gebruik van haar gemaakt als contactpersoon met mijn Afrikaanse agenten. Ik had het doen voorkomen alsof ik in mijn vrije tijd een diepgaande kritische studie van de apartheid wilde maken, maar de politie had haar tot bekentenissen kunnen dwingen. Daarom heb ik haar het land uit geholpen, via Swaziland naar Lourenço Marques.'

'O, daar heeft u goed aan gedaan, meneer Castle. En nu bent u getrouwd en heeft u een kind. Alles goed, hoop ik?'

'Nou, op 't ogenblik heeft mijn zoon de mazelen.'

'Zo, dan moet u wel zijn ogen in de gaten houden. De ogen zijn het zwakke punt. De zaak waarover ik u eigenlijk wilde spreken, meneer Castle, is een bezoek dat we over een paar weken krijgen van een zekere meneer Cornelius Muller, een van de topfiguren van BOSS. Ik denk dat u hem wel gekend heeft toen u in Pretoria was.'

'Ja, inderdaad.'

'We willen hem wat materiaal van uw afdeling laten zien. Natuurlijk niet meer dan nodig is, alleen om te bewijzen *dat* we samenwerken – op een bepaalde manier.'

'Hij zal meer over Zaïre weten dan wij.'

'Het is Mozambique waar hij het meest belangstelling voor heeft.'

'In dat geval is Davis de man die u moet hebben, meneer. Hij is beter op de hoogte van de gang van zaken daar dan ik.'

'O ja, natuurlijk, Davis. Ik heb Davis nog niet ontmoet.'

'Nog iets anders, meneer. Toen ik in Pretoria was, kon ik met die man Muller helemaal niet opschieten. Als u verder terugkijkt in mijn dossier – hij was degene die me probeerde te chanteren met de rassenwet. Dat was de reden dat uw voorganger me opdroeg zo snel mogelijk te vertrekken. Ik geloof niet dat dit onze persoonlijke relatie zal bevorderen. Het zou beter zijn om Davis de zaak te laten afhandelen.'

'Niettemin bent u Davis' superieur, en u bent de aangewezen ambtenaar om hem te ontvangen. Het zal niet meevallen, dat weet ik. Vijandigheid aan beide kanten, maar hij is degene die overrompeld wordt. U weet precies wat u hem wel en niet moet laten zien. Het is van het grootste belang om onze agenten veilig te stellen – zelfs als daartoe belangrijk materiaal moet worden achtergehouden. Davis mist uw persoonlijke ervaring met BOSS – en hun meneer Muller.'

'Waarom moeten we hem überhaupt iets laten zien, meneer?'

'Heeft u zich ooit afgevraagd, meneer Castle, wat er met het Westen zou gebeuren als de Zuidafrikaanse goudmijnen als gevolg van een rassenoorlog gesloten zouden worden? En een verloren oorlog misschien, zoals in Vietnam. Voor het zover is dat de politici het eens zijn geworden over een vervangingsmiddel voor goud. Terwijl Rusland de voornaamste bron is. Het zou nog ietsje gecompliceerder zijn dan de oliecrisis. En de diamantmijnen... De Beers is belangrijker dan General Motors. Diamanten verouderen niet zoals auto's. Er zijn zelfs nog belangrijkere aspecten dan goud en diamant – uranium. Ik denk niet dat u al ingelicht bent over een geheim stuk van het Witte Huis betreffende een operatie die ze Uncle Remus noemen.'

'Nee. Er zijn geruchten geweest...'

'Of het ons zint of niet, wij en Zuid-Afrika en de States maken alle drie deel uit van Uncle Remus. En dat betekent dat we aardig moeten zijn tegen meneer Muller – ook al heeft hij u gechanteerd.'

'En ik moet hem laten zien...?'

'Inlichtingen over guerrilla's, boycotontduiking naar Rhodesië, de nieuwe jongens die aan de macht zijn in Mozambique, Russische en

Cubaanse penetratie... economische informatie...'

'Wat blijft er dan nog over?'

'Wees een beetje terughoudend wat de Chinezen betreft. De Zuidafrikanen zijn te zeer geneigd ze over één kam te scheren met de Russen. Er kan een tijd komen dat we de Chinezen nodig hebben. De opzet van Uncle Remus bevalt mij evenmin als u. Het is wat de politici een realistische politiek noemen, en met realisme heeft niemand ooit veel bereikt in het Afrika zoals ik het gekend heb. Mijn Afrika was een emotioneel Afrika. Ik hield echt van Afrika, Castle. De Chinezen niet, noch de Russen noch de Amerikanen – maar toch moeten we samenwerken met het Witte Huis en Uncle Remus en meneer Muller. Wat was het vroeger makkelijk toen we te maken hadden met stamhoofden en medicijnmannen en rimboescholen en boze geesten en regenmakers. Mijn Afrika was nog een beetje zoals het Afrika van Rider Haggard. Het was er niet kwaad. Keizer Chaka was heel wat beter dan veldmaarschalk Amin Dada. Maar goed, doe uw best met Muller. Hij vertegenwoordigt in eigen persoon de big BOSS zelf. Ik raad u aan hem eerst thuis te ontvangen – het zou een gezonde schok voor hem zijn.'

'Ik weet niet of mijn vrouw daarin toestemt.'

'Zeg haar maar dat het een verzoek van mij is. Ik laat het aan haar over – als het te pijnlijk is...'

Castle draaide zich om bij de deur, zich zijn belofte herinnerend. 'Kan ik nog even met u spreken over Davis, meneer?'

'Natuurlijk. Wat is er?'

'Hij zit al veel te lang naar zijn zin achter een Londens bureau. Ik vind dat we hem bij de eerste gelegenheid maar naar Lourenço Marques moeten sturen. Hem uitwisselen voor 69300 die intussen wel aan een verandering van klimaat toe is.'

'Heeft Davis dat zelf voorgesteld?'

'Niet met zoveel woorden, maar ik geloof dat hij graag weg wil – waarheen dan ook. Hij is in een nogal nerveuze toestand, meneer.'

'Hoe komt dat?'

'Wat liefdesproblemen, vermoed ik. En kantoormoeheid.'

'O, kantoormoeheid kan ik begrijpen. We zullen eens kijken wat we voor hem kunnen doen.'

'Ik maak me *echt* een beetje bezorgd over hem.'

'Ik beloof dat ik het in gedachten zal houden, Castle. Apropos, dat bezoek van Muller is strikt geheim. U weet hoe we onze doosjes altijd graag waterdicht maken. Dit is uw persoonlijke doos. Ik heb het zelfs Watson niet verteld. En u moet het niet aan Davis vertellen.

2

In de tweede week van oktober was Sam officieel nog steeds in quarantaine. Er waren geen complicaties opgetreden, dus dat was een gevaar minder dat zijn toekomst kon bedreigen – een toekomst die Castle altijd een onvoorspelbare hinderlaag toescheen. Terwijl hij op een zondagmorgen door de High Street liep voelde hij een plotselinge behoefte om een soort dank uit te spreken, al was het maar tegen een mythe, dat het goed ging met Sam; daarom bracht hij zich ertoe om voor een paar minuten achter in de parochiekerk te gaan zitten. De dienst was bijna afgelopen en de schare van goed-gekleden, van mensen van middelbare leeftijd en van bejaarden was opgestaan om, met een soort uitdagendheid alsof ze inwendig aan de feiten twijfelden, te zingen: *There is a green hill far away, without a city wall.* De eenvoudige heldere woorden, met die enkele toets van kleur, deden Castle denken aan de lokale achtergrond die zo dikwijls op primitieve schilderijen te zien is. De stadsmuur herinnerde aan de ruïnes van de vesting achter het station, en op de groene heuvel van de Meent, bovenop de verlaten schietbanen, had eens een hoge paal gestaan waaraan een man opgehangen zou kunnen zijn. Even kwam hij bijna zover dat hij hun ongelofelijke geloof deelde – het kon geen kwaad om een dankgebed te mompelen aan de God van zijn kinderjaren, de God van de Meent en het kasteel, dat Sarah's kind nog geen kwaad was overkomen. Toen verbrijzelde een supersonische knal de woorden van het gezang, het oude glas van het westelijke raam trilde en de kruisvaardershelm die aan een pilaar hing rinkelde, en hij werd weer aan de volwassen wereld herinnerd. Hij stapte snel naar buiten en kocht de zondagsbladen. De *Sunday Express* had een kop op de voorpagina – 'Kinderlijkje Gevonden in Bos'.

's Middags nam hij Sam en Buller mee voor een wandeling op de Meent, terwijl Sarah thuisbleef om te slapen. Hij had Buller liever thuisgelaten, maar zijn nijdige protesten zouden Sarah wakker gemaakt hebben, dus troostte hij zich met de gedachte dat Buller nu waarschijnlijk geen loslopende katten tegen zou komen op de Meent. De angst daarvoor was altijd aanwezig sinds een zomer drie jaar tevoren, toen de voorzienigheid hem een lelijke streek had geleverd door onverwachts te voorzien in een picknickgezelschap tussen de beukenbosjes waaronder zich een dure kat met een blauwe halsband aan een rode zijden lijn bevond. De kat – een siamees – had zelfs niet de tijd om een kreet van woede of pijn te uiten voor Buller haar rug brak en het lijk over zijn schouder wierp als een man die een zak op een vrachtwagen laadt. Daarna was hij speurend weggedraafd tussen de bomen, zijn kop naar alle kanten draaiend – waar één kat was daar moesten er meer zijn – en Castle bleef alleen achter om de boze en diep bedroefde picknickers te worden geconfronteerd.

In oktober echter zouden er waarschijnlijk geen picknickers zijn. Desondanks wachtte Castle tot de zon bijna onder was, en heel King's Road uit, en voorbij het politiebureau op de hoek van de High Street, hield hij Buller aan de ketting. Pas na het kanaal en de spoorbrug en de nieuwe huizen [ze stonden er al een kwart eeuw, maar alles wat er in zijn jongensjaren niet was geweest, was nieuw in Castles ogen] liet hij Buller los, en onmiddellijk, als een goed afgerichte hond, ging Buller zitten en deponeerde zijn *crotte* aan de rand van het pad. Hij nam er de tijd voor, zijn ogen vooruitstarend, naar binnen gericht. Alleen bij deze sanitaire gelegenheden wekte Buller de indruk een hond met enige intelligentie te zijn. Castle was niet erg op Buller gesteld – hij had hem gekocht met een doel, om Sarah gerust te stellen, maar Buller was als waakhond ongeschikt gebleken, dus nu was hij alleen maar een zorg extra, hoewel hij met hondachtig gebrek aan mensenkennis meer van Castle hield dan van welk ander menselijk wezen ook.

De adelaarsvarens begonnen te verkleuren tot het goudbrons van een mooie herfst, en aan de gaspeldoorns zat nog maar een enkele bloem. Castle en Sam zochten vergeefs naar de kogelvanger – een wal van rode klei – die eens boven de begroeiing van de Meent had uitgestoken. Hij was nu door futloos struikgewas overwoekerd. 'Schoten ze hier spionnen dood?' vroeg Sam.

'Nee, nee. Hoe kom je daarbij? Dit was alleen maar voor schietoefeningen. Tijdens de Eerste Wereldoorlog.'

'Maar er bestaan toch spionnen – echte spionnen?'

'Ik denk van wel, ja. Waarom vraag je dat?'

'Ik wou het graag zeker weten, meer niet.'

Castle herinnerde zich hoe hij, toen hij even oud was, zijn vader had gevraagd of feeën echt bestonden, en het antwoord was minder waarachtig geweest dan het zijne. Zijn vader was een sentimentele man geweest; hij wilde zijn jonge zoon ten koste van alles de overtuiging geven dat het leven de moeite waard was. Het zou niet billijk geweest zijn om hem van onoprechtheid te beschuldigen: een fee, zou hij best eens hebben kunnen redeneren, was een symbool dat iets vertegenwoordigde dat op zijn minst bij benadering waar was. Tegenwoordig waren er zelfs nog vaders die hun kinderen vertelden dat God zou bestaan.

'Spionnen zoals 007?'

'Nee, niet helemaal.' Castle probeerde van onderwerp te veranderen. Hij zei: 'Toen ik een kind was dacht ik dat er een draak woonde in een oude kazemat daar tussen die loopgraven.'

'Waar zijn de loopgraven dan?'

'Je kunt ze nu niet zien vanwege de varens.'

'Wat is een draak?'

'Je weet wel – zo'n gepantserd beest dat vuur spuwt.'

'Net als een tank?'

'Ja, net als een tank, zou je kunnen zeggen.' Het gebrek aan contact tussen hun verbeeldingswerelden ontmoedigde hem. 'Eigenlijk meer een soort van reusachtige hagedis,' zei hij. Toen besefte hij dat de jongen veel tanks had gezien, maar dat ze het land van de hagedissen al voor zijn geboorte hadden verlaten.

'Heb je wel eens een draak gezien?'

'Ik zag eens een keer rook uit een loopgraaf komen en toen dacht ik dat het de draak was.'

'Was je bang?'

'Nee, ik was bang voor heel andere dingen in die tijd. Ik had een hekel aan school, en ik had weinig vriendjes.'

'Waarom had je een hekel aan school? Zal ik later ook een hekel hebben aan school? Ik bedoel de *echte* school.'

'We hebben niet allemaal dezelfde vijanden. Misschien zal jij geen draak nodig hebben om je te helpen, maar ik wel toen. De hele wereld verafschuwde mijn draak en wilde hem doden. Ze waren bang voor de rook en de vlammen die uit zijn bek kwamen als hij kwaad was. Ik sloop wel eens 's nachts weg uit de slaapzaal om hem een blikje sardientjes uit mijn snoeptrommel te brengen. Hij kookte ze in het blik met zijn adem. Hij vond ze warm het lekkerst.'

'Is dat *echt* gebeurd?'

'Nee, natuurlijk niet, maar het lijkt nu bijna alsof dat wel zo was. Ik lag eens in de slaapzaal in bed te huilen onder de dekens omdat het de eerste week van het schooltrimester was en het nog twaalf eindeloze weken zou duren voor de vakantie begon, en ik was bang voor – alles om me heen. Het was winter, en ineens zag ik dat het venster van mijn slaaphokje door hitte beslagen was. Ik veegde de wasem weg met mijn vingers en keek naar beneden. De draak was er en hij lag plat op de natte zwarte straat, als een krokodil in een rivier. Hij had de Meent nog nooit eerder verlaten omdat iedereen tegen hem was – net zoals ik dacht dat iedereen tegen mij was. De politie had zelfs geweren in een kast staan om hem dood te schieten als hij ooit naar de stad kwam. En toch, daar was hij en hij lag daar doodstil grote warme ademwolken naar me omhoog te blazen. Snap je, hij had gehoord dat de school weer begonnen was en hij wist dat ik me verdrietig en alleen voelde. Hij was intelligenter dan welke hond ook, veel intelligenter dan Buller.'

'Je houdt me voor de mal,' zei Sam.

'Nee hoor, zo herinner ik het me gewoon.'

'Wat gebeurde er toen?'

'Ik gaf hem een geheim teken. Het betekende "Gevaar. Ga weg", omdat ik er niet zeker van was of hij wel van de politie met hun geweren afwist.'

'Ging hij toen weg?'

'Ja. Heel langzaam. Steeds naar me omkijkend over zijn staart glsof hij me niet alleen wilde laten. Maar ik heb me daarna nooit meer bang of eenzaam gevoeld. Tenminste niet vaak. Ik wist dat ik hem alleen maar een teken hoefde te geven en hij zou uit zijn kazemat op de Meent kruipen en naar beneden komen om me te helpen. We hadden een heleboel geheime tekens, en codes, en cijferschrift...'

'Net als een spion,' zei Sam.

'Ja,' zei Castle met teleurstelling, 'dat zou je kunnen zeggen. Net als een spion.'

Castle herinnerde zich hoe hij eens een kaart had gemaakt van de Meent waarop alle loopgraven en de door varens verborgen geheime paden stonden aangetekend. Dat was ook net als een spion. Hij zei: 'Tijd om naar huis te gaan. Je moeder zal zich zorgen maken...'

'Nee, dat doet ze vast niet. Ik ben toch met jou. Ik wil het hol van de draak zien.'

'Die draak bestond niet echt.'

'Maar je weet het niet helemaal zeker, hè?'

Met moeite vond Castle de oude loopgraaf terug. De kazemat waarin de draak had gewoond werd door braamstruiken versperd. Terwijl hij zich erdoorheen drong, trapte zijn voet tegen een roestig blikje dat omrolde.

'Zie je wel,' zei Sam, 'je hebt echt eten gebracht.' Hij wurmde zich door de struiken, maar er was geen draak en geen skelet. 'Misschien heeft de politie hem op het laatst toch te pakken gekregen,' zei Sam. Toen raapte hij het blik op.

'Het is van tabak,' zei hij, 'niet van sardines.'

Die avond zei Castle tegen Sarah terwijl ze in bed lagen: 'Denk je heus dat het nog niet te laat is?'

'Voor wat?'

'Om mijn baan op te zeggen.'

'Natuurlijk niet. Je bent nog geen oude man.'

'Misschien moeten we dan wel verhuizen.'

'Waarom? Het is hier even goed als ergens anders.'
'Zou je niet graag weg willen? Dit huis – het stelt niet veel voor, hè? Misschien als ik een baan in het buitenland zou krijgen...'
'Ik wil Sam graag op één plaats houden zodat hij, wanneer hij weggaat, weer terug zal kunnen komen. Naar een omgeving die hij in zijn kindertijd heeft gekend. Zoals jij ook terug bent gekomen. Naar iets ouds. Iets geborgens.'
'Een verzameling oude ruïnes langs de spoorbaan?'
'Ja.'
Hij herinnerde zich de bourgeoisstemmen, zo bedaard als de eigenaren ervan in hun zondagse kleren, die in de stenige kerk gezongen hadden, uiting gevend aan hun wekelijkse moment van geloof. *A green hill far away, without a city wall.*
'De ruïnes zijn prachtig,' zei ze.
'Maar *jij* kan nooit meer terug,' zei Castle, 'naar je kindertijd.'
'Dat is wat anders, ik voelde me niet geborgen. Tot ik jou leerde kennen. En er waren geen ruïnes – alleen maar hutten.'
'Muller komt hierheen, Sarah.'
'Cornelius Muller?'
'Ja. Hij is nu een belangrijk man. Ik moet vriendelijk tegen hem zijn – volgens opdracht.'
'Maak je geen zorgen. Hij kan ons geen kwaad meer doen.'
'Nee. Maar ik wil niet dat je schrikt.'
'Waarom zou ik schrikken?'
'C wil dat ik hem hier laat komen.'
'Laat hem maar komen. En laat hem maar zien hoe jij en ik... en Sam...'
'Stem je toe?'
'Natuurlijk stem ik toe. Een zwarte gastvrouw voor meneer Cornelius Muller. En een zwart kind.' Ze lachten, met een tikje angst.

3

1

'Hoe gaat het met de kleine *bastard?*' vroeg Davis zoals hij nu drie weken lang iedere dag had gedaan.
'O, het is helemaal over. Het gaat weer heel goed met hem. Hij wilde laatst weten wanneer je ons zou komen opzoeken. Hij mag je graag – ik

weet werkelijk niet waarom. Hij heeft het vaak over die picknick van vorige zomer en het verstoppertje spelen. Hij schijnt te denken dat niemand zich zo goed kan verstoppen als jij. Hij denkt dat je een spion bent. Hij praat over spionnen zoals de kinderen in mijn tijd over feeën praatten. Of deden ze dat niet?'

'Zou ik voor vanavond zijn vader kunnen lenen?'

'Hoezo? Wat is er dan?'

'Dokter Percival kwam gisteren toen je weg was, en we raakten aan de praat. Weet je dat ik echt geloof dat ze me zullen uitzenden? Hij vroeg me of ik er bezwaar tegen had om nog een paar onderzoeken te laten doen... bloed, urine, röntgenfoto van de nieren, enzovoorts. Hij zei dat ze met de tropen voorzichtig moesten zijn. Ik mocht hem wel. Het schijnt een sportief type te zijn.'

'Paardesport?'

'Nee, eigenlijk alleen vissen. Dat is een nogal eenzame sport. Percival lijkt een beetje op mij – ook geen vrouw. We kregen het plan om vanavond samen de stad in te gaan. Ik ben een hele tijd niet de stad in geweest. Die knapen van Milieubeheer zijn nogal sombere lui. Zou je het kunnen opbrengen, ouwe, om voor een enkele avond een onbestorven weduwnaar te zijn?'

'Mijn laatste trein vertrekt om halftwaalf van Euston.'

'Ik heb de flat helemaal voor mezelf vannacht. Die twee van Milieubeheer zijn allebei vertrokken naar een verontreinigd gebied. Je kunt een bed krijgen. Tweepersoons of enkel, wat je maar wilt.'

'Alsjeblieft – eenpersoons. Ik begin een oude vent te worden, Davis. Ik weet niet wat voor plannen jij en Percival hebben...'

'Ik had gedacht eten bij Café Grill en daarna een stukje strip-tease. Raymond's Revuebar. Ze hebben daar Rita Rolls...'

'Denk je dat Percival van dat soort dingen houdt?'

'Ik heb hem gepolst, en je kan me geloven of niet, maar hij heeft in zijn hele leven nog nooit een strip-tease gezien. Hij zei dat hij graag eens een kijkje wou nemen met collega's die hij kan vertrouwen. Je weet hoe het is met ons soort werk. Hij voelt dat ook zo. Niets om over te praten op een feestje vanwege de geheimhouding. Jan-zonder-handjes krijgt zelfs niet de kans om zijn kop op te steken. Hij is neerslachtig – dat is het juiste woord ervoor. Maar als Jan-zonder-handjes doodgaat, God sta je bij, dan kan je zelf ook net zo goed dood wezen. Voor jou ligt de zaak natuurlijk anders – jij bent getrouwd. Je kunt altijd met Sarah praten en...'

'We mogen zelfs niet met onze vrouwen erover praten.'

'Ik wed dat je het toch doet.'

'Dat doe ik niet, Davis. En mocht je erover denken om een stel meiden op te pikken dan zou ik ook tegen hen mijn mond maar dichthouden.

Een heleboel van die juffies werken voor MI5 – 0, ik vergeet ook altijd dat ze onze naam veranderd hebben. We zijn nu allemaal DI. Ik vraag me af waarom? Er zal wel een Departement van Semantiek bestaan.'
'Jij klinkt ook een beetje afgeknapt.'
'Ja. Misschien zal een avondje uit me goeddoen. Ik zal Sarah opbellen en zeggen dat – ja, wat eigenlijk?'
'Zeg gewoon de waarheid. Dat je gaat dineren met een van de hoge pieten. Belangrijk voor je toekomst bij de firma. En dat je bij mij slaapt. Ze vertrouwt me. Ze weet dat ik je niet op het slechte pad zal brengen.'
'Ja, dat zou wel eens zo kunnen zijn.'
'En, verdomme, zo is het toch ook, nietwaar?'
'Ik zal haar opbellen als ik ga lunchen.'
'Waarom doe je het hier niet? Dat spaart je geld uit.'
'Ik houd mijn telefoontjes liever privé.'
'Denk je werkelijk dat ze de moeite nemen om ons af te luisteren?'
'Zou jij dat dan niet doen in hun plaats?'
'Ik vermoed van wel. Maar wat een vreselijke hoop geleuter zullen ze dan op de band moeten zetten.'

2

De avond was maar half geslaagd, hoewel hij heel goed begonnen was. Dokter Percival met zijn kalme laconieke manier van doen was uitstekend gezelschap. Hij gaf Castle noch Davis het gevoel dat hij hun superieur was op het departement. Toen kolonel Daintry's naam viel, stak hij fijntjes de draak met hem – hij had hem ontmoet, zei hij, tijdens een jachtweekend. 'Hij houdt niet van abstracte kunst en hij heeft geen hoge dunk van me. Dat komt doordat ik niet jaag,' legde dokter Percival uit, 'ik doe alleen aan sportvissen.'
Ze zaten op dat moment in Raymond's Revuebar, opeengepakt aan een klein tafeltje, net groot genoeg om plaats te bieden aan drie whisky's, terwijl een knap jong ding vreemde capriolen maakte in een hangmat.
'*Die* zou ik wel aan de haak willen slaan,' zei Davis.
Het meisje dronk uit een fles High and Dry die boven de hangmat aan een koord was opgehangen, en na iedere slok trok ze een kledingstuk uit met een air van gin-verhitte nonchalance. Ten langen leste kregen ze haar blote billen te zien door de mazen van de hangmat, zoals het achterwerk van een kip in het boodschappennet van een Sohose huisvrouw. Een groepje zakenlieden uit Birmingham applaudisseerde met enige onstuimigheid, en een man ging zelfs zover dat hij met zijn Dinners Club-kaart boven zijn hoofd zwaaide, misschien om zijn financiële draagkracht te tonen.

'Waar vist u op?' vroeg Castle.

'Voornamelijk forel of vlagzalm,' zei Percival.

'Is daar veel verschil in?'

'Beste kerel, vraag maar eens aan een jager op groot wild of er verschil is tussen een leeuw en een tijger.'

'Welke van de twee geeft u de voorkeur?'

'Er is eigenlijk geen sprake van voorkeur. Ik houd gewoon van vissen – iedere vorm van vliegvissen. De vlagzalm is minder intelligent dan de forel, maar dat wil niet altijd zeggen dat hij makkelijker is. Het vereist een andere techniek. En het is een vechter – hij vecht tot hij niet meer kan vechten.'

'En de forel?'

'O, dat is de koning, absoluut. Hij schrikt gauw – spijkerschoenen of een stok, ieder geluid dat je maakt en hij gaat er vandoor. Verder moet je je vlieg meteen zuiver plaatsen. Anders...' Percival maakte een gebaar met zijn arm alsof hij uitwierp in de richting van weer een ander bloot meisje dat door de lichten zwart-wit gestreept werd als een zebra.

'Wat een kont!' zei Davis met ontzag. Hij zat met een glas whisky halverwege zijn lippen en keek hoe de billen roteerden met de precisie van het raderwerk van een Zwitsers horloge: een diamantbeweging.

'Dit is niet best voor je bloeddruk,' zei Percival tegen hem.

'Bloeddruk?'

'Ik heb je toch gezegd dat die aan de hoge kant was?'

'Ik kan me daar vanavond niet druk over maken,' zei Davis. 'Dat is de grote Rita Rolls in eigen persoon. De enige en onovertroffen Rita.'

'Je zult toch een uitgebreider medisch onderzoek moeten ondergaan als je echt van plan bent om je uit te laten zenden.'

'Ik voel me prima, Percival. Ik heb me nooit beter gevoeld dan nu.'

'Daarin schuilt juist het gevaar.'

'Je zou me bijna schrik aanjagen,' zei Davis. 'Spijkerschoenen en een stok. Ik begrijp nu waarom een forel...' Hij nam een slokje whisky alsof het een onaangename medicijn was en zette zijn glas weer neer.

Dokter Percival greep hem bij zijn arm en zei: 'Ik maakte maar een grapje, Davis. Je bent meer het type van de zalm.'

'Je bedoelt dat ik maar een stumperige vis ben?'

'Je moet de vlagzalm niet onderschatten. Hij heeft een zeer gevoelig zenuwstelsel. En het is een vechter.'

'Dan heb ik meer weg van een kabeljauw,' zei Davis.

'Praat me niet van kabeljauw. In dat soort visserij zie ik niets.'

De lichten gingen aan. Het was het einde van de voorstelling. Alles, had de clubdirectie beslist, zou een anticlimax zijn na Rita Rolls. Davis hing nog even rond in de bar om zijn geluk te beproeven met een fruitautomaat. Hij verspeelde alle munten die hij had en ook nog twee van Castle. 'Het is mijn avond niet,' zei hij, terwijl zijn somberheid weer terugkeerde. Blijkbaar had dokter Percival hem van streek gemaakt.

'Hoe denken jullie over een slaapmutsje bij mij thuis?' vroeg dokter Percival.

'Ik dacht dat je me had aangeraden om van de drank af te blijven.'

'Beste kerel, ik overdreef maar wat. In elk geval is whisky de minst schadelijke drank die er bestaat.'

'Toch maar niet. Ik begin zin in mijn bed te krijgen.'

In Great Windmill Street stonden prostituées in de deuropeningen onder rode lampekappen en vroegen: 'Ga je mee naar boven, schat?'

'Ik neem aan dat je me dat ook zou afraden,' zei Davis.

'Ach, de regelmaat van het huwelijk is veiliger. Minder kans op verhoogde bloeddruk.'

De nachtportier was de stoep van Albany aan het schrobben toen dokter Percival hen verliet. Zijn appartement in Albany werd aangeduid met een letter en een cijfer – D.6 – alsof het ook een afdeling van de oude firma was. Castle en Davis keken hem na terwijl hij omzichtig zijn weg zocht naar de Ropewalk om geen natte schoenen te krijgen – een vreemde behoedzaamheid voor iemand die eraan gewend is om tot zijn knieën door koude stromen te waden.

'Ik vind het jammer dat hij erbij was,' zei Davis. 'Zonder hem hadden we een leuke avond kunnen hebben.'

'Ik dacht dat je hem wel mocht.'

'Dat was ook zo, maar hij werkte op mijn zenuwen vanavond met die verdomde visverhalen van hem. En al dat gezeur over mijn bloeddruk. Wat gaat hem mijn bloeddruk aan? Is het wel echt een dokter?'

'Ik geloof dat hij in geen jaren gepraktizeerd heeft,' zei Castle. 'Hij is C's verbindingsofficier met de mensen van de bacteriologische oorlogvoering – het lijkt me dat iemand met een medische graad daar wel van nut kan zijn.'

'Dat Porton geeft me de rillingen. De mensen praten altijd maar over de atoombom, maar ons eigen landelijke instellinkje vergeten ze helemaal. Niemand heeft ooit de moeite genomen om daar een protestmars tegen te houden. Niemand draagt een anti-bacteriologiespeldje, maar als de bom afgeschaft zou worden, dan zitten we altijd nog met dat kleine dodelijke reageerbuisje...'

Ze gingen de hoek om bij Claridge. Een lange magere vrouw in een avondjapon stapte in een Rolls Royce gevolgd door een knorrige man met een wit strikje die steels op zijn horloge keek – ze zagen er uit als acteurs uit een edwardiaans toneelstuk: het was twee uur in de ochtend. Er lag geel linoleum met gaten als in gruyèrekaas op de steile trap naar

Davis' flat. Met W.I. op het postpapier maakte niemand zich druk over zulke kleinigheden. De keukendeur stond open en Castle zag een stapel vuile borden op het aanrecht. Davis deed een kastdeur open; de planken stonden vol met bijna lege flessen – de bescherming van het milieu begon niet bij de mensen thuis. Davis probeerde een whiskyfles te vinden met genoeg erin voor twee glazen. 'Nou ja,' zei hij, 'dan mixen we ze maar. Het zijn toch allemaal blends.' Hij voegde het restant van een Johnnie Walker bij een White Horse, en verkreeg zodoende een kwart fles vol.

'Wast niemand hier ooit af?' vroeg Castle.

'Er komt twee keer in de week een schoonmaakster, en we laten het allemaal voor haar staan.'

Davis deed een deur open. 'Dit is je kamer. Tot mijn spijt is het bed niet opgemaakt. Ze komt morgen.' Hij pakte een vuile zakdoek van de grond en stopte hem in een lade terwille van de netheid. Toen nam hij Castle weer mee naar de zitkamer en legde wat tijdschriften van een stoel af op de grond.

'Ik denk erover mijn naam te veranderen door middel van een eenzijdige akte,' zei Davis.

'Tot wat?'

'Davis met een e. Davies van Davies Street heeft een zekere chique klank.' Hij legde zijn voeten op de sofa. 'Zeg, die melange van mij smaakt uitstekend. We zullen het maar een White Walker noemen. Het idee zou een fortuin op kunnen brengen – je zou ervoor kunnen adverteren met de afbeelding van een beeldschoon vrouwelijk spook. Wat vond je nou echt van dokter Percival?'

'Hij leek me vriendelijk genoeg. Maar ik vroeg me toch af...'

'Wat dan?'

'Hoe hij ertoe kwam om een avond met ons uit te gaan. Wat hij wilde.'

'Een avondje uit met mensen waarmee hij kon praten. Waarom zou je er meer achter zoeken? Krijg jij er niet genoeg van om je mond dicht te houden in algemeen gezelschap?'

'Hij heeft de zijne niet bepaald ver opengedaan. Zelfs niet tegen ons.'

'Voor je er was heeft hij dat wel gedaan.'

'Waarover?'

'De vestiging in Porton. Het schijnt dat we de Amerikanen op een bepaald terrein ver vooruit zijn en ze hebben ons gevraagd om ons toe te leggen op een levensgevaarlijk monstertje dat aangewend kan worden in hoog gelegen gebieden en ook woestijnomstandigheden kan doorstaan... Alle bijzonderheden, temperatuur en dergelijke, wijzen op China. Of misschien Afrika.'

'Waarom heeft hij je dat allemaal verteld?'

'Nou, we worden geacht iets van de Chinezen af te weten vanwege onze

63

Afrikaanse contacten. Sinds dat rapport uit Zanzibar hebben we een uitstekende reputatie.'

'Dat was twee jaar geleden en het rapport is nog steeds niet bevestigd.'

'Hij zei dat we geen openlijke actie mochten ondernemen. Geen vragenlijsten naar agenten sturen. Daarvoor is het allemaal te geheim. Alleen onze ogen openhouden voor elke aanwijzing in ieder rapport dat de Chinezen geïnteresseerd zijn in de Hellekeuken en het dan rechtstreeks aan hem rapporteren.'

'Waarom heeft hij er met jou over gesproken en niet met mij?'

'O, ik vermoed dat hij er ook met jou over had willen praten, maar je kwam te laat.'

'Ik werd opgehouden door Daintry. Percival had op kantoor kunnen komen als hij had willen praten.'

'Wat zit je nou dwars?'

'Ik vraag me alleen af of hij je wel de waarheid verteld heeft.'

'Wat zou hij in vredesnaam voor reden kunnen hebben...?'

'Het zou zijn bedoeling kunnen zijn ons een vals gerucht toe te spelen.'

'Ons toch niet? We zijn nou niet bepaald kletskousen, jij en ik en Watson.'

'Heeft hij met Watson gesproken?'

'Nee – om de waarheid te zeggen – hij kwam met het gebruikelijke kletspraatje aan over waterdichte dozen. Topgeheim, zei hij – maar dat kan toch niet voor jou gelden?'

'Laat ze evengoed maar liever niet weten dat je het me verteld hebt.'

'Zeg, ouwe, je hebt de ziekte van het beroep te pakken, argwaan.'

'Ja. Het is een ernstige infectie. Dat is de reden dat ik erover denk om eruit te stappen.'

'Om groentes te gaan verbouwen?'

'Om wat dan ook te doen dat niet geheim en niet belangrijk en betrekkelijk onschuldig is. Ik ben een keer bijna bij een reclamebureau gaan werken.'

'Pas maar op. Die hebben ook geheimen – zakengeheimen.'

De telefoon ging bovenaan de trap. 'Om deze tijd nog,' klaagde Davis. 'Het is gewoon asociaal. Wie kan dat nou zijn?' Hij worstelde zich overeind van de sofa.

'Rita Rolls,' opperde Castle.

'Schenk jezelf nog maar een White Walker in.'

Voor Castle zijn glas ingeschonken had, riep Davis hem al. 'Het is Sarah, Castle.'

Het was nu bijna halfdrie en hij werd door schrik bevangen. Waren er nog complicaties mogelijk bij een kind dat alweer bijna uit quarantaine mocht?

'Sarah?' vroeg hij. 'Wat is er? Is er iets met Sam?'

'Lieverd, het spijt me. Je lag zeker nog niet in bed?'

'Nee. Wat is er aan de hand?'

'Ik ben bang.'

'Sam?'

'Nee, er is niets met Sam. Maar de telefoon is sinds middernacht twee keer gegaan, en niemand geeft antwoord.'

'Verkeerd aangesloten,' zei hij opgelucht. 'Dat komt zo vaak voor.'

'Iemand moet weten dat je niet thuis bent. Ik ben bang, Maurice.'

'Wat kan er nou gebeuren in King's Road? Hemel, er is een politiebureau tweehonderd meter verderop. En Buller? Buller is er toch?'

'Hij ligt als een blok te slapen en snurkt.'

'Als het mogelijk was, zou ik wel terugkomen, maar er rijden nu geen treinen. En geen enkele taxi zou me thuisbrengen op dit uur.'

'Ik rijd je wel naar huis,' zei Davis.

'Nee, nee, absoluut niet.'

'Wat niet?' zei Sarah.

'Ik had het tegen Davis. Hij zei dat hij me naar huis wou rijden.'

'O nee, dat wil ik niet. Ik voel me alweer wat beter nu ik met je gepraat heb. Ik maak Buller wel wakker.'

'Met Sam is alles goed?'

'Het is best met hem.'

'Je hebt het nummer van de politie. Ze kunnen in twee minuten bij je zijn.'

'Ik ben een mallerd, vind je niet? Gewoon een mallerd.'

'Een lieve mallerd.'

'Zeg Davis dat het me spijt. Schenk je nog maar eens een glaasje in.'

'Goedenacht, lieveling.'

'Goedenacht, Maurice.'

Het noemen van zijn naam was een teken van liefde – als ze samen waren, hield het een liefdesinvitatie in. Woorden als schatje en lieveling waren alledaagse beminnelijkheden die ook in gezelschap uitgewisseld konden worden, maar een naam was strikt persoonlijk en mocht nooit prijsgegeven worden aan een vreemde buiten de stam. Tijdens de liefdesclimax riep ze soms luid zijn geheime stamnaam uit. Hij hoorde haar de verbinding verbreken, maar hij bleef nog een tijdje staan met de hoorn tegen zijn oor gedrukt.

'Niet echt iets aan de hand?' vroeg Davis.

'Nee, met Sarah niet.'

Hij kwam terug in de zitkamer en schonk zich een whisky in. Hij zei: 'Ik geloof dat je telefoon afgetapt wordt.'

'Hoe weet je dat?'

'Ik weet het ook niet. Het is instinctief, meer niet. Ik probeer me te herinneren hoe ik op het idee kwam.'

'We zitten niet in het stenen tijdperk. Tegenwoordig is het niet te merken als een telefoon wordt afgetapt.'

'Behalve als ze het slordig doen. Of als ze willen dat je het weet.'

'Waarom zouden ze willen dat ik het weet?'

'Om je bang te maken misschien. Wie zal het zeggen?'

'Hoe dan ook, waarom *mij* aftappen?'

'Een veiligheidskwestie. Ze vertrouwen niemand. Vooral mensen in onze positie niet. Wij zijn het gevaarlijkst. We worden geacht die verdomde topgeheimen te kennen.'

'Zelf voel ik me niet gevaarlijk.'

'Zet de pick-up aan,' zei Castle.

Davis had een verzameling popmuziek die met meer zorg omringd werd dan alle andere zaken in het appartement. De platen waren even nauwgezet gecatalogiseerd als de bibliotheek van het British Museum, en de poptoppers van ieder willekeurig jaar kende Davis evenzeer op z'n duimpje als de winnaars van de Derby. Hij zei: 'Jij houdt van iets echt ouderwets en klassieks, is 't niet?' en zette *A Hard Day's Night* op.

'Zet hem wat harder.'

'Harder is niet mooi.'

'Zet hem toch maar harder.'

'Zo klinkt het afschuwelijk.'

'Ik voel me zo meer onder ons,' zei Castle.

'Denk je dat ze ons ook afluisteren?'

'Het zou me niet verbazen.'

'Je hebt beslist de ziekte te pakken,' zei Davis.

'Percivals conversatie met jou – het zit me niet lekker – ik kan het gewoon niet geloven... het stinkt van hier tot gunder. Ik denk dat ze een lek hebben ontdekt en erachter proberen te komen waar het zit.'

'Akkoord. Dat is hun werk, nietwaar? Maar het lijkt me niet erg handig van ze als hun stunts zo makkelijk te doorzien zijn.'

'Ja – maar niettemin zou Percivals verhaal waar kunnen zijn. Waar en al uitgelekt. Een agent, wat hij ook mocht vermoeden, zou het door moeten geven ingeval...'

'En *jij* denkt dat *zij* denken dat wij het lek zijn?'

'Ja. Een van ons beiden of misschien allebei.'

'Maar aangezien we het niet zijn, wat kan het ons schelen?' zei Davis. 'Het is hoog tijd om te gaan slapen, Castle. Als er een microfoon onder het kussen ligt, horen ze me alleen maar snurken.' Hij zette de muziek af. 'We hebben het niet in ons om dubbelagenten te zijn, jij en ik.'

Castle kleedde zich uit en deed het licht uit. Het was benauwd in het kleine wanordelijke kamertje. Hij probeerde het raam open te schuiven, maar het raamkoord was gebroken. Hij staarde naar beneden waar de straat lag in de vroege ochtend. Er kwam niemand langs: zelfs geen politieagent. Alleen één enkele taxi stond nog op een standplaats een stukje verderop in Davies Street in de richting van Claridge. Een alarminstallatie liet een machteloos gebel horen ergens in de omgeving van Bond Street, en het was zachtjes gaan regenen. Het gaf het plaveisel een zwarte glans als een politieregenjas. Hij trok de gordijnen dicht en stapte in bed, maar hij sliep niet. Een vraagteken hield hem een hele tijd wakker: was er zo dicht bij Davis' flat altijd een taxistandplaats geweest? Hij had toch een keer helemaal naar de andere kant van Claridge moeten lopen om er een te krijgen? Voor hij in slaap viel drong zich nog een vraag aan hem op. Was het mogelijk, vroeg hij zich af, dat ze Davis gebruikten om hem in de gaten te houden? Of gebruikten ze een onwetende Davis om hem een gemerkt bankbiljet toe te spelen? Hij hechtte weinig geloof aan dokter Percivals verhaal over Porton, en toch, zoals hij tegen Davis gezegd had, het zou waar kunnen zijn.

4

1

Castle begon zich nu echt zorgen te maken over Davis. Weliswaar maakte Davis een grapje van zijn eigen zwaarmoedigheid, maar niettemin was die zwaarmoedigheid diep geworteld, en het scheen Castle een slecht teken toe dat Davis geen gekheid meer maakte met Cynthia. Ook zijn uitgesproken gedachten werden in toenemende mate irrelevant ten aanzien van het werk dat ze onder handen hadden. Toen Castle hem een keer vroeg: '69300/4, wie is dat?' zei Davis: 'Een tweepersoonskamer in het Polana Hotel met uitzicht op zee.' Toch kon er met zijn gezondheid niets ernstigs aan de hand zijn – hij was onlangs nog onderzocht door dokter Percival.

'Zoals gewoonlijk zitten we op een telegram uit Zaïre te wachten,' zei Davis. '59800 denkt helemaal niet aan ons, terwijl hij daar op een warme avond zonder een zorgje aan zijn hoofd zijn aperitiefjes naar binnen slaat.'

'Laten we hem er maar eens aan herinneren,' zei Castle. Hij schreef op een strookje papier 'Op onze 185 geen herhaal geen antwoord ontvangen,' en legde het in een bak voor Cynthia.

Davis was vandaag in de watersportsfeer. Een nieuwe rood zijden pochet met gele dobbelstenen bengelde uit zijn borstzak als een vlag op een windstille dag, en zijn das was donkergroen met een rood motief. Zelfs de zakdoek die uit zijn mouw stak, zag er nieuw uit – pauwblauw. Het schip was wat je noemt gepavoiseerd.

'Prettig weekend gehad?' vroeg Castle.

'Ja, ja hoor. Op een bepaalde manier wel. Zeer rustig. De vervuilings-jongens waren weg om fabrieksrook te ruiken in Gloucester. Een gomfa-briek.'

Een meisje van de typekamer dat Patricia heette [en altijd geweigerd had om zich Pat te laten noemen] kwam binnen om hun enige telegram op te halen. Net als Cynthia was ze van militaire huize, een nichtje van brigadegeneraal Tomlinson: het in dienst nemen van naaste familiele-den van mensen die al op het departement werkten, werd bevorderlijk voor de veiligheid geacht, en misschien vergemakkelijkte het ook het antecedentenonderzoek, aangezien vele contacten natuurlijk samen zou-den vallen.

'Is dit *alles?*' vroeg het meisje alsof ze gewend was voor belangrijker secties dan 6A te werken.

'Het spijt me, maar dit is alles wat we je te bieden hebben, Pat,' zei Castle tegen haar, en ze sloeg de deur met een klap achter zich dicht.

'Je had haar niet boos moeten maken,' zei Davis. 'Ze zou het wel eens tegen Watson kunnen zeggen en dan moeten we allemaal schoolblijven om telegrammen te schrijven.'

'Waar is Cynthia?'

'Het is haar vrije dag.'

Davis schraapte explosief zijn keel – als een startschot voor de zeilwed-strijd – en hees een Rode Standaard over zijn hele gezicht.

'Ik wilde je vragen... zou je er bezwaar tegen hebben als ik er om elf uur tussenuit kneep? Dan ben ik weer om één uur terug, dat beloof ik, en er is toch niets te doen. Als iemand naar me vraagt, zeg je maar dat ik naar de tandarts ben.'

'Je zou in het zwart moeten zijn,' zei Castle, 'om Daintry te overtuigen. Die zwierige kledij van jou doet niet bepaald aan een tandarts denken.'

'Ik ga natuurlijk niet echt naar de tandarts. De kwestie is dat ik met Cynthia heb afgesproken in de dierentuin om naar de reuzenpanda's te kijken. Zou je denken dat ze begint te zwichten?'

'Je bent wel echt verliefd, hè, Davis?'

'Het enige dat ik wil, Castle, is een serieus avontuur. Een avontuur van onbepaalde duur. Een maand, een jaar, tien jaar. Ik heb genoeg van eenmalige optredens. Om vier uur thuis van een King's Road-feest met een vreselijke kater. De volgende ochtend – denk ik, o, dat was leuk, dat meisje was geweldig, ik wou alleen dat ik er wat meer van had gemaakt, als ik maar niet van alles door elkaar had gedronken... en dan denk ik hoe het met Cynthia zou zijn geweest in Lourenço Marques. Met Cynthia zou ik echt kunnen *praten*. Het is goed voor Jan-zonder-handjes als je wat over je werk kunt vertellen. Die Chelsea-juffies, zo gauw de pret voorbij is, proberen ze je uit te horen. Wat of ik doe? Waar mijn kantoor is? Vroeger beweerde ik altijd dat ik nog bij Aldermaston zat, maar iedereen weet nu dat het zaakje opgedoekt is. Wat moet ik nu zeggen?'

'Iets in de City?'

'Dat maakt niet veel indruk en die juffies spelen informatie aan elkaar door.' Hij begon zijn spullen te ordenen. Hij deed zijn kaartenbak dicht en op slot. Er lagen twee getypte pagina's op zijn bureau en hij stopte ze in zijn zak.

'Neem je dingen van kantoor mee?' vroeg Castle. 'Pas maar op voor Daintry. Hij heeft je al een keer betrapt.'

'Hij is klaar met onze afdeling. Sectie 7 wordt nu onder het mes genomen. Hoe dan ook, dit is gewoon de gebruikelijke flauwekul: Strikt vertrouwelijk. Na lezing vernietigen. Dat wil zeggen de hele hap. Ik zal het "memoreren" terwijl ik op Cynthia wacht. Ze komt vast te laat.'

'Denk aan Dreyfus. Gooi het niet in een afvalbak waar de schoonmaker het vindt.'

'Ik zal het voor Cynthia's ogen verbranden als een offerande.' Hij liep de kamer uit en kwam toen snel weer terug. 'Ik zou graag willen dat je me geluk toewenst, Castle.'

'Natuurlijk. Van ganser harte.'

De afgesleten frase kwam hartelijk en spontaan over Castles lippen. Het verbaasde hem, alsof hij, bij het betreden van een vertrouwde grot tijdens een vakantie aan zee, op een vertrouwde rots de primitieve schildering van een menselijk gezicht had waargenomen waarin hij voordien niets anders dan een willekeurig patroon van zwammen had gezien.

Een half uur later ging de telefoon. Een meisjesstem zei: 'J.W. wil A.D. spreken.'

'Dat is pech,' zei Castle. 'A.D. kan niet met J.W. spreken.'

'Wie is dat?' vroeg de stem achterdochtig.

'Een zekere M.C.'

'Een ogenblikje, alstublieft.' Er klonk een soort hoog gekef aan de andere kant van de lijn. Toen maakte Watsons stem zich onmiskenbaar los van de kennelachtige achtergrond: 'Zeg, is dat Castle?'

'Ja.'

'Ik moet Davis hebben.'

'Hij is er niet.'

'Waar zit hij dan?'

'Om één uur is hij weer terug.'

'Dat is te laat. Waar is hij nu?'

'Bij de tandarts,' zei Castle met tegenzin. Hij hield er niet van om bij andermans leugens betrokken te zijn: het maakte de zaken gecompliceerd.

'Laten we de spraakvervormer maar aanzetten,' zei Watson. Er was de gebruikelijke verwarring: een van beiden die te vroeg de juiste knop indrukte en weer tot normale transmissie overging net op het moment dat de ander de vervormer inschakelde. Toen hun stemmencontact tenslotte geregeld was, zei Watson: 'Kun je hem terug laten komen? Hij wordt op een vergadering verwacht.'

'Ik kan hem toch moeilijk uit de tandartsstoel wegslepen. En hoe dan ook, ik weet niet wie zijn tandarts is. Het staat niet in de dossiers.'

'Nee?' zei Watson met afkeuring. 'Dan had hij een briefje met het adres achter moeten laten.'

Watson had vroeger geprobeerd om advocaat te worden, maar zonder succes. Zijn nadrukkelijke integriteit was voor rechters misschien irritant; een moraliserende toon, schenen de meeste rechters te vinden, diende voorbehouden te zijn aan de rechtbank en niet aangewend te worden door beginnende advocaten. Maar bij 'een afdeling van Buitenlandse Zaken' was hij snel opgeklommen dank zij dezelfde eigenschap die hem bij de advocatuur zo slecht van pas was gekomen. Met gemak had hij mannen van een oudere generatie, zoals Castle, ver achter zich weten te laten.

'Hij had me moeten laten weten dat hij wegging,' zei Watson.

'Misschien was het een plotseling opkomende kiespijn.'

'C wilde speciaal dat hij aanwezig zou zijn. Er is een of ander rapport dat hij achteraf met hem wilde bespreken. Hij heeft het toch ontvangen, neem ik aan?'

'Hij heeft het wel over een rapport gehad. Hij scheen te denken dat het niets anders dan de gebruikelijke flauwekul was.'

'Flauwekul? Het was topgeheim. Wat heeft hij ermee gedaan?'

'Hij zal het wel in de safe hebben gelegd.'

'Zou je het even voor me willen nagaan?'

'Ik zal het aan zijn secretaresse vragen – o nee, sorry, dat kan niet, ze is vandaag vrij. Is het echt zo belangrijk?'

'C schijnt te vinden van wel. Het lijkt me dat jij dan maar op de vergadering moet komen als Davis er niet is, maar het was Davis' akkevietje. Kamer 121, twaalf uur precies.'

De vergadering scheen niet van dringend belang te zijn. Er was een lid van MI5 aanwezig, een man die Castle nooit eerder had gezien, omdat het voornaamste punt van de agenda was een duidelijker onderscheid te maken dan voorheen tussen de verantwoordelijkheden van MI5 en MI6. Voor de laatste oorlog had MI6 nooit op Brits grondgebied geopereerd en werden de veiligheidszaken daar overgelaten aan MI5. Het systeem liep spaak in Afrika door de val van Frankrijk en de noodzaak agenten van Brits grondgebied de Vichy-koloniën binnen te smokkelen. Na de terugkeer van de vrede was het systeem nooit meer geheel in de oude vorm hersteld. Tanzania en Zanzibar waren officieel verenigd tot één staat, een lid van het Gemenebest, maar het was moeilijk om het eiland Zanzibar met zijn Chinese trainingskampen als Brits grondgebied te beschouwen. Er was verwarring ontstaan doordat MI5 en MI6 beide vertegenwoordigers in Dar es Salaam hadden, en de betrekkingen tussen hen waren niet altijd even nauw of vriendschappelijk geweest.

'Rivaliteit,' zei C, toen hij de vergadering opende, 'is tot op zekere hoogte een gezond verschijnsel. Maar er is soms een gebrek aan vertrouwen geweest. We hebben niet altijd antecedenten van agenten uitgewisseld. Soms hebben we mensen dubbel uitgespeeld, voor spionage en contraspionage.' Hij leunde achterover in zijn stoel en gaf de man van MI5 het woord.

Onder de aanwezigen waren er maar zeer weinig die Castle kende behalve Watson. Van een benige grijze man met een vooruitstekende adamsappel werd gezegd dat hij de oudste man in de firma was. Zijn naam was Chilton. Hij dateerde nog van voor de oorlog met Hitler en verwonderlijk genoeg had hij geen vijanden gemaakt. Hij hield zich nu in hoofdzaak met Ethiopië bezig. Hij was eveneens de grootste hedendaagse autoriteit op het gebied van handelsmerken uit de achttiende eeuw en werd dikwijls geraadpleegd door Sotheby. Laker was een ex-gardeofficier met rossig haar en een rossige snor, die de Arabische republieken in Noord-Afrika behandelde.

De man van MI5 hield op met praten over doorkruisingen. C zei: 'Goed, dat was het dan. Het verdrag van kamer 121. Ik ben er zeker van dat het voor ons allemaal duidelijker is geworden welke positie we innemen. Het was erg vriendelijk van je om even langs te komen, Puller.'

'Pullen.'

'O ja, sorry. Pullen. Nu, ik hoop dat je ons niet ongastvrij vindt, maar we hebben een paar interne zaakjes te bespreken...' Toen Pullen de deur achter zich had gesloten, zei hij: 'Ik voel me nooit helemaal op mijn gemak met die MI5-types. Er hangt altijd zo'n politiesfeertje om ze heen.

Dat is natuurlijk niet verwonderlijk, als je je met contraspionage bezighoudt zoals zij. Ik beschouw spionage meer als herenwerk, maar ik ben ouderwets natuurlijk.'

Percival verhief zijn stem vanuit een verre hoek van de kamer. Castle had niet eens gemerkt dat hij er was. 'Ik persoonlijk heb altijd wel waardering gehad voor MI9.'

'Wat doet MI9?' vroeg Laker, zijn snor opstrijkend. Hij was zich ervan bewust een van de weinige echte militairen te zijn onder alle MI-rangen.

'Dat ben ik allang vergeten,' zei Percival, 'maar ze lijken me altijd wat goedaardiger.' Chilton stootte een korte blaf uit – dat was zijn gewone manier van lachen.

Watson zei: 'Hielden ze zich niet bezig met ontvluchtingsmethodes in de oorlog, of was dat 11? Ik wist niet dat ze nog bestonden.'

'Nou ja, ik moet erkennen dat ik ze lang niet heb gezien,' zei Percival op zijn minzaam bemoedigende dokterstoon. Het klonk alsof hij de symptomen van griep beschreef. 'Ze kunnen ook wel opgedoekt zijn.'

'Tussen haakjes,' vroeg C, 'is Davis aanwezig? Ik wilde een bepaald rapport met hem bespreken. Ik geloof niet dat ik hem ontmoet heb bij mijn pelgrimage door sectie 6.'

'Hij is naar de tandarts,' zei Castle.

'Hij heeft me niet eens verwittigd, meneer,' klaagde Watson.

'Ach, het is niet dringend. In Afrika is trouwens nooit iets dringend. De veranderingen komen langzaam en zijn meestal niet van blijvende aard. Ik wou dat hetzelfde voor Europa gold.' Hij haalde zijn papieren bij elkaar en glipte stilletjes weg, als een gastheer die het idee heeft dat het feest beter op gang zal komen zonder zijn aanwezigheid.

'Het is eigenaardig,' zei Percival, 'maar toen ik Davis laatst zag schenen zijn bijtertjes in goede conditie te zijn. Zei dat hij er nooit enige last mee had gehad. Geen spoor van tandsteen zelfs. Apropos, Castle, misschien zou je me de naam van zijn tandarts kunnen geven. Alleen voor mijn medische dossiers. Als hij ergens last van heeft, bevelen we graag onze eigen mensen aan. Dat bevordert de veiligheid.'

DEEL 3

1

Dokter Percival had Sir John Hargreaves uitgenodigd om met hem te lunchen op zijn club, de Reform. Ze hadden er een gewoonte van gemaakt om één zaterdag in de maand samen de lunch te gebruiken, afwisselend bij de Reform en de Travellers, als de meeste leden al de stad uit waren. Pall Mall, omlijst door de hoge ramen, was staalgrijs als een Victoriaanse gravure. De nazomer was bijna voorbij, alle klokken waren verzet, en in het lichtste windje kon je de nadering van de winter voelen. Ze begonnen met gerookte forel, naar aanleiding waarvan Sir John Hargreaves tegen dokter Percival zei dat hij er nu toch serieus over dacht om in de stroom die zijn landgoed van het bouwland scheidde vis uit te zetten. 'Ik zal je advies nodig hebben, Emmanuel,' zei hij. Ze noemden elkaar bij de voornaam als ze veilig alleen waren.

Ze spraken uitgebreid over de forellevangst, of liever gezegd, dokter Percival sprak erover – het was een onderwerp dat Hargreaves altijd nogal beperkt toescheen, maar hij wist dat dokter Percival volledig in staat was om er tot het diner over uit te weiden. Als gevolg van een grillige gedachtensprong liet hij echter het thema forel varen om op een ander geliefkoosd onderwerp terecht te komen: zijn club. 'Als ik mijn geweten liet spreken,' zei dokter Percival, 'zou ik hier geen lid blijven. Ik ben alleen lid omdat de keuken hier – en, neem me niet kwalijk, John, ook de gerookte forel – de beste van heel Londen is.'

'Bij de Travellers eet je volgens mij even goed,' zei Hargreaves.

'Ah, maar nu vergeet je toch onze steak-and-kidney pudding. Ik weet dat je het niet leuk zal vinden om te horen, maar ik prefereer hem boven de pie van je vrouw. Pasteigebak houdt de saus op een afstand. Pudding neemt de saus op. Pudding, zou je kunnen zeggen, verenigt.'

'Maar waarom zou je last van je geweten hebben, Emmanuel, gesteld dat je er een hebt – wat me zeer onwaarschijnlijk lijkt?'

'Je moet weten dat ik om hier lid te worden een verklaring moest ondertekenen ten gunste van de Kieswet van 1832. Die wet was weliswaar minder kwalijk dan enkele die daaraan voorafgingen, zoals de kiesgerechtigde leeftijd van achttien jaar, maar hij heeft wel de deur opengezet voor de verderfelijke doctrine van het algemeen stemrecht. Zelfs de Russen onderschrijven die nu uit propagandistische overwegingen, maar ze zijn wel zo slim om ervoor te zorgen dat de dingen waarover ze in hun land kunnen stemmen van geen enkel belang zijn.'

'Wat ben je toch een reactionair, Emmanuel. Maar wat je zei over pudding en pasteigebak, daar zit wel wat in. Misschien dat we volgend jaar eens een pudding zullen proberen – tenminste als we het ons dan nog kunnen veroorloven om te jagen.'

'Als het niet meer kan, is dat aan het algemeen stemrecht te wijten. Wees eerlijk, John, en erken wat een chaos dat domme principe in Afrika teweeg heeft gebracht.'

'Het zal wel tijd kosten om een echte democratie te realiseren.'

'Dat soort democratie zal nooit te realiseren zijn.'

'Zou je werkelijk het huismanskiesrecht terug willen hebben, Emmanuel?' Hargreaves was er nooit zeker van in hoeverre dokter Percival werkelijk serieus was.

'Ja, waarom niet? Het inkomen dat voor een man vereist is om te mogen stemmen zou natuurlijk jaarlijks aangepast moeten worden in verband met de inflatie. Achtduizend per jaar is heden ten dage misschien het juiste minimum voor een stemgerechtigde. Op die manier zouden de mijnwerkers en de havenarbeiders naar de stembus mogen, wat ons een hoop ellende zou besparen.'

Na de koffie liepen ze, volgens hun gezamenlijk besluit, de voorname Gladstone-stoep af en begaven ze zich in de kilte van Pall Mall. Het oude metselwerk van St James's Palace gloeide als een uitdovend vuur in de grijze atmosfeer, en de schildwacht flakkerde rood op – een laatste tot sterven gedoemde vlam. Ze staken over naar het park en dokter Percival zei: 'Om nog even op forel terug te komen...' Ze kozen een bank waar ze naar de eenden konden kijken die moeiteloos als magnetisch speelgoed over het oppervlak van de vijver gleden. Ze droegen beiden dezelfde zware tweed overjassen, jassen van mannen die bij voorkeur op het land verblijven. Een man met een bolhoed passeerde hen; hij had een paraplu bij zich en hij fronste zijn voorhoofd vanwege de een of andere gedachte terwijl hij langsliep. 'Dat is Browne met een e,' zei dokter Percival.

'Wat ken je toch veel mensen, Emmanuel.'

'Een van de Prime Minister's economische adviseurs. Ik zou hem geen stemrecht geven wat hij ook mag verdienen.'

'Wel, laten we ons even met zaken bezighouden, goed? We zijn nu alleen. Ik krijg de indruk dat je bang bent om afgeluisterd te worden bij de Reform.'

'Terecht toch? Te midden van een heleboel algemeen stemrechtfanatici. Als ze de kans kregen om stemrecht te geven aan een stelletje kannibalen...'

'Je moet niet op kannibalen afgeven,' zei Hargreaves, 'enkele van mijn beste vrienden waren kannibalen, en nu die Browne met een e buiten gehoorsafstand is...'

76

'Ik heb de zaak zeer zorgvuldig bekeken, John, samen met Daintry, en persoonlijk ben ik ervan overtuigd dat Davis de man is die we zoeken.'

'Is Daintry daar ook van overtuigd?'

'Nee. Het berust alleen op aanwijzingen, dat kan ook niet anders, en Daintry heeft een zeer wettische geest. Ik kan niet pretenderen dat ik Daintry mag. Geen gevoel voor humor maar natuurlijk zeer plichtsgetrouw. Ik heb een avond met Davis doorgebracht, een paar weken geleden. Hij is geen vergevorderde alcoholist zoals Burgess en Maclean, maar hij drinkt veel – en hij is meer gaan drinken sinds we met het onderzoek zijn begonnen, volgens mij. Net als die twee en Philby, leeft hij duidelijk onder een bepaalde spanning. Een tikje manisch-depressief – en een manisch-depressieve persoonlijkheid heeft doorgaans dat schizofrene trekje dat voor een dubbelagent kenmerkend is. Hij wil erg graag naar het buitenland. Waarschijnlijk omdat hij weet dat hij in het oog wordt gehouden en ze hem misschien verboden hebben om er vandoor te gaan. Natuurlijk zouden we in Lourenço Marques geen controle meer over hem hebben en zou hij daar een voor hen zeer nuttige plaats innemen.'

'Maar hoe zit het met het bewijs?'

'Dat is nog wat fragmentarisch, maar kunnen we ons veroorloven om op een volledig bewijs te wachten, John? Per slot van rekening zijn we niet van plan om hem te laten berechten. Het enige alternatief is Castle [je was het met me eens dat we Watson konden uitschakelen], en we zijn Castle even grondig nagegaan. Gelukkig tweede huwelijk, zijn eerste vrouw is omgekomen bij de bombardementen, afkomstig uit een goede familie, zijn vader was arts – zo'n ouderwetse huisdokter, lid van de Liberal Party, maar niet, let wel, van de Reform, die zijn patiënten hun leven lang naliep en vergat om de rekening te sturen, de moeder leeft nog – ze was hoofd van de reddingsbrigade tijdens de blitz en heeft de George Medal gekregen. Ze is nogal patriottisch en bezoekt bijeenkomsten van Conservatieven. Hij komt uit een aardig goed nest, moet je toegeven. Geen enkel blijk van buitensporig drankgebruik bij Castle, springt ook zuinig met geld om. Davis besteedt een hoop aan port en whisky en aan zijn Jaguar, wedt regelmatig op de paardenrennen – beweert een oog voor conditie te hebben en behoorlijk veel te winnen – dat is een klassieke smoes om meer uit te geven dan je verdient. Daintry vertelde me dat hij hem een keer betrapt heeft op het van kantoor meenemen van een 59800-rapport. Zei dat hij het wilde lezen tijdens de lunch. Verder herinner je je nog wel dat we een vergadering met MI5 hadden waarbij je wilde dat hij aanwezig zou zijn. Had het kantoor verlaten om naar de tandarts te gaan – hij is helemaal niet bij de tandarts geweest [zijn gebit is in uitstekende staat – dat weet ik zeker] en twee weken later bleek er weer een lek te zijn.'

'Is het bekend waar hij dan wel geweest is?'

'Daintry liet hem al schaduwen door Special Branch. Hij ging naar de dierentuin. Door de ledeningang. De knaap die hem volgde moest bij de gewone ingang in de rij staan en raakte hem kwijt. Een mooi succesje.'

'Enig idee wie hij daar heeft ontmoet?'

'Het is een slimmerik. Moet geweten hebben dat hij gevolgd werd. Later bleek dat hij Castle bekend had dat hij niet naar de tandarts was geweest. Zei dat hij had afgesproken met zijn secretaresse [het was haar vrije dag] bij de panda's. Maar wat dat rapport betreft waarover je met hem wilde praten, het lag helemaal niet in de safe – Daintry is het nagegaan.'

'Niet zo'n erg belangrijk rapport. O, het is allemaal wel een beetje verdacht, geef ik toe, maar er is niets bij dat ik een overtuigend bewijs zou kunnen noemen, Emmanuel. Heeft hij de secretaresse daar inderdaad ontmoet?'

'O, hij heeft haar zeker ontmoet. Hij verliet samen met haar de dierentuin, maar wat is er in de tussentijd gebeurd?'

'Heb je de gemerkte bankbiljet-methode geprobeerd?'

'Ik heb hem in strikt vertrouwen een kletsverhaal verteld over wetenschappelijk onderzoek in Porton, maar het heeft nog niets opgeleverd.'

'Ik zie niet hoe we tot maatregelen over kunnen gaan op grond van wat je tot nu toe hebt.'

'En als hij nou eens in paniek raakt en er vandoor probeert te gaan?'

'Dan zouden we snel in moeten grijpen. Heb je al besloten welke maatregelen we dan moeten nemen?'

'Ik heb al een klein ideetje in mijn hoofd, John. Pinda's.'

'Pinda's!'

'Van die kleine zoute dingetjes die je bij de borrel eet.'

'Natuurlijk weet ik wel wat pinda's zijn, Emmanuel. Vergeet niet dat ik districtscommissaris in West-Afrika ben geweest.'

'Nu, dat is de oplossing. Als pinda's bederven, brengen ze een schimmel voort. Veroorzaakt door *aspergillus flavus* – maar die naam mag je wel vergeten. Die is niet van belang, en ik weet dat je nooit best in Latijn bent geweest.'

'Ga door, in 's hemelsnaam.'

'Om het je makkelijk te maken, zal ik me beperken tot de schimmel zelf. Die schimmel produceert een groep zeer vergiftige stoffen die gezamenlijk bekendstaan als aflatoxine. En aflatoxine is het antwoord op ons probleempje.'

'Hoe werkt het?'

'Wat de mens betreft zijn we er niet zeker van, maar geen enkel dier schijnt er immuun voor te zijn, dus is het hoogst onwaarschijnlijk dat wij dat wel zijn. Aflatoxine doodt de levercellen. Ze hoeven maar ongeveer drie uur aan dat spul blootgesteld te worden. Bij dieren zijn de symptomen dat ze hun eetlust verliezen en lethargisch worden. De vleugels van vogels worden krachteloos. Uit een postmortaal onderzoek blijkt hemorragie en necrose in de lever en congestie van de nieren, als je me mijn medisch jargon wilt vergeven. De dood treedt meestal binnen een week in.'

'Allemachtig, Emmanuel, ik ben altijd dol op pinda's geweest. Nu zal ik ze nooit meer kunnen eten.'

'O, wees maar niet bang, John. Je zoute pinda's zijn zorgvuldig gesorteerd – hoewel ik aanneem dat er best eens een ongelukje zou kunnen gebeuren, maar gezien de snelheid waarmee jij een doosje leeg eet, is het niet waarschijnlijk dat ze zullen bederven.'

'Je wekt wel de indruk van je onderzoekingen genoten te hebben. Soms, Emmanuel, krijg ik gewoon kippevel van je.'

'Je moet toegeven dat het een zeer handige oplossing is voor ons probleem. Uit een autopsie zou alleen maar leverbeschadiging blijken, en ik denk dat de patholoog-anatoom waarschuwende geluiden zou laten horen over de gevaren van overmatig portgebruik.'

'Ik veronderstel dat je zelfs al hebt uitgedokterd hoe je de hand kan leggen op die aqua...'

'Aflatoxine, John. Het levert niet veel moeilijkheden op. Een knaap in Porton is nu bezig om wat voor me te maken. Je hebt maar een heel kleine hoeveelheid nodig. Punt oo63 milligram per kilo lichaamsgewicht. Ik heb Davis gewogen uiteraard. Met o.5 milligram zou het gepiept moeten zijn, maar laten we voor de zekerheid zeggen .75. Hoewel we het misschien eerst nog testen met een kleinere dosis. Een voordeel van dit alles is natuurlijk dat we ook waardevolle informatie zullen krijgen over het effect van aflatoxine op het menselijk lichaam.'

'Heb je ooit het gevoel dat je geschokt bent van jezelf, Emmanuel?'

'Er is niets schokkends aan, John. Denk eens aan alle andere manieren waarop Davis zou kunnen sterven. Echte levercirrose zou een veel langzamere dood tot gevolg hebben. Met een dosis aflatoxine zal hij nauwelijks hoeven te lijden. Toenemende lethargie, misschien wat last van zijn benen aangezien hij geen vleugels heeft, en er is natuurlijk een zekere mate van misselijkheid te verwachten. Iemand die er maar een week over hoeft te doen om te sterven is zeer gelukkig te prijzen, als je bedenkt hoe vele mensen moeten lijden.'

'Je praat alsof hij al ter dood is veroordeeld.'

'Nou, John, ik ben er volledig van overtuigd dat hij onze man is. Ik wacht alleen nog op het groene licht van jou.'

'Als Daintry er nu zeker van was...'

'O, Daintry, John, we kunnen niet wachten op het soort bewijzen dat Daintry verlangt.'

'Geef me één bewijs dat echt *hard* is.'

'Dat kan ik nog niet, maar je kunt er beter niet te lang op wachten. Weet je nog wat je zei die avond na de jacht – een gedogende echtgenoot is altijd overgeleverd aan de genade van de minnaar. We kunnen ons niet nog eens een schandaal veroorloven bij de firma, John.'

Er kwam weer een persoon met een bolhoed voorbij, zijn kraag opgeslagen, in de oktoberschemering. Op Buitenlandse Zaken gingen de lichten een voor een aan.

'Laten we nog wat over de forellenbeek praten, Emmanuel.'

'Ah, forellen. Laat anderen maar over zalm opsnijden – grove vette botteriken met die blinde neiging van ze om stroomopwaarts te zwemmen wat het vissen zo makkelijk maakt. Het enige dat je nodig hebt zijn grote laarzen en een sterke arm en een handige helper. Maar de forel – o, de forel – dat is echt de koning der vissen.'

2

Kolonel Daintry had een tweekamerflat in St James's Street die hij gevonden had door toedoen van een ander lid van de firma. De flat was tijdens de oorlog door MI6 gebruikt als plaats van samenkomst om eventuele aspiranten te ondervragen. Er waren maar drie appartementen in het gebouw, dat verzorgd werd door een oude conciërge, die ergens weggestopt in een kamer op zolder woonde. Daintry had de eerste verdieping boven een restaurant [de hilariteit beneden hield hem uit zijn slaap tot diep in de nacht als de laatste taxi wegraasde]. Boven hem woonden een gepensioneerde zakenman die in de oorlogstijd aan de concurrerende geheime dienst, de SOE, verbonden was geweest, en een gepensioneerde generaal die in de westelijke Sahara had gevochten. De generaal was nu zo oud dat hij niet vaak meer de trap afkwam, maar de zakenman, die aan jicht leed, kwam nog zover als de Carlton Club aan de overkant van de straat. Daintry was geen zelfkoker van maaltijden en meestal spaarde hij dagelijks een maaltijd uit door bij Fortnum koude chipolatapuddinkjes te kopen. Hij had nooit van clubs gehouden; als hij honger had, iets dat zelden voorkwam, kon hij naar Overtons restaurant beneden hem. Zijn slaapkamer en zijn badkamer keken uit op een oud binnenplaatsje waar zich een zonnewijzer en een zilversmid bevonden. Weinig mensen die door St James's Street liepen, wisten van het bestaan van het binnenplaatsje af. Het was een zeer besloten flat en niet ongeschikt voor een eenzaam man.

Voor de derde keer ging Daintry met zijn Remington over zijn gezicht. Hygiënische scrupules groeiden in eenzaamheid als de haren van een lijk. Hij zou straks een van zijn zeldzame diners met zijn dochter gebruiken. Hij had voorgesteld om met haar bij Overton te gaan eten omdat ze hem daar kenden, maar ze had gezegd dat ze rosbief wilde. Desondanks weigerde ze om naar Simpson te gaan waar Daintry ook bekend was, omdat daar, naar ze zei, een te mannelijke sfeer heerste. Ze stond erop dat hij naar Stone in Panton Street zou komen, waar ze hem om acht uur verwachtte. Ze bezocht hem nooit in zijn flat – dat zou van ontrouw aan haar moeder getuigen, ook al wist ze dat er zich geen vrouw bevond. Misschien was Overton zelfs taboe vanwege de nabijheid van zijn flat.

Het ergerde Daintry altijd om Stone binnen te komen en gevraagd te worden door een man in een belachelijk jacquet of hij een tafel had gereserveerd. Het voormalige ouderwetse eethuis dat hij zich uit zijn tijd als jongeman herinnerde, was tijdens de bombardementen verwoest en herbouwd met een onkostendeclaratie-decor. Daintry dacht met spijt terug aan de vroegere obers in hun stoffige zwarte pandjesjassen en het zaagsel op de vloer en het zware bier dat speciaal voor hen gebrouwen werd in Burton-on-Trent. Nu hingen er langs de hele trap onzinnige panelen van reusachtige speelkaarten die eerder bij een gokhuis pasten, en witte naakte beelden stonden onder het neerplassende water van een fontein die achter spiegelglas achterin het restaurant in werking was. Ze deden de herfst nog killer lijken dan de lucht buiten deed. Zijn dochter zat al te wachten.

'Het spijt me dat ik te laat ben, Elizabeth,' zei Daintry. Hij wist dat hij drie minuten te vroeg was.

'Het geeft niet. Ik heb een drankje voor mezelf besteld.'

'Ik neem ook maar een sherry.'

'Ik heb je een nieuwtje te vertellen. Alleen moeder weet het nog maar.'

'Hoe maakt je moeder het?' vroeg Daintry met vormelijke beleefdheid. Het was altijd zijn eerste vraag en hij was blij als hij ervan af was.

'Ze maakt het uitstekend naar omstandigheden. Ze is voor een week of twee in Brighton om wat verandering van lucht te hebben.'

Het was alsof ze over een kennis spraken die hij nauwelijks kende – het was vreemd om te bedenken dat er ooit een tijd was geweest dat hij en zijn vrouw zo intiem waren dat ze samen een seksuele impuls hadden beleefd waaruit dit mooie meisje was voortgekomen, dat nu tegenover hem zo elegant haar Tio Pepe zat te drinken. De droefheid die nooit ver van Daintry af was als hij zijn dochter ontmoette, daalde zoals altijd op hem neer – als een schuldbesef. Waarom schuld? redeneerde hij dan tegen zichzelf. Hij was altijd, zoals dat heet, trouw geweest. 'Ik hoop dat het er mooi weer zal zijn,' zei hij. Hij wist dat zijn vrouw zich bij hem had verveeld, maar waarom zou dat een reden tot schuld zijn? Tenslotte had ze toegestemd om met hem te trouwen terwijl ze van alles op de hoogte was; ze was vrijwillig die beklemmende wereld van lange stiltes binnengegaan. Hij benijdde mannen die vrij waren om bij thuiskomst over de gebeurtenissen van een gewoon kantoor te babbelen.

'Wil je mijn nieuwtje niet horen, vader?'

Over haar schouder merkte hij plotseling Davis op. Davis zat alleen aan een voor twee personen gedekte tafel. Hij zat te wachten, trommelend met zijn vingers, zijn ogen op zijn servet gericht. Daintry hoopte dat hij niet zou opkijken.

'Nieuwtje?'

'Dat zei ik toch. Alleen moeder weet het. En hij, natuurlijk,' voegde ze er met een verlegen lachje aan toe. Daintry keek naar de tafels aan weerszijden van Davis. Hij verwachtte min of meer Davis' schaduw daar te zien, maar de twee oudere stellen, al vergevorderd met hun maaltijd, zagen er beslist niet uit als leden van de Special Branch.

'Je schijnt niet de minste belangstelling te hebben, vader. Je gedachten zijn mijlenver weg.'

'Het spijt me. Ik zag net iemand die ik ken. Wat is het geheime nieuws?'

'Ik ga trouwen.'

'Trouwen!' riep Daintry uit. 'Weet je moeder daarvan?'

'Ik zei toch net dat ik het haar verteld heb.'

'Het spijt me.'

'Waarom zou het je spijten dat ik ga trouwen?'

'Dat bedoelde ik niet. Ik bedoelde... Natuurlijk spijt het me niet als hij je waard is. Je bent een heel knap meisje, Elizabeth.'

'Ik bied me niet te koop aan, vader. Ik neem aan dat in jouw tijd mooie benen de marktprijs opdreven.'

'Wat doet hij?'

'Hij werkt op een reclamebureau. Hij behartigt de belangen van Jamesons Babypoeder.'

'Is dat een goed artikel?'

'Zeer goed. Ze besteden een enorm bedrag om te proberen Johnsons Babypoeder op de tweede plaats te krijgen. Colin heeft schitterende televisiespots verzorgd. Hij heeft zelfs eigenhandig een jingle geschreven.'

'Ben je erg op hem gesteld? Weet je *heel* zeker...?'

Davis had een tweede whisky besteld. Hij keek op de menukaart – maar hij moest hem al vele malen doorgelezen hebben.

'We weten het allebei heel zeker, vader. Tenslotte hebben we het afgelopen jaar samengewoond.'

'Het spijt me,' zei Daintry opnieuw – het begon een avond van verontschuldigingen te worden. 'Dat wist ik helemaal niet. En je moeder?'

'Ze vermoedde het natuurlijk wel.'

'Ze ziet je vaker dan ik.'

Hij voelde zich als een man die voor een langdurige ballingschap vertrekt en die vanaf het scheepsdek kijkt hoe de vage kustlijn van zijn land achter de horizon verdwijnt.

'Hij wilde meekomen vanavond om zich voor te stellen, maar ik heb gezegd dat ik deze keer alleen met je wilde zijn.' 'Deze keer': het klonk als een afscheid voor lange tijd; nu zag hij alleen nog de lege horizon, het land was verdwenen.

'Wanneer gaan jullie trouwen?'

'Zaterdag de eenentwintigste. Voor de burgerlijke stand. We nodigen niemand uit, behalve moeder natuurlijk. En een paar van onze vrienden. Colin heeft geen ouders meer.'

Colin, vroeg hij zich af, wie is Colin? Maar het was natuurlijk de man die bij Jameson werkte.

'Jij bent ook welkom – maar ik heb altijd het gevoel dat je bang bent om moeder te zien.'

Davis had welke hoop hij ook had, opgegeven. Terwijl hij de whisky's betaalde, keek hij op van de rekening en zag Daintry. Het was alsof twee emigranten aan dek waren gekomen met hetzelfde doel, om voor de laatste keer naar hun land te kijken, elkaar zagen en overwogen elkaar aan te spreken. Davis draaide zich om en stapte op de deur af. Daintry keek hem met spijt na – maar tenslotte had het geen haast om kennis te maken, ze hadden samen nog een lange vaart voor de boeg.

Daintry zette zijn glas krachtig neer en morste wat sherry. Hij voelde een plotselinge ergernis ten aanzien van Percival. De man had geen bewijzen tegen Davis die een rechtbank zouden overtuigen. Hij wantrouwde Percival. Hij herinnerde zich Percival op de jachtpartij. Percival was nooit eenzaam, hij lachte even vlot als hij praatte, hij had verstand van schilderijen, hij voelde zich bij vreemden op zijn gemak. Hij had geen dochter die met een vreemde samenwoonde in een flat die hij nooit had gezien – hij wist niet eens waar het was.

'We hadden gedacht om na afloop wat drankjes en sandwiches te gebruiken in een hotel of misschien in moeders flat. Moeder moet daarna weer naar Brighton terug. Maar als je zin hebt om te komen...'

'Ik geloof niet dat ik dan kan. Ik ben dat weekend weg,' loog hij.

'Je maakt je afspraken wel lang van tevoren.'

'Dat moet ik wel.' Met een ellendig gevoel loog hij weer: 'Ik heb er ook zoveel. Ik ben een druk bezet man, Elizabeth. Als ik geweten had...'

'Ik wilde je verrassen.'

'We moeten maar eens bestellen, vind je niet? Jij neemt dus rosbief, niet de lamsrug?'

'Voor mij rosbief.'

'Gaan jullie op huwelijksreis?'

'O, we blijven dat weekend gewoon thuis. Misschien als het voorjaar wordt... Op het ogenblik heeft Colin het zo druk met Jamesons Babypoeder.'

'We zouden het eigenlijk moeten vieren,' zei Daintry. 'Een fles champagne?' Hij hield niet van champagne, maar een man moet zijn plicht doen.

'Eigenlijk heb ik liever gewoon een glas rode wijn.'

'Ik zal een huwelijkscadeau moeten bedenken.'

'Een cheque is misschien het beste – en makkelijker voor je. Je houdt niet van winkelen. Van moeder krijgen we een prachtig tapijt.'

'Ik heb mijn chequeboek niet bij me. Ik zal je de cheque maandag toesturen.'

Na de maaltijd namen ze afscheid in Panton Street – hij bood aan om haar met een taxi naar huis te brengen, maar ze zei dat ze liever ging lopen. Hij had geen idee waar de flat was waar ze samenwoonden. Haar privé-leven was even afgeschermd als dat van hem, maar in zijn geval was er nooit veel geweest om af te schermen. Het kwam niet vaak voor dat hij van hun maaltijden samen genoot omdat ze zo weinig hadden om over te praten, maar nu, terwijl hij zich realiseerde dat ze nooit meer met elkaar alleen zouden zijn, kwam er een gevoel van verlatenheid over hem. Hij zei: 'Misschien kan ik dat weekend wel afzeggen.'

'Colin wil graag kennis met je maken, vader.'

'Zou ik misschien een vriend mee kunnen nemen?'

'Natuurlijk. Wie je maar wil. Met wie kom je dan?'

'Ik weet het nog niet zeker. Misschien iemand van kantoor.'

'Dat is uitstekend. Maar hoor eens – je hoeft echt niet bang te zijn. Moeder mag je best.' Hij keek haar na terwijl ze oostwaarts in de richting van Leicester Square wegstapte – en waar dan heen? – hij had geen idee – voor hij zich in westelijke richting naar St James's Street begaf.

2

1

Het mooie herfstweer was voor een dag teruggekeerd en Castle stemde toe om te gaan picknicken – Sam begon prikkelbaar te worden na de langdurige quarantaine en Sarah had zich ingebeeld dat iedere bacil die nog was blijven hangen, weggevaagd zou worden tussen de beukenbosjes in herfsttooi. Ze had een thermosfles met warme uiensoep klaargemaakt, en een halve koude kip om uit het vuistje te eten, een paar krentenbollen, een schapebot voor Buller, en een tweede thermosfles met koffie. Castle deed er zijn fles whisky bij. Ze hadden twee dekens om op te zitten, en Sam liet zich zelfs overreden om zijn jas mee te nemen ingeval het zou gaan waaien.

'Het is krankzinnig om te gaan picknicken in oktober,' zei Castle met plezier in de onbezonnenheid van de onderneming. De picknick was een mogelijkheid om eens te ontsnappen aan de onvrijheid, de omzichtigheid en de waakzaamheid van kantoor. Maar toen, natuurlijk, ging de telefoon, erop los rinkelend als een alarminstallatie terwijl ze hun tassen net op hun fietsen bonden.

Sarah zei: 'Het zijn vast die gemaskerde mannen weer. Ze bederven onze picknick. Ik zal me nu steeds afvragen wat er thuis gebeurt.'

Castle antwoordde bedrukt [hij hield zijn hand op de hoorn]: 'Nee, nee, maak je geen zorgen, het is Davis maar.'

'Wat wil hij?'

'Hij zit in Boxmoor met zijn auto. Het was zo'n mooie dag en hij wilde me komen opzoeken.'

'Ach verdomme, die Davis. Net nu we helemaal klaarstaan. We hebben verder geen eten in huis. Alleen ons avondmaal. En dat is niet genoeg voor vier.'

'Je kan alleen met Sam gaan als je wilt. Dan lunch ik wel met Davis bij de Swan.'

'Een picknick zou helemaal niet leuk zijn,' zei Sarah, 'zonder jou.'

Sam zei: 'Is dat meneer Davis? Ik wil dat meneer Davis ook meegaat. Dan kunnen we verstoppertje spelen. We zijn met te weinig als meneer Davis niet komt.'

Castle zei: 'We zouden Davis misschien wel mee kunnen nemen.'

'Een halve kip met z'n vieren...?'

'We hebben genoeg krentenbollen voor een heel regiment.'

'Hij zal heus geen zin hebben om te picknicken in oktober, of hij moet ook krankzinnig zijn.'

Maar Davis bleek even krankzinnig te zijn als zij zelf. Hij zei dat hij dol op picknicken was, zelfs op een warme zomerdag met wespen en vliegen, maar dat hij het in de herfst veel fijner vond. Daar hij geen plaats genoeg had in zijn Jaguar ontmoette hij hen op een afgesproken punt op de Meent, en bij de lunch mocht hij een wens doen omdat hij met een behendige polsbeweging het vorkbeen wist te bemachtigen. Hij introduceerde daarbij een nieuw spelletje. De anderen moesten door vragen te stellen zijn wens raden, en alleen als ze daar niet in slaagden zou zijn wens in vervulling gaan. Sarah raadde het in een plotselinge vlaag van intuïtie. Zijn wens was dat hij eens een 'toppopper' zou zijn.

'Nou ja, ik had toch al weinig hoop dat mijn wens uit zou komen. Ik kan geen noot op papier zetten.'

Tegen de tijd dat de laatste krentenbollen opgegeten waren, stond de middagzon laag boven de gaspeldoornbosjes en stak de wind op. De koperkleurige bladeren wervelden naar beneden en voegden zich bij de humuslaag van het jaar daarvoor. 'Verstoppertje,' stelde Davis voor, en Castle zag hoe Sam met ogen vol heldenverering naar Davis staarde.

Ze lootten om uit te maken wie van hen zich het eerst mocht verstoppen, en Davis won. Diep in zijn kameelharen jas weggedoken liep hij met grote passen tussen de bomen door weg, als een verdwaalde beer uit de dierentuin. Na tot zestig geteld te hebben, zette de rest de achtervolging in, Sam naar de rand van de Meent, Sarah de kant van Ashridge op, Castle het bos in waar hij Davis had zien verdwijnen. Buller liep met hem mee, waarschijnlijk in de hoop een kat tegen te komen. Een zacht fluitje leidde Castle naar de plaats waar Davis verstopt zat in een kuil tussen de adelaarsvarens.

'Het is verduiveld koud om verstopt te zitten,' zei Davis, 'zo uit de zon.'

'Je hebt het spelletje zelf voorgesteld. We stonden juist op het punt om naar huis te gaan. Koest, Buller. Koest, verdorie nog aan toe.'

'Dat weet ik wel, maar ik zag hoe graag hij het wilde, de kleine *bastard*.'

'Jij schijnt kinderen beter aan te voelen dan ik. Ik zal ze maar terugroepen. Het wordt onze dood nog...'

'Nee, wacht daar nog even mee. Ik hoopte al dat je me zou vinden. Ik moet even alleen met je praten. Het is iets belangrijks.'

'Kan het niet tot morgen op kantoor wachten?'

'Nee, je hebt me argwanend gemaakt wat kantoor betreft. Castle, ik geloof echt dat ik gevolgd word.'

'Ik heb je toch gezegd dat naar mijn idee je telefoon werd afgetapt.'

'Ik geloofde je toen niet. Maar sinds die avond... Donderdag ben ik met Cynthia naar restaurant Scott geweest. Er stond een man in de lift toen we naar beneden gingen. En later zat hij ook bij Scott een Black Velvet te drinken. En nu vandaag, terwijl ik naar Berkhamsted reed – merkte ik een auto op achter me, bij Marble Arch – gewoon toevallig omdat ik even dacht dat ik de man kende – dat was niet zo, maar in Boxmoor zag ik hem weer achter me. In een zwarte Mercedes.'

'Dezelfde man als bij Scott?'

'Natuurlijk niet. Zo stom zouden zij niet zijn. Mijn Jaguar is nogal pittig en er waren zondagsrijders op de weg. Voor Berkhamsted was ik hem kwijt.'

'We worden niet vertrouwd, Davis, niemand bij ons, maar wat zouden

we ons druk maken als we niks op ons geweten hebben?'
'O ja, dat weet ik allemaal wel. Net als zo'n oud liedje, nietwaar? Wat maak ik me druk? "Ik heb niets gedaan, dus wat maak ik me druk? Als ze zien wat ik hier pluk, zeg ik heel gewoon: Die appels lijken goud, daar aan die boom..." Misschien word ik toch nog eens een toppopper.'
'Weet je zeker dat je hem voor Berkhamsted kwijtgeraakt bent?'
'Ja, volgens mij wel. Maar wat heeft dit allemaal te betekenen, Castle? Is het alleen maar een routinecheck, zoals die van Daintry scheen te zijn? Jij zit al langer in deze verdomde business dan wie van ons ook. Jij zou het moeten weten.'
'Ik heb het je die avond met Percival al gezegd. Ik denk dat er een of ander lek aan het licht is gekomen, en ze vermoeden dat er een dubbelagent onder ons is. Daarom stellen ze een veiligheidsonderzoek in, en het kan ze niet veel schelen of je het merkt. Ze denken dat je dan misschien zenuwachtig wordt, als je schuldig bent.'
'Ik een dubbelagent? Dat geloof je toch niet, Castle?'
'Nee, natuurlijk niet. Je hoeft je geen zorgen te maken. Heb nou maar wat geduld. Wacht maar tot ze hun onderzoek hebben afgesloten, dan geloven zij het ook niet meer. Ik vermoed dat ze mij ook checken – en Watson.'
In de verte hoorden ze Sarah roepen: 'We geven het op. We geven het op.' Een ijl stemmetje klonk nog verder weg: 'O nee, we geven het nog niet op. Blijf zitten waar u zit, meneer Davis. Toe nou, meneer Davis...'
Buller blafte en Davis niesde. 'Kinderen zijn meedogenloos,' zei hij.
Er klonk geritsel tussen de varens rondom hun schuilplaats en Sam verscheen. 'Gevonden,' zei hij, en toen zag hij Castle. 'O, maar jij speelt vals.'
'Niet waar,' zei Castle, 'ik kon niet roepen. Hij hield me in bedwang met een pistool.'
'Waar is dat pistool dan?'
'Kijk maar in zijn borstzakje.'
'Er zit alleen maar een vulpen in,' zei Sam.
'Het is een gaspistool,' zei Davis, 'vermomd als vulpen. Zie je dat knopje? Daarmee spuit je iets dat op inkt lijkt – maar het is niet echt inkt, het is zenuwgas. Zelfs James Bond heeft zo'n ding nooit gekregen – het is te geheim. Steek je handen omhoog.'
Sam stak ze omhoog. 'Bent u een echte spion?' vroeg hij.
'Ik ben een dubbelagent voor Rusland,' zei Davis, 'en als je leven je lief is, moet je me vijftig meter voorsprong geven.' Hij drong zich door de varens en holde log in zijn zware jas tussen de beukenbosjes weg. Sam achtervolgde hem, helling op, helling af. Davis bereikte de berm van de weg naar Ashridge waar hij zijn rode Jaguar had achtergelaten. Hij

richtte zijn vulpen op Sam en schreeuwde een bericht dat even verminkt was als een van Cynthia's code-telegrammen: 'Picknick... groeten... Sarah,' en toen ging hij er vandoor met een harde knal uit zijn uitlaat.

'Vraag hem of hij nog eens komt,' zei Sam, 'toe, vraag of hij nog eens komt.'

'Natuurlijk. Waarom niet? Als het voorjaar is.'

'Het voorjaar duurt nog zo lang,' zei Sam. 'Dan zit ik op school.'

'Je hebt altijd nog de weekenden,' antwoordde Castle, maar zonder overtuiging. Hij herinnerde zich maar al te goed hoe langzaam de tijd voorbijsjokt in de kinderjaren. Een auto passeerde hen, in de richting van Londen, een zwarte wagen – misschien was het een Mercedes, maar Castle wist heel weinig van auto's af.

'Ik vind meneer Davis aardig,' zei Sam.

'Ja, ik ook.'

'Niemand kan zo goed verstoppertje spelen als hij. Zelfs jij niet.'

2

Oorlog en vrede valt me niet mee, meneer Halliday. Ik kan er niet erg doorheen komen.'

'Ach hemeltjelief. Het is een prachtig boek als u het geduld maar kan opbrengen. Bent u al bij de terugtocht uit Moskou?'

'Nee.'

'Het is een vreselijke geschiedenis.'

'Heden ten dage lijkt het allemaal een stuk minder vreselijk, vindt u niet? De Fransen waren tenslotte soldaten – en sneeuw is niet zo erg als napalm. Je valt in slaap, zeggen ze – je wordt niet levend verbrand.'

'Ja, als ik aan al die arme kinderen in Vietnam denk... Ik had mee willen doen aan sommige protestmarsen die hier toentertijd werden gehouden, maar mijn zoon weerhield me er altijd van. Hij is bang voor de politie met dat winkeltje van hem, hoewel ik niet inzie wat voor kwaad hij kan doen met een stuk of wat ondeugende boekjes. Zoals ik altijd zeg – de mannen die ze kopen – ach, die kan men toch werkelijk geen ernstige schade meer berokkenen, wel?'

'Nee, het zijn geen onschuldige jonge Amerikanen die hun plicht doen, zoals de napalm-bombardeerders,' zei Castle. Soms was het hem onmogelijk om niet een splintertje te tonen van zijn ijsbergleven onder water.

'En toch heeft niemand van ons er ook maar iets tegen kunnen doen,' zei Halliday. 'De regering heeft het over democratie, maar hoeveel aandacht heeft de regering ooit aan al onze spandoeken en leuzen geschonken? Behalve tijdens de verkiezingen. Het heeft ze geholpen bij de keuze welke beloftes ze konden breken, meer niet. De volgende dag konden we dan in de krant lezen hoe weer een onschuldig dorp per vergissing was weggevaagd. O, het zal niet lang meer duren of in Zuid-Afrika gaat hetzelfde gebeuren. Eerst waren het de gele kindertjes – niet geler dan u en ik – en dan zullen het de zwarte kindertjes zijn...'

'Laten we het over iets anders hebben,' zei Castle. 'Raadt u me eens iets aan om te lezen dat niet over oorlog gaat.'

'Dan kunt u altijd Trollope nemen,' zei meneer Halliday. 'Mijn zoon houdt erg van Trollope. Hoewel het niet erg samengaat met het soort zaken dat hij verkoopt, vindt u ook niet?'

'Ik heb nooit iets van Trollope gelezen. Is hij niet een beetje religieus? In elk geval, vraag uw zoon er een voor me uit te zoeken en stuur het me op.'

'Hield uw vriend ook niet van *Oorlog en vrede?*'

'Nee. Hij had er zelfs eerder genoeg van dan ik. Het ging voor hem ook te veel over oorlog misschien.'

'Ik kan makkelijk even naar de overkant wippen om te horen wat mijn zoon adviseert. Ik weet dat hij een voorkeur heeft voor de politieke romans – of de sociologische, zoals hij ze noemt. Ik heb hem lovend horen spreken over *The Way We Live Now*. Een goede titel, meneer. Altijd actueel. Wilt u het vanavond mee naar huis nemen?'

'Nee, vandaag niet.'

'Twee exemplaren zoals gewoonlijk, meneer, veronderstel ik? Ik benijd u dat u een vriend heeft waarmee u over literatuur kunt praten. Er zijn tegenwoordig maar al te weinig mensen in literatuur geïnteresseerd.'

Nadat Castle de winkel van meneer Halliday had verlaten, liep hij naar het station Piccadilly Circus en zocht een telefoon op. Hij nam de laatste van een rij telefooncellen en keek door het glas naar de enige persoon naast hem: het was een dik puistig meisje dat giechelde en op kauwgom sabbelde terwijl ze naar iets aangenaams luisterde. Een stem zei: 'Hallo,' en Castle zei: 'Neem me niet kwalijk, weer verkeerd verbonden,' en stapte de cel uit. Het meisje parkeerde haar kauwgom op de achterkant van het telefoonboek terwijl ze aan een lange bevredigende conversatie begon. Hij wachtte bij een plaatskaartenautomaat en hield haar een tijdje in het oog om er zeker van te zijn dat ze geen belangstelling voor hem had.

3

'Wat ben je aan het doen?' vroeg Sarah. 'Hoorde je me niet roepen?'

Ze keek naar het boek op zijn bureau en zei: '*Oorlog en vrede*. Ik dacht

dat je genoeg had van *Oorlog en vrede.*'
Hij pakte een vel papier, vouwde het op en stopte het in zijn zak.
'Ik probeer een essay te schrijven.'
'Laat eens kijken.'
'Nee. Alleen als het lukt.'
'Waar stuur je het naar toe?'
'De *New Statesman... Encounter...* wie zal het zeggen?'
'Het is lang geleden dat je iets hebt geschreven. Ik vind het fijn dat je weer bent begonnen.'
'Ja. Ik schijn gedoemd te zijn om het altijd maar weer te proberen.'

3

1

Castle schonk zich nog een whisky in. Sarah was al een hele tijd boven bij Sam, en hij was alleen, wachtend tot er gebeld zou worden, wachtend... Zijn gedachten dwaalden af naar die andere gelegenheid toen hij minstens drie kwartier had zitten wachten, in het kantoor van Cornelius Muller. Er was hem een exemplaar van de *Rand Daily Mail* gegeven om te lezen – een vreemde keus aangezien die krant een vijand was van de meeste dingen die BOSS, de organisatie waarbij Muller in dienst was, voorstond. Hij had het nummer van die dag al bij zijn ontbijt gelezen, maar nu las hij iedere pagina opnieuw met als enige doel de tijd te doden. Iedere keer als hij opkeek naar de klok, ontmoetten zijn ogen die van een van de twee lagere ambtenaren die stijf achter hun bureau zaten en misschien om beurten op hem letten. Verwachtten ze dat hij een scheermesje te voorschijn zou halen om een slagader door te snijden? Maar martelen, hield hij zichzelf voor, werd altijd aan de veiligheidspolitie overgelaten – althans dat geloofde hij. En tenslotte, in zijn geval hoefde niet gevreesd te worden voor martelen door welke dienst ook – hij werd beschermd door de diplomatieke onschendbaarheid; hij was een van de onmartelbaren. Die onschendbaarheid strekte zich echter niet tot Sarah uit; hij had gedurende het laatste jaar in Zuid-Afrika de eeuwenoude les geleerd dat vrees en liefde onscheidbaar zijn.
Castle dronk zijn glas whisky leeg en schonk zich nog een kleintje in. Hij moest oppassen.
Sarah riep naar beneden: 'Wat doe je, lieverd?'

'Ik zit gewoon op meneer Muller te wachten,' antwoordde hij, 'en drink nog een whisky.'

'Niet te veel, liever.' Ze hadden besloten dat hij Muller beter eerst alleen kon begroeten. Muller zou ongetwijfeld in een wagen van de ambassade uit Londen komen. Een zwarte Mercedes zoals alle hoge functionarissen in Zuid-Afrika gebruikten? 'Overwin de eerste contactproblemen,' had C gezegd, 'en bewaar de echte zaken uiteraard voor op kantoor. Bij u thuis heeft u meer kans om een nuttige aanwijzing te krijgen... ik bedoel van wat wij wel en zij niet hebben. Maar in 's hemelsnaam, meneer Castle, bewaar uw kalmte.' En nu deed hij zijn uiterste best om zijn kalmte te bewaren met behulp van een derde whisky terwijl hij luisterde en luisterde of hij een auto hoorde aankomen, wat voor auto dan ook, maar er was weinig verkeer om deze tijd in King's Road – alle forenzen zaten allang veilig thuis.

Zoals vrees en liefde onscheidbaar zijn, is dat ook het geval met vrees en haat. Haat is een automatische reactie op vrees, want vrees is vernederend. Toen hij uiteindelijk de *Rand Daily Mail* mocht neerleggen en ze hem interrumpeerden terwijl hij voor de vierde keer hetzelfde hoofdartikel las, met het vruchteloze routine-protest tegen het kwaad van de kleingeestige apartheid, was hij zich diep bewust van zijn lafheid. Drie jaar leven in Zuid-Afrika en zes maanden liefde voor Sarah hadden, naar hij goed besefte, een lafaard van hem gemaakt.

Twee mannen wachtten op hem in het privé-kantoor: meneer Muller zat achter een groot bureau van het fijnste Zuidafrikaanse hout met niets anders erop dan een blank vloeiblad en een hoog gepolijste pennenstandaard en een dossier dat veelbetekenend openlag. Het was een iets jongere man dan Castle, tegen de vijftig misschien, en hij had het soort gezicht dat Castle in normale omstandigheden gemakkelijk zou kunnen vergeten: een kantoorgezicht, glad en bleek als dat van een bankbediende of een lagere ambtenaar, een gezicht dat niet getekend was door de kwellingen van welk geloof ook, menselijk noch godsdienstig, een gezicht dat bereid was om orders te ontvangen en ze prompt zonder vragen op te volgen, het gezicht van een conformist. Zeker niet het gezicht van een bruut – hoewel dat wel gezegd kon worden van dat van de andere man in uniform die onbeschaamd met zijn benen over de armleuning van zijn stoel zat alsof hij wilde tonen dat hij een ieders gelijke was; *zijn* gezicht had de zon niet gemeden: het had een soort helse gloed alsof het te lang blootgesteld was aan een hitte die voor gewone mensen veel te intens zou zijn. Mullers brilleglazen waren met goud omrand; het was een met goud omrand land.

'Neem plaats,' zei Muller tegen Castle met net genoeg beleefdheid om voor hoffelijkheid door te gaan, maar de enige plaats die voor hem overbleef was een harde rechte stoel die even weinig gemak te bieden had als een kerkstoel – als er van hem verlangd werd dat hij zou knielen, zou hij het zonder knielbankje moeten stellen als hij op de harde vloer neerzeeg. Hij zat daar in stilte terwijl de twee mannen, de bleke en de verhitte, zwijgend naar hem keken. Castle vroeg zich af hoelang erop zou voortduren. Cornelius Muller had uit het dossier dat voor hem lag een blad genomen, en na enige tijd begon hij met de achterkant van zijn gouden ballpoint er op te tikken, steeds op dezelfde plaats, alsof hij een pin insloeg. Het lichte tik tik tik registreerde de duur van de stilte als het tikken van een horloge. De andere man krabde zijn huid boven zijn sok, en zo ging het maar door, tik tik en krab krab.

Tenslotte leek het Muller goed om te spreken. 'Ik ben blij dat u de gelegenheid heeft kunnen vinden om langs te komen, meneer Castle.'

'Ja, het schikte me niet erg, maar goed, hier ben ik dan.'

'We wilden vermijden dat we een onnodig schandaal zouden veroorzaken door naar uw ambassadeur te schrijven.'

Het was nu Castles beurt om te zwijgen, terwijl hij probeerde te snappen wat ze met het woord schandaal bedoelden.

'Kapitein Van Donck – dit is kapitein Van Donck – heeft de zaak aan ons voorgelegd. Het leek hem dat wij deze zaak beter konden afhandelen dan de veiligheidspolitie – vanwege uw betrekking bij de Britse ambassade. U bent lange tijd geobserveerd, meneer Castle, maar in uw geval zou een arrestatie, naar mijn mening, niet het gewenste resultaat hebben – uw ambassade zou aanspraak maken op de diplomatieke onschendbaarheid. Natuurlijk zouden we het altijd nog kunnen aanvechten voor de magistratuur en dan zouden ze u zeker terug moeten sturen. Dat zou waarschijnlijk het eind van uw carrière betekenen, niet nietwaar?'

Castle zei niets.

'U bent zeer onvoorzichtig geweest, dom zelfs,' zei Cornelius Muller, 'maar ik persoonlijk ben toch niet van mening dat domheid bestraft behoort te worden als een misdaad. Kapitein Van Donck en de veiligheidspolitie echter hebben daar een andere opvatting over, een wettische opvatting – en misschien hebben ze wel gelijk. Hij zou er de voorkeur aan geven de procedure van arrestatie en berechting te volgen. Naar zijn mening wordt de diplomatieke onschendbaarheid veel te ruim toegepast wat de lagere employés van ambassades betreft. Om principiële redenen zou hij deze zaak graag aanpakken.'

De harde stoel begon pijnlijk te worden en Castle wilde gaan verzitten, maar hij dacht dat de beweging als een teken van zwakte zou kunnen worden gezien. Hij deed zijn uiterste best om erachter te komen wat ze werkelijk wisten. Hoeveel van zijn agenten, vroeg hij zich af, zouden ook onder verdenking staan? Zijn eigen betrekkelijke veiligheid maakte hem beschaamd. In een echte oorlog kan een officier altijd met zijn mannen sneuvelen en daarmee zijn zelfrespect bewaren.

'Doe je mond open, Castle,' beval kapitein Van Donck. Hij zwaaide zijn benen van de leuning van zijn stoel af en maakte aanstalten om op te staan – zo leek het althans – het was waarschijnlijk intimidatie. Hij opende en sloot zijn vuist en staarde naar zijn zegelring. Toen begon hij de gouden ring met zijn vinger op te poetsen alsof het een revolver was die goed gesmeerd moest blijven. Aan goud was in dit land niet te ontkomen. Het zat in het stof van de steden, kunstenaars gebruikten het als verf, het zou heel vanzelfsprekend zijn als de politie het gebruikte om iemands gezicht in elkaar te slaan.

'Waarover?' vroeg Castle.

'Net als de meeste Engelsen die naar de Republiek komen,' zei Muller, 'voelt u een zekere automatische sympathie voor zwarte Afrikanen. We hebben begrip voor uw gevoelens. Te meer daar we zelf Afrikanen zijn. We wonen hier al driehonderd jaar. De Bantoes zijn nieuwkomers net als jullie. Maar ik hoef u geen lesje in geschiedenis te geven. Zoals ik zei, we begrijpen uw standpunt, al is het een zeer dom standpunt, maar als het iemand ertoe brengt zich door zijn emoties te laten meeslepen, dan wordt het gevaarlijk, en als het zover komt dat de wet wordt overtreden...'

'Welke wet?'

'Ik denk dat u heel goed weet welke wet ik bedoel.'

'Het is waar dat ik een studie over de apartheid aan het voorbereiden ben, de ambassade heeft er geen bezwaar tegen, maar het gaat om een serieuze sociologische studie – volkomen objectief – en het zit nog in mijn hoofd. U heeft werkelijk niet het recht om die al te censureren. In elk geval, het resultaat zal in dit land niet gepubliceerd worden, lijkt me.'

'Als je een zwarte hoer wilt neuken,' viel kapitein Van Donck hem ongeduldig in de rede, 'waarom ga je dan niet naar een bordeel in Lesotho of Swaziland? Die maken nog deel uit van jullie zogenaamde Gemenebest.'

Op dat moment besefte Castle voor het eerst dat Sarah, niet hij, degene was die in gevaar was.

'Ik ben te oud om belangstelling voor hoeren te hebben,' zei hij.

'Waar was je de nachten van 4 en 7 februari? De middag van 21 februari?'

'Het is wel duidelijk dat u het weet – of denkt dat u het weet,' zei Castle. 'Ik heb mijn agenda op kantoor liggen.'

Hij had Sarah in achtenveertig uur niet gezien. Was ze al in de handen van mannen zoals kapitein Van Donck? Zijn vrees en zijn haat namen gelijktijdig toe. Hij vergat dat hij in theorie een diplomaat was, zij het een laaggeplaatste. 'Waar heb je het verdomme over? En jij?' voegde hij eraan toe tegen Cornelius Muller. 'Ja, jij ook, wat moet je van me?'

Kapitein Van Donck was een ruwe simpele man die in iets geloofde, zij het iets weerzinwekkends – hij behoorde tot het soort dat men kon vergeven. Waar Castle nooit toe kon komen om te vergeven was deze gladde ontwikkelde ambtenaar van BOSS. Het was dit soort mensen – mensen die de ontwikkeling hadden om te besefffen wat ze deden – die een hel op aarde schiepen. Hij dacht aan wat zijn communistische vriend Carson zo dikwijls tegen hem had gezegd – 'Onze ergste vijanden zijn niet de onwetende en simpele mensen, ook al zijn ze wreed, onze ergste vijanden zijn de intelligente en corrupte types.'

Muller zei: 'U weet heel goed dat u de wet van de rassenverhoudingen heeft geschonden met dat Bantoevriendinnetje van u.' Hij sprak op een redelijk verwijtende toon, als een bankemployé die een onbelangrijke klant erop wijst dat deze te ver in het rood staat. 'U moet zich er toch van bewust zijn dat u zonder diplomatieke onschendbaarheid nu in de gevangenis zou zitten.'

'Waar heb je haar verborgen?' wilde kapitein Van Donck weten en Castle voelde bij deze vraag een enorme opluchting.

'Haar verborgen?'

Kapitein Van Donck kwam overeind, wrijvend over zijn gouden ring. Hij spuugde er zelfs op.

'Het is in orde, kapitein,' zei Muller. 'Ik handel het wel af met meneer Castle. Ik zal uw tijd verder niet in beslag nemen. Dank u voor alle hulp die u ons departement hebt verleend. Ik wil meneer Castle even alleen spreken.'

Toen de deur dicht was bevond Castle zich oog in oog met, zoals Carson zou zeggen, de echte vijand. Muller vervolgde: 'Stoor u niet aan kapitein Van Donck. Zulke mensen kijken niet verder dan hun neus lang is. Er zijn verstandiger manieren om deze affaire te regelen dan een vervolging die u te gronde zou richten en ons niet verder zou helpen.'

'Ik hoor een auto aankomen.' Een vrouwenstem riep naar hem vanuit het heden.

Het was Sarah die bovenaan de trap tegen hem sprak. Hij liep naar het raam. Een zwarte Mercedes kroop langs de schimmige forenzenhuizen van King's Road. De chauffeur zocht duidelijk naar een nummer, maar zoals gewoonlijk waren verscheidene straatlantaarns uitgevallen.

'Het is inderdaad meneer Muller,' riep Castle terug. Toen hij zijn whisky neerzette, merkte hij dat zijn hand beefde doordat hij het glas te stijf had vastgehouden.

Bij het geluid van de bel begon Buller te blaffen, maar toen Castle de deur had opengedaan, kronkelde Buller zich voor de vreemdeling met een volledig gebrek aan onderscheidingsvermogen en liet een spoor van aanhankelijk speeksel op Cornelius Mullers broek achter. 'Brave hond, brave hond,' zei Muller behoedzaam.

De jaren hadden Muller zichtbaar veranderd – zijn haar was nu bijna wit en zijn gezicht was veel minder glad. Hij zag er niet meer uit als een ambtenaar die slechts de juiste antwoorden kende. Sinds hun laatste ontmoeting was er iets met hem gebeurd: hij leek menselijker – misschien kwam het doordat hij, als gevolg van zijn promotie, grotere verantwoordelijkheden had leren kennen en daarmee onzekerheden en onbeantwoorde vragen.

'Goedenavond, meneer Castle. Het spijt me dat ik zo laat ben. Het was druk op de weg in Watford – ik geloof dat die plaats Watford heette.'

Je zou hem nu bijna voor een verlegen man houden, maar misschien kwam dat alleen maar doordat hij zich verloren voelde zonder zijn vertrouwde kantoor en zijn bureau van prachtig hout en de aanwezigheid van twee lagere collega's in een aangrenzende kamer. De zwarte Mercedes gleed weg – de chauffeur vertrok om ergens te gaan eten. Muller bevond zich alleen in een vreemde plaats, in een vreemd land, waar de postbussen de initialen van een monarch E II droegen en waar op geen enkel marktplein een standbeeld van Kruger te vinden was.

Castle schonk twee glazen whisky in. 'Het is lang geleden dat we elkaar voor het laatst hebben gezien,' zei Muller.

'Zeven jaar?'

'Het is aardig van u om me bij u thuis voor het eten uit te nodigen.'

'Het leek C het beste. Om het ijs te breken. We schijnen nauw samen te moeten werken. Aan Uncle Remus.'

Mullers ogen zwierven naar de telefoon, naar de lamp op de tafel, naar een vaas bloemen.

'Het is in orde. Wees niet bezorgd. Als we hier afgeluisterd worden, is het alleen maar door mijn eigen mensen,' zei Castle, 'en in elk geval weet ik vrijwel zeker dat het niet zo is.' Hij hief zijn glas. 'Op onze laatste ontmoeting. Herinnert u zich nog dat u me toen in overweging gaf om voor u te werken? Nu, hier ben ik. We werken samen. Historische ironie of voorbeschikking? Uw Nederlandse kerk gelooft daarin.'

'Ik had toentertijd natuurlijk geen idee van uw werkelijke positie,' zei Muller. 'Als ik het geweten had, zou ik u niet hebben bedreigd vanwege dat ellendige Bantoemeisje. Ik besef nu dat ze alleen maar een van uw agenten was. We hadden misschien zelfs gemeenschappelijk gebruik van haar kunnen maken. Maar, ziet u, ik hield u voor zo'n sentimentele anti-apartheidsridder. Ik was totaal verbluft toen uw chef me vertelde dat u de man was met wie ik over Uncle Remus moest onderhandelen. Ik hoop dat u geen wrok tegen me koestert. Per slot van rekening zijn we beiden mannen van het beroep, en we staan nu aan dezelfde kant.'

'Ja, in zekere zin wel.'

'Ik zou graag willen dat u me eens vertelt – het is nu toch niet meer van belang, is 't wel? – hoe u dat Bantoemeisje het land uit heeft gekregen. Via Swaziland zeker?'

'Ja.'

'Ik dacht dat we die grens nogal effectief hadden afgegrendeld – behalve voor de echte guerrilla-experts dan. Ik heb nooit een expert in u vermoed, hoewel ik besefte dat u enkele communistische contacten had, maar ik nam aan dat u die nodig had voor dat boek van u over apartheid dat nooit gepubliceerd is. U heeft me daarmee mooi om de tuin geleid. Om maar niet te spreken van Van Donck. Herinnert u zich kapitein Van Donck nog?'

'O, ja. Levendig.'

'In verband met uw affaire heb ik de veiligheidspolitie om zijn degradatie moeten verzoeken. Hij had zeer ontactisch gehandeld. Ik was er zeker van dat u, als we het meisje veilig en wel in de gevangenis hadden, bereid zou zijn om voor ons te werken, en hij liet haar ontsnappen. Ziet u – lach niet – ik was ervan overtuigd dat het een echte liefdesaffaire was. Ik heb zoveel Engelsen meegemaakt die begonnen met het idee de apartheid te bestrijden en eindigden in het bed van een Bantoemeisje, waar ze dan door ons betrapt werden. Het is zowel het romantische idee een in hun ogen onrechtvaardige wet te overtreden, als een zwarte kont wat hen aantrekt. Ik had niet het flauwste vermoeden dat het meisje – Sarah MaNkosi was de naam, geloof ik? – al die tijd een agente van MI6 was.'

'Ze wist het zelf niet. Ze geloofde ook in mijn boek. Wilt u nog een whisky?'

'Graag. Dank u.' Castle schonk beide glazen in, erop gokkend dat hij er geen last van zou krijgen.

'Uit alles blijkt dat het een intelligent meisje was. We zijn haar achtergronden vrij nauwkeurig nagegaan. Ze is op de Afrikaanse Universiteit in de Transvaal geweest waar die Oom Tom-professoren altijd gevaarlijke studenten opleveren. Persoonlijk echter heb ik altijd geconstateerd dat hoe intelligenter de Afrikaan hoe makkelijker hij over te halen is – tot wat ook. Als we dat meisje een maand lang in de gevangenis zouden hebben gehad, dan hadden we haar vrijwel zeker voor ons kunnen winnen. Ja, ze had nu voor ons beiden van nut kunnen zijn bij deze Uncle Remus-operatie. Of toch niet misschien? Men is geneigd die oude schurk de Tijd te vergeten. Ze zal intussen wel wat aftands geworden zijn, vermoed ik. Bantoevrouwen worden zo snel oud. Lang voor hun dertigste – tenminste wat de blanke smaak betreft – zijn ze meestal al onooglijk. Weet u, meneer Castle, ik ben echt blij dat we samen gaan werken en dat u niet bent wat we bij BOSS dachten dat u was – een van die idealistische

96

types die de menselijke aard willen veranderen. We kenden de mensen waarmee u contact had – althans de meesten van hen, en we kenden het soort nonsens dat ze u zouden vertellen. Maar u bent *ons* te slim af geweest, dus u bent zeker die Bantoes en communisten te slim af geweest. Ik neem aan dat zij ook dachten dat u een boek schreef dat in hun straatje paste. Begrijp me goed, ik ben niet anti-Afrikaans zoals kapitein Van Donck. Ik beschouw mezelf als een honderd-procent Afrikaan.'

Het was beslist niet de Cornelius Muller van het kantoor in Pretoria die nu sprak, de bleke klerk met zijn conformistische baantje had nooit met zo'n vlotheid en zelfvertrouwen kunnen spreken. Zelfs de verlegenheid en onzekerheid van een paar minuten geleden waren verdwenen. De whisky had hem daarvan afgeholpen. Hij was nu een hoge officier van BOSS, belast met een buitenlandse missie, die zich door niemand onder de rang van generaal orders liet geven. Hij kon zich ontspannen. Hij kon – een onaangename gedachte – zichzelf zijn, en het leek Castle dat hij, in zijn grove en vulgaire manier van spreken, meer en meer op de kapitein Van Donck begon te lijken die hij zo verafschuwde.

'Ik heb buitengewoon aangename weekenden meegemaakt in Lesotho,' zei Muller, 'te midden van mijn zwarte broeders in het casino van de Holiday Inn. Ik wil wel toegeven dat ik daar zelfs een keer een kleine – nou ja, ontmoeting heb gehad – dat ervaar je daar toch als iets heel anders – het was niet in strijd met de wet uiteraard. Ik was niet in de Republiek.'

Castle riep: 'Sarah, breng Sam eens naar beneden om meneer Muller goedendag te zeggen.'

'U bent getrouwd?' vroeg Muller.

'Ja.'

'Dan voel ik me des te meer vereerd dat u me thuis heeft uitgenodigd. Ik heb een paar cadeautjes uit Zuid-Afrika meegebracht, en misschien is er wel iets bij dat uw vrouw leuk vindt. Maar u heeft mijn vraag nog niet beantwoord. Nu we toch samenwerken – zoals ik altijd al wilde, naar u weet – zou u me misschien kunnen vertellen hoe u dat meisje het land uit hebt gekregen? Het kan nu geen gevaar meer opleveren voor uw vroegere agenten, en het houdt in zekere zin verband met Uncle Remus en de problemen die we samen het hoofd zullen moeten bieden. Uw land en het mijne – en de States natuurlijk – hebben nu een gemeenschappelijke grens.'

'Misschien vertelt ze het u zelf wel. Laat me haar en mijn zoon, Sam, aan u voorstellen.' Ze kwamen samen de trap af terwijl Cornelius Muller zich omdraaide.

'Meneer Muller vroeg net hoe ik je naar Swaziland heb gekregen, Sarah.'

Hij had Muller onderschat. De verrassing die hij hem had willen bereiden, mislukte volkomen. 'Ik ben zeer blij kennis met u te maken, mevrouw Castle,' zei Muller en gaf haar een hand.

'Onze kennismaking ging zeven jaar geleden net niet door,' zei Sarah. 'Ja. Zeven verloren jaren. U heeft een heel knappe vrouw, meneer Castle.'

'Dank u,' zei Sarah. 'Sam, geef meneer Muller maar een hand.'

'Dit is mijn zoon, meneer Muller,' zei Castle. Hij wist dat Muller een groot kenner van kleurschakeringen zou zijn, en Sam was zeer zwart.

'Dag, Sam. Hoe maak je het? Ga je al naar school?'

'Over een week of twee gaat hij naar school. En nu vlug naar bed, Sam.'

'Kunt u verstoppertje spelen?' vroeg Sam.

'Ik heb het spel wel gekend, maar ik ben altijd bereid om nieuwe spelregels te leren.'

'Bent u een spion net als meneer Davis?'

'Ik zei naar bed, Sam.'

'Heeft u ook een gifpen?'

'Sam! Naar boven!'

'En nu dan de vraag van meneer Muller, Sarah,' zei Castle. 'Waar en hoe ben je de grens overgegaan naar Swaziland?'

'Ik vind niet dat ik hem dat moet vertellen, vind je ook niet?'

Cornelius Muller zei: 'O, laten we maar niet meer over Swaziland praten. Het is allemaal verleden tijd en het heeft zich in een ander land afgespeeld.'

Castle zag hoe hij zich op even natuurlijke wijze als een kameleon aan de kleur van de omgeving aanpaste. Hij moest zich op dezelfde manier aangepast hebben tijdens zijn weekend in Lesotho. Misschien zou hij Muller sympathieker hebben gevonden als hij over een minder groot aanpassingsvermogen had beschikt. Gedurende de hele maaltijd voerde Muller zijn hoffelijke conversatie. Ja, dacht Castle, ik zou inderdaad liever met kapitein Van Donck te maken hebben. Van Donck zou bij het zien van Sarah ogenblikkelijk het huis uitgelopen zijn. Een vooroordeel had iets gemeen met een ideaal. Cornelius Muller had geen vooroordeel en hij had geen ideaal.

'Hoe bevalt het klimaat u hier, mevrouw Castle, na Zuid-Afrika?'

'Bedoelt u het weer?'

'Ja, het weer.'

'Het is hier minder extreem,' zei Sarah.

'Mist u Afrika niet nu en dan? Op weg hiernaar toe heb ik eerst Madrid en Athene aangedaan, dus ik ben al een paar weken van huis, en weet u wat ik nog het meeste mis? De mijnafvalbergen rondom Johannesburg. De kleur die ze hebben als de zon bijna onder is. Wat mist u?'

Castle had niet verwacht dat Muller enig esthetisch gevoel bezat. Was het een van de hogere belangstellingen die promotie met zich meebracht of was het een aanpassing aan de situatie en het land, zoals zijn hoffelijkheid?

'Ik heb andere herinneringen,' zei Sarah. 'Mijn Afrika was anders dan het uwe.'

'Ach kom, we zijn allebei Afrikaan. Dat is waar ook, ik heb wat cadeautjes voor mijn vrienden hier meegebracht. Niet wetend dat u een van ons was, heb ik een sjaal voor u meegenomen. U weet wel dat ze in Lesotho zulke uitstekende wevers hebben – de Koninklijke Wevers. Wilt u een sjaal aannemen – van uw vroegere vijand?'

'Natuurlijk. Het is aardig van u.'

'Denkt u dat Lady Hargreaves een struisveren tas zou waarderen?'

'Ik ken haar niet. Dat moet u mijn man vragen.'

Het zou nauwelijks aan haar norm van krokodilleleer voldoen, dacht Castle, maar hij zei: 'Vast wel... daar het van u afkomstig is...'

'Ik heb een soort familiebelangstelling voor struisvogels, ziet u,' legde Muller uit. 'Mijn grootvader was wat ze nu een struisvogel-miljonair noemen, maar de oorlog van 1914 heeft hem de das omgedaan. Hij had een groot huis in de Kaapkolonie. Het was eens zeer imposant, maar nu is het alleen nog maar een ruïne. Struisvogelveren zijn nooit meer echt teruggekomen in Europa, en mijn vader ging failliet. Mijn broers houden er echter nog steeds een stuk of wat struisvogels op na.'

Castle herinnerde zich dat hij zo'n groot huis eens bezocht had, dat in stand gehouden werd als een soort museum en waarin nu een man bivakkeerde die de laatste overblijfsels van de struisvogelfarm beheerde. De man deed een beetje verontschuldigend over de weelderigheid en de wansmaak van het huis. De badkamer was het hoogtepunt van de rondleiding – bezoekers werd altijd het laatst de badkamer getoond – een bad als een groot wit lits-jumeaux met vergulde kranen en aan de muur een slechte kopie van een Italiaanse primitief: het echte bladgoud van de aureolen begon af te bladderen.

Toen de maaltijd afgelopen was, liet Sarah hen alleen, en Muller wilde wel een glas port. De fles was sinds afgelopen Kerstmis onaangeroerd gebleven – het was een cadeautje van Davis. 'Maar in alle ernst,' zei Muller, 'ik zou graag willen dat u me wat bijzonderheden zou geven van de route van uw vrouw naar Swaziland. Namen noemen is niet nodig. Ik weet dat u een paar communistische vrienden had – ik besef nu dat het allemaal deel uitmaakte van uw werk. Ze dachten dat u een sentimentele fellow-traveller was – net als wij. Bijvoorbeeld, Carson moet u daarvoor aangezien hebben – arme Carson.'

'Hoezo arme Carson?'

'Hij is te ver gegaan. Hij had contact met de guerrillastrijders. Het was in zijn soort een beste kerel en een zeer goede advocaat. Hij heeft het de veiligheidspolitie buitengewoon moeilijk gemaakt met de wet voor de persoonsbewijzen.'

'Doet hij dat nog?'

'O nee. Hij is een jaar geleden gestorven in de gevangenis.'

'Dat wist ik niet.'

Castle liep naar het buffet en schonk zich nog eens een dubbele whisky in. Met flink wat soda zag een J. & B. er niet sterker uit dan een enkele.

'Vindt u deze port niet lekker?' vroeg Muller. 'We kregen vroeger eersteklas port uit Lourenço Marques. Maar helaas, die tijd is voorbij.'

'Waaraan is hij gestorven?'

'Longontsteking,' zei Muller. Hij voegde eraan toe: 'Ach, het heeft hem een lang proces bespaard.'

'Ik mocht Carson graag,' zei Castle.

'Ja. Maar het is erg jammer dat hij alleen kleurlingen als Afrikanen beschouwde. Het is het soort vergissing dat mensen van de tweede generatie altijd maken. Ze weigeren te erkennen dat een blanke een even goede Afrikaan kan zijn als een zwarte. Mijn familie, bijvoorbeeld, zit er al sinds 1700. We waren vroege gasten.' Hij keek op zijn horloge. 'Mijn God, bij u ben ik een late gast. Mijn chauffeur moet al een uur staan te wachten. U zult me moeten verontschuldigen. Ik moet nu echt afscheid nemen.'

Castle zei: 'Zouden we niet nog even over Uncle Remus praten voor u weggaat?'

'Dat kan wel wachten tot op kantoor,' zei Muller.

Bij de deur draaide hij zich om. Hij zei: 'Het spijt me erg van Carson. Als ik geweten had dat u niet op de hoogte was, zou ik er niet zo bruusk over begonnen zijn.'

Buller likte het zitvlak van zijn broek met een genegenheid die geen onderscheid kende. 'Brave hond,' zei Muller. 'Brave hond. Er gaat niets boven de trouw van een hond.'

2

Om één uur in de ochtend verbrak Sarah een lange stilte. 'Je bent nog wakker. Doe maar niet alsof. Vond je het echt zo erg om Muller te zien? Hij was toch heel beleefd.'

'O zeker. In Engeland bedient hij zich van Engelse manieren. Hij kan zich zeer snel aanpassen.'

'Zal ik een Mogadon voor je halen?'

'Nee. Ik slaap zo. Alleen – er is nog iets dat ik je moet vertellen. Carson is dood. Gestorven in de gevangenis.'

'Hebben ze hem vermoord?'

'Muller zei dat hij aan longontsteking is gestorven.'

Ze legde haar hoofd onder de kromming van zijn arm en stopte haar hoofd in het kussen. Hij vermoedde dat ze huilde. Hij zei: 'Ik moet vannacht steeds denken aan het laatste briefje dat ik ooit van hem heb gekregen. Het lag bij de ambassade toen ik terugkwam van het gesprek met Muller en Van Donck. "Maak je geen zorgen over Sarah. Neem het eerstvolgende vliegtuig naar L.M. en wacht op haar in het Polana Hotel. Ze is in veilige handen."'

'Ja. Ik herinner me dat briefje ook. Ik was erbij toen hij het schreef.'

'Ik heb nooit de kans gekregen om hem te bedanken – behalve door zeven jaar te zwijgen en...'

'En?'

'O, ik weet niet meer wat ik wou zeggen.' Hij herhaalde wat hij tegen Muller had gezegd: 'Ik mocht Carson graag.'

'Ja. Ik vertrouwde hem. Veel meer dan ik zijn vrienden vertrouwde. Tijdens die week dat je in Lourenço Marques op me wachtte, hebben we veel kunnen discussiëren. Ik heb toen tegen hem gezegd dat hij geen echte communist was.'

'Hoezo? Hij was lid van de partij. Een van de oudste leden die in Transvaal nog over waren.'

'Natuurlijk. Dat weet ik wel. Maar je hebt leden en leden, nietwaar? Ik heb hem zelfs al over Sam verteld voor ik het jou vertelde.'

'Hij had iets in zich dat mensen aantrok.'

'De meeste communisten die ik kende – die stootten af, ze trokken niet aan.'

'Hoe het ook zij, Sarah, hij was een zuivere communist. Hij heeft Stalin overleefd zoals de rooms-katholieken de Borgia's overleefd hebben. Dank zij hem zie ik meer goeds in de partij.'

'Maar hij heeft je er toch nooit echt voor kunnen winnen, is 't wel?'

'O, er waren altijd bepaalde dingen die ik niet kon slikken. Hij zei altijd dat ik de mug uitzifte en de kameel doorzwolg. Je weet dat ik nooit een gelovig man ben geweest – ik heb God vaarwelgezegd in de schoolkapel, maar in Afrika ontmoette ik soms priesters die me weer deden geloven – zij het maar voor even – met een glas in de hand. Als alle priesters waren zoals zij en als ik ze maar vaak genoeg zou hebben gezien, dan zou ik de wederopstanding, de maagdelijke geboorte, Lazarus en de hele santenkraam misschien geslikt hebben. Ik herinner me er een die ik tweemaal ontmoet heb – ik wilde hem als agent gebruiken zoals ik jou gebruikt heb, maar hij was niet bruikbaar. Zijn naam was Connolly – of was het O'Connell? Hij werkte in de sloppen van Soweto. Hij zei precies hetzelfde tegen me als wat Carson zei – je zift de mug uit en je doorzwelgt... Een tijdlang geloofde ik zo half en half in zijn God, zoals ik ook zo half en half in die van Carson geloofde. Misschien ligt het wel in mijn aard om een halve gelovige te zijn. Wanneer mensen over Praag en Budapest praten en zeggen dat er in het communisme geen menselijk gezicht te ontdekken is, dan zwijg ik. Omdat ik – één keer – het menselijk gezicht heb gezien. Ik houd mezelf voor dat als Carson er niet was geweest Sam in een gevangenis geboren zou zijn en dat jij er waarschijnlijk de dood zou hebben gevonden. Een zeker soort communisme – of communist – heeft jou en Sam gered. Ik heb geen enkel vertrouwen in Marx of Lenin, evenmin als in Paulus, maar heb ik niet het recht om dankbaar te zijn?'

'Waarom pieker je er zo over? Niemand zal zeggen dat het niet goed is om dankbaar te zijn, ik ben ook dankbaar. Dankbaarheid is mooi als...'

'Als...?'

'Ik geloof dat ik wou zeggen als het niet te ver gaat.'

Het duurde nog uren voor hij sliep. Hij lag wakker en dacht aan Carson en Cornelius Muller, aan Uncle Remus en Praag. Hij wilde niet in slaap vallen voor hij er door Sarah's ademhaling zeker van was dat zij het eerst sliep. Toen stond hij zichzelf toe om zich te laten meevoeren, zoals de held Allan Quatermain uit zijn kindertijd, met die lange trage onderaardse stroom die hem voortdreef naar de binnenlanden van het donkere continent waar hij een permanente verblijfplaats hoopte te vinden, in een stad waar hij als inwoner geaccepteerd zou worden, als een inwoner zonder enige geloofsverplichting, niet de stad van God of Marx, maar de stad genaamd Gemoedsrust.

4

1

Castle had de gewoonte om eens per maand op zijn vrije dag met Sarah en Sam een uitstapje te maken naar het zanderige, met coniferen begroeide landschap van het oosten van Sussex met het doel zijn moeder te bezoeken. Niemand betwistte ooit de noodzakelijkheid van dat bezoek, maar Castle betwijfelde of zelfs zijn moeder ervan genoot, al moest hij erkennen dat ze al het mogelijke deed om het gezellig voor hen te maken – volgens haar eigen opvatting van wat gezellig voor hen was. Altijd stond dezelfde portie vanille-ijs voor Sam klaar in de diepvries – hij had liever chocolade-ijs – en hoewel ze maar een halve kilometer van het station af woonde, stuurde ze altijd een taxi om ze af te halen. Castle, die nooit een auto had willen hebben sinds zijn terugkomst in Engeland, had de indruk dat ze hem als een weinig geslaagde en onvermogende zoon beschouwde, en Sarah had hem eens verteld hoe *zij* zich voelde – als een zwarte genodigde op een anti-apartheidsfeestje, met te veel aandacht omringd om zich op haar gemak te voelen.

Een andere bron van zenuwachtige spanning was Buller. Castle had het opgegeven om te betogen dat ze Buller beter thuis konden laten. Sarah was ervan overtuigd dat hij zonder hun bescherming vermoord zou worden door gemaskerde mannen, al wees Castle erop dat ze hem hadden gekocht om hen te verdedigen en niet om zelf verdedigd te worden. Op den duur bleek het gemakkelijker om maar toe te geven, hoewel zijn moeder een hartgrondige hekel aan honden had en een Birmaanse poes bezat, die Buller zich heilig voorgenomen had te verdelgen. Voor hun komst moest de poes in mevrouw Castles slaapkamer opgesloten worden, en in de loop van de lange dag werd dan van tijd tot tijd door zijn moeder gezinspeeld op haar lievelings droeve lot menselijk gezelschap te moeten ontberen. Een keer werd Buller plat op de vloer voor de slaapkamerdeur aangetroffen, terwijl hij zwaar ademend als een Shakespeariaanse moordenaar zijn kans afwachtte. Mevrouw Castle had Sarah achteraf een lange verwijtende brief over die gebeurtenis geschreven. De poes bleek langer dan een week last van haar zenuwen te hebben gehad. Ze had geweigerd haar dagelijkse portie Friskies te eten en had uitsluitend op melk geleefd – een soort hongerstaking.

Gewoonlijk viel er een bedruktheid over hen zo gauw de taxi de diepe schaduwen binnenreed tussen de laurierhagen langs de oprijlaan die naar het hoog oprijzende Edwardiaanse huis voerde dat zijn vader na zijn pensionering had gekocht omdat er een golfbaan in de buurt was. [Spoedig daarna kreeg hij een beroerte en was hij zelfs niet meer in staat om naar het clubhuis te lopen.]

Mevrouw Castle stond onveranderlijk op het bordes op hen te wachten, een rijzige rechte gestalte in een ouderwetse rok die haar fijn gevormde enkels op hun voordeligst deed uitkomen, terwijl een hoge kraag in de stijl van koningin Alexandra de ouderdomsrimpels maskeerde. Om zijn mistroostigheid te verbergen deed Castle dan opgeschroefd uitbundig en begroette hij zijn moeder met een overdreven omhelzing die ze nauwelijks beantwoordde. Ze geloofde dat iedere emotie die openlijk werd geuit een valse emotie moest zijn. Ze had eerder een ambassadeur of een koloniale gouverneur als echtgenoot verdiend dan een plattelandsdokter.

'U ziet er uitstekend uit, moeder,' zei Castle.

'Ik voel me goed voor mijn leeftijd.' Ze was vijfentachtig. Ze keerde Sarah een schone blanke wang toe, die naar lavendelwater rook, voor een kus. 'Ik hoop dat Sam zich weer helemaal goed voelt.'

'O ja, beter dan ooit.'

'Hij is uit quarantaine?'

'Natuurlijk.'

Gerustgesteld stond mevrouw Castle hem het voorrecht van een vluchtige kus toe.'

'Je gaat al gauw naar school, denk ik, nietwaar?'

Sam knikte.

'Het zal leuk voor je zijn om met de andere jongens te spelen. Waar is Buller?'

'Hij is naar boven gegaan op zoek naar Tinker Bell,' zei Sam met voldoening.

Na de lunch nam Sarah Sam en Buller mee de tuin in om Castle een ogenblikje met zijn moeder alleen te laten. Dat was de maandelijkse gewoonte. Sarah bedoelde het goed, maar Castle had de indruk dat zijn moeder blij was als het onderonsje voorbij was. Zonder uitzondering heerste er een lang stilzwijgen tussen hen terwijl mevrouw Castle nog twee ongewenste kopjes koffie inschonk; daarna opperde ze een onderwerp van gesprek waarvan Castle wist dat het lang tevoren was voorbereid met als enig doel deze moeizame episode door te komen.

'Dat was een vreselijk vliegtuigongeluk vorige week,' zei mevrouw Castle, en ze deed de suikerklontjes erin, een voor haar, twee voor hem.

'Ja. Dat was het zeker. Vreselijk.' Hij probeerde zich te herinneren welke maatschappij, waar... TWA? Calcutta?

'Ik moest eraan denken wat er met Sam gebeurd zou zijn als jij en Sarah erin hadden gezeten.'

Hij herinnerde het zich net op tijd. 'Maar het is in Bangladesh gebeurd, moeder. Waarom zouden we in 's hemelsnaam...?'

'Je zit op Buitenlandse Zaken. Ze kunnen je overal heen sturen.'

'Wel nee, dat is niet zo. Ik zit aan mijn bureau in Londen gekluisterd, moeder. In elk geval weet je best dat we je tot voogd hebben benoemd als er ooit iets zou gebeuren.'

'Een oude vrouw van tegen de negentig.'

'Vijfentachtig, moeder, in feite.'

'Iedere week opnieuw lees ik over oude vrouwen die omkomen bij busongelukken.'

'Je gaat nooit met de bus.'

'Ik zie niet in waarom ik er een *principe* van zou moeten maken om niet met de bus te gaan.'

'Als je ooit iets zou overkomen, kun je er zeker van zijn dat we een betrouwbaar persoon aan zullen wijzen.'

'Het zou wel eens te laat kunnen zijn. Je moet rekening houden met de mogelijkheid van gelijktijdige ongelukken. En in het geval van Sam – wel, daar zitten speciale problemen aan vast.'

'Ik neem aan dat je zijn huidskleur bedoelt.'

'Je kunt hem niet onder toezicht van het Court of Chancery stellen. Vele van die rechters – je vader heeft dat altijd gezegd – zijn racisten. En bovendien – is het ooit bij je opgekomen, schat, dat als we allemaal dood zijn, er misschien mensen zijn – daar in dat land – die hem zouden kunnen opeisen?'

'Sarah heeft geen ouders meer.'

'Wat je nalaat, ook al is het weinig, zou als een heel fortuin gezien kunnen worden – ik bedoel door iemand daar in dat land. Als de sterfgevallen gelijktijdig zijn, wordt de oudste geacht het eerst te zijn gestorven, is me verteld. Mijn geld zou dan bij het jouwe gevoegd worden. Sarah moet toch wel een *paar* familieleden hebben en die zouden kunnen eisen dat...'

'Moeder, ben je nu zelf niet een beetje racistisch?'

'Nee, schat. Ik ben helemaal niet racistisch, misschien alleen wat ouderwets en patriottisch. Sam is Engelsman van geboorte, wat ze ook mogen zeggen.'

'Ik zal erover denken, moeder.' Die opmerking was het slot van de meeste discussies die ze voerden, maar het kon nooit kwaad om eens een zijspoor te proberen. 'Ik heb me afgevraagd, moeder, of ik niet eens met pensioen zal gaan.'

'Het pensioen dat ze je geven is niet erg hoog, hè?'

'Ik heb wat gespaard. We leven heel zuinig.'

'Hoe meer je gespaard hebt hoe meer reden er is voor een reservevoogd – voor alle zekerheid. Ik hoop dat ik even ruimdenkend ben als je vader was, maar ik zou het vreselijk vinden om mee te maken dat Sam naar Zuid-Afrika terug werd gesleept...'

'Maar je zou het niet meemaken, moeder, als je dood was.'

'Daar ben ik nog niet zo zeker van, schat, echt niet. Ik ben geen *atheïst.*'

Het was een van hun meest afmattende bezoeken en hij werd slechts gered door Buller die met verbeten vastberadenheid uit de tuin terugkwam en naar boven marcheerde op zoek naar de opgesloten Tinker Bell.

'In elk geval hoop ik,' zei mevrouw Castle, 'dat ik nooit Bullers voogd hoef te zijn.'

'Dat kan ik je beloven, moeder. In geval van een dodelijk ongeluk in Bangladesh samenvallend met een busongeval van de Grootmoedersbond in Sussex, zal ik uitdrukkelijke instructies achterlaten dat Buller afgemaakt moet worden – zo pijnloos mogelijk, natuurlijk.'

'Het is niet het soort hond dat ik persoonlijk zou hebben uitgekozen voor mijn kleinzoon. Waakhonden zoals Buller zijn altijd erg kleurbewust. En Sam is een nerveus kind. Hij doet me aan jou denken op die leeftijd – behalve wat de kleur betreft uiteraard...'

'Was ik dan een nerveus kind?'

'Je had altijd een overdreven neiging tot dankbaarheid voor de minste of geringste uiting van vriendelijkheid. Het was een soort onzekerheid, maar waarom je je bij mij en je vader onzeker zou moeten voelen... Je hebt eens een goede vulpen aan iemand op school weggegeven die jou een broodje met een stukje chocolade erin had aangeboden.'

'Nou ja, moeder. Ik zorg nu altijd dat ik waar voor mijn geld krijg.'

'Ik vraag het me af.'

'En dankbaarheid daar doe ik helemaal niet meer aan.' Maar terwijl hij dat zei, herinnerde hij zich Carson die in de gevangenis was gestorven, en hij herinnerde zich wat Sarah had gezegd. Hij voegde eraan toe: 'Tenminste, ik voer het niet te ver. Ik vraag tegenwoordig meer dan een broodje van een stuiver.'

'Er is iets dat ik altijd vreemd van je heb gevonden. Sinds je Sarah kent, spreek je nooit meer over Mary. Ik was erg op Mary gesteld. Ik wilde dat je een kind van haar had.'

'Ik probeer de doden te vergeten,' zei hij, maar dat was niet waar. Hij wist al vroeg in hun huwelijk dat hij steriel was, vandaar dat er geen kind was, maar ze waren toch gelukkig. Het was evenzeer een enig kind als een echtgenote die door een vliegende bom uiteen was gereten in Oxford Street terwijl hij veilig in Lissabon zat om een contact te leggen. Hij had haar niet kunnen beschermen, en hij was niet samen met haar omgekomen. Dat was de reden dat hij nooit over haar sprak, zelfs niet met Sarah.

2

'Wat me altijd verbaast van je moeder,' zei Sarah, toen ze in bed de gebeurtenissen van de dag begonnen door te praten, 'is dat ze zo gemakkelijk aanvaardt dat Sam een kind van jou is. Komt het dan nooit bij haar op dat hij wel erg donker is om een blanke vader te hebben?'

'Ze schijnt geen oog te hebben voor kleurnuances.'

'Meneer Muller anders wel. Daar ben ik zeker van.'

Beneden ging de telefoon. Het was bijna middernacht.

'Verdorie,' zei Castle, 'wie zou ons om deze tijd nog opbellen? Je gemaskerde mannen weer?'

'Ga je hem niet opnemen?'

Het bellen hield op.

'Als het je gemaskerde mannen zijn,' zei Castle, 'hebben we nu de kans ze te betrappen.'

De telefoon ging voor de tweede keer. Castle keek op zijn horloge. 'Neem in 's hemelsnaam op.'

'Het is vast en zeker verkeerd verbonden.'

'Als jij niet opneemt doe ik het.'

'Trek je peignoir aan, anders vat je kou.' Maar zo gauw ze uit bed was hield het gerinkel van de telefoon op.

'Straks gaat hij vast weer,' zei Sarah. 'Weet je nog vorige maand – drie keer om één uur 's nachts?' Maar deze keer zweeg de telefoon.

Er klonk een kreet aan de overkant van de gang. Sarah zei: 'Die ellendelingen, ze hebben Sam wakker gemaakt. Wie het ook zijn.'

'Ik ga wel naar hem toe. Je bibbert. Stap maar weer in bed.'

Sam vroeg: 'Waren het inbrekers? Waarom heeft Buller niet geblaft?'

'Buller wist wel beter. Er zijn geen inbrekers, Sam. Het was alleen maar een vriend van me die laat opbelde.'

'Was het die meneer Muller?'

'Nee. Dat is geen vriend. Ga maar weer slapen. Nu gaat de telefoon niet meer.'

'Hoe weet je dat dan?'

'Dat weet ik.'

'Hij is meer dan één keer gegaan.'

'Ja.'

'Maar je hebt hem helemaal niet opgenomen. Dus hoe weet je nou dat het een vriend was?'

'Je stelt te veel vragen, Sam.'

'Was het soms een geheim signaal?'

'Heb jij geheimen, Sam?'

'Ja. Een heleboel.'

'Vertel me er eens een.'

'Nee, dat doe ik niet. Het zou geen geheim meer zijn als ik het je vertelde.'

'Nou, ik heb ook mijn geheimen.'

Sarah was nog wakker. 'Het is weer in orde met hem,' zei Castle. 'Hij dacht dat het inbrekers waren die opbelden.'

'Misschien was dat ook wel zo. Wat heb je tegen hem gezegd?'

'O, ik heb gezegd dat het geheime signalen waren.'

'Jij weet hem altijd te kalmeren. Je houdt van hem, nietwaar?'

'Ja.'

'Het is vreemd. Ik kan het nooit begrijpen. Ik zou willen dat hij echt een kind van jou was.'

'O, maar ik niet. Dat weet je.'

'Ik heb nooit helemaal begrepen waarom niet.'

'Ik heb het je al zo vaak verteld. Ik zie al genoeg van mezelf als ik me iedere dag scheer.'

'Wat je dan ziet is een goede man, lieverd.'

'Zo zou ik mezelf niet durven noemen.'

'Een kind van jou zou voor mij iets zijn om voor te leven als je er niet meer bent. Je hebt het eeuwige leven niet.'

'Nee, God zij dank niet.' Hij sprak de woorden uit zonder na te denken en hij had er spijt van. Het was haar genegenheid die hem altijd ertoe bracht zich te veel bloot te geven; hoezeer hij ook probeerde zich te verharden, toch kwam hij steeds in de verleiding om haar alles te vertellen. Soms vergeleek hij haar cynisch met een slimme ondervrager die van vriendelijkheid en een sigaret op zijn tijd gebruik maakt.

Sarah zei: 'Ik weet dat je zorgen hebt. Ik wou dat je me kon vertellen waarom – maar ik weet dat het niet mogelijk is. Misschien later eens... als je vrij bent...' Ze voegde er treurig aan toe: 'Als je ooit vrij zal zijn, Maurice.'

5

1

Castle liet zijn fiets achter bij de controleur van station Berkhamsted en liep de trap op naar het perron richting Londen. Hij kende bijna alle forenzen van gezicht – enkelen knikte hij zelfs toe. Een koude oktobermist lag over de grassige poel van het kasteel en droop van de wilgen in het kanaal aan de overkant van de spoorbaan. Hij wandelde naar het eind van het perron en weer terug; hij meende alle gezichten te herkennen behalve een vrouw in een sjofele konijnachtige bontjas – vrouwen waren zeldzaam in deze trein. Hij zag hoe ze een coupé binnenstapte en hij nam dezelfde om haar beter gade te kunnen slaan. De mannen sloegen kranten open en de vrouw nam een paperbackuitgave van een roman van Denise Robins ter hand. Castle begon in deel II van *Oorlog en vrede* te lezen. Het was een inbreuk op de veiligheidsregels, zelfs een kleine uitdaging, om dit boek in het openbaar voor zijn plezier te lezen. 'Slechts een stap over die grenslijn, die op de grens lijkt die de levenden van de doden scheidt, ligt de onzekerheid, het lijden en de dood. En wat is daar? Wie is daar? – daar achter dat veld, die boom...' Hij keek uit het raam en hij zag het onbeweeglijke waterpasvlak van het kanaal dat in de richting van Boxmoor wees met de ogen van Tolstoi's soldaat. 'Dat in de zon oplichtende dak? Niemand weet het, maar je wilt het weten. Je bent bevreesd en toch verlangend om die grens te overschrijden...'

Toen de trein in Watford stopte, was Castle de enige die de coupé verliet. Hij stond naast de lijst van vertrektijden en keek hoe de laatste passagier de uitgangscontrole passeerde – de vrouw was er niet bij. Buiten het station aarzelde hij aan het eind van de rij voor de bus terwijl hij opnieuw op de gezichten lette. Toen keek hij op zijn horloge en met een nadrukkelijk gebaar van ongeduld ter wille van eventuele toeschouwers liep hij door. Niemand volgde hem, daar was hij zeker van, maar desondanks maakte hij zich een beetje zorgen over de vrouw in de trein en zijn kleine overtreding van de regels. Men moest de uiterste voorzichtigheid betrachten. Bij het eerste postkantoor dat hij tegenkwam, belde hij zijn kantoor op en vroeg naar Cynthia – ze was er altijd minstens een halfuur eerder dan Watson of Davis of hijzelf.

Hij zei: 'Wil je tegen Watson zeggen dat ik een beetje later kom? Ik moest onderweg in Watford uitstappen om een dierenarts op te zoeken. Buller heeft een raar soort huiduitslag. Zeg het ook maar tegen Davis.' Hij overwoog even of het voor zijn alibi nodig zou zijn om werkelijk naar de dierenarts te gaan, maar hij besloot dat een teveel aan voorzorgen soms even gevaarlijk kon zijn als te weinig – eenvoud was altijd het beste, net zoals het loonde om de waarheid te spreken wanneer dat mogelijk was, want de waarheid is zoveel makkelijker om te onthouden dan een leugen. Hij ging de derde koffiebar binnen van het lijstje dat hij in zijn hoofd had, en wachtte daar. Hij herkende de lange magere man niet die na hem binnenkwam, met een jas aan die betere tijden had gekend. De man bleef staan bij zijn tafel en zei: 'Neem me niet kwalijk, maar bent u niet William Hatchard?'

'Nee, mijn naam is Castle.'

'Sorry. Een opvallende gelijkenis.'

Castle dronk twee koppen koffie en las *The Times*. Hij hechtte veel waarde aan het cachet van achtenswaardigheid dat die krant de lezer altijd scheen te verlenen. Hij zag de man vijftig meter verderop in de straat zijn schoenveter vastmaken, en hij ervoer een zelfde gevoel van veiligheid als toen hij vroeger eens van zijn zaal in het ziekenhuis naar een grote operatie werd gereden – hij voelde zich weer een voorwerp op een transportband die hem naar een vaste bestemming voerde zonder enige verantwoordelijkheid zijnerzijds, ten aanzien van niemand of niets, zelfs niet voor zijn eigen lichaam. Alles lag in handen van iemand anders, wat het resultaat ook mocht zijn. Iemand met de grootst mogelijke vakbekwaamheid. Dat was de stemming waarin hij tenslotte zou willen sterven, dacht hij, terwijl hij langzaam en onbekommerd achter de vreemdeling aanliep. Hij hoopte altijd dat hij de dood tegemoet zou gaan met datzelfde besef binnenkort voor eeuwig van zorg verlost te zijn.

De straat waarin ze nu liepen, merkte hij op, heette Elm View, hoewel er geen iepen te bekennen waren noch andersoortige bomen, en het huis waar hij heengeleid werd, was even anoniem en oninteressant als dat van hem. Er zaten zelfs bijna eendere glas-in-loodruitjes in de voordeur. Misschien had daar vroeger ook een tandarts gewerkt. De magere man voor hem bleef even staan bij een ijzeren hek dat toegang gaf tot een voortuintje van ongeveer het formaat van een biljarttafel, en liep toen door. Er zaten drie bellen naast de deur, maar slechts bij één ervan was een naamkaartje – zeer verweerd en met een onleesbaar opschrift eindigend met de woorden 'ition Limited'. Castle drukte op de bel en zag dat zijn gids Elm View overgestoken was en nu aan de overkant terug kwam lopen. Toen hij tegenover het huis was, haalde hij een zakdoek uit zijn mouw en veegde hij zijn neus af. Het was waarschijnlijk een alles-veilig-signaal, want bijna onmiddellijk hoorde Castle binnen een gekrak-krak de trap af komen. Hij vroeg zich af of 'zij' hun voorzorgen genomen hadden om hem tegen een eventuele achtervolger te beschermen of om zichzelf tegen zijn eventuele verraad te beschermen – of allebei natuurlijk. Het kon hem niet schelen – hij lag op de transportband.

De deur ging open en er vertoonde zich een bekend gezicht dat hij niet verwacht had te zullen zien – zeer frappant blauwe ogen boven een brede uitnodigende grijns, een klein litteken op de linkerwang waarvan hij wist dat het het gevolg was van een wond toegebracht aan een kind in Warschau toen de stad in de handen van Hitler viel.

'Boris,' riep Castle uit, 'ik had niet gedacht dat ik *jou* ooit nog zou zien.'

'Fijn om je te zien, Maurice.'

Vreemd, dacht hij, dat Sarah en Boris de enige mensen in de wereld waren die hem Maurice noemden. Zijn moeder zei gewoon 'schat' in ogenblikken van genegenheid, en op kantoor leefde hij tussen achternamen en initialen. Hij voelde zich direct thuis in dit vreemde huis waar hij nooit eerder was geweest: een haveloos huis met een versleten traploper. Om de een of andere reden moest hij aan zijn vader denken. Misschien was hij als kind wel met hem mee geweest om in precies zo'n huis een patiënt te bezoeken.

Via de gang op de eerste etage volgde hij Boris naar een klein vierkant vertrek met een bureau, twee stoelen en aan de muur een grote oprolbare plaat waarop een talrijke familie in een tuin zat te eten aan een tafel die beladen was met een buitengewoon grote verscheidenheid van spijzen. Het leek alsof alle gangen tegelijk uitgestald waren – een appeltaart stond naast een stuk rosbief, en een zalm en een schaal appels naast een soepterrine. Er stonden een karaf water en een fles wijn en een koffiepot op tafel. Verschillende woordenboeken lagen op een plank en er stond een aanwijsstok tegen een schoolbord waarop een half uitgewist woord was geschreven in een taal die hij niet herkende.

'Na je laatste rapport hebben ze besloten me terug te sturen,' zei Boris.

'Dat rapport over Muller. Ik ben blij dat ik weer hier ben. Ik zit veel liever in Engeland dan in Frankrijk. Kon je een beetje met Ivan opschieten?'

'Best. Maar het was toch anders.' Hij zocht naar een pakje sigaretten dat er niet was. 'Je weet hoe de Russen zijn. Ik kreeg de indruk dat hij me niet vertrouwde. En hij verlangde altijd meer van me dan ik jullie ooit toegezegd heb te zullen geven. Hij wilde zelfs dat ik zou proberen van afdeling te veranderen.'

'Je rookt Marlborough, geloof ik, hè?' zei Boris en hield hem een pakje voor. Castle nam er een.

'Boris, wist je al die tijd dat je hier zat dat Carson dood was?'

'Nee, ik wist het niet. Ik hoorde het pas een paar weken geleden. Ik weet zelfs de details nog niet.'

'Hij is gestorven in de gevangenis. Aan longontsteking. Dat zeggen ze tenminste. Ivan moet het beslist geweten hebben – maar ik moest het voor het eerst te horen krijgen van Cornelius Muller.'

'Was het dan zo'n grote schok? De omstandigheden in aanmerking genomen. Als iemand eenmaal gearresteerd is – dan is er nooit veel hoop meer.'

'Dat weet ik, en toch heb ik altijd geloofd dat ik hem eens zou weerzien – ergens op een veilige plaats, ver van Zuid-Afrika – misschien bij mij thuis – en dan zou ik de kans hebben om hem voor het redden van Sarah te bedanken. Nu is hij dood en begraven zonder een woord van dank van mij.'

'Alles wat je voor ons gedaan hebt is een soort dankbetuiging geweest. Dat heeft hij wel begrepen. Je hoeft geen enkel gevoel van spijt te hebben.'

'Nee? Spijt kan je niet wegredeneren – spijt heeft iets van verliefdheid.'

Hij dacht met weerzin: De situatie is absurd, in de hele wereld is er niemand met wie ik alles kan bespreken, behalve met deze Boris wiens werkelijke naam ik niet eens ken. Hij kon niet praten met Davis – zijn halve leven was voor Davis verborgen, noch met Sarah die zelfs niet van het bestaan van Boris afwist. Op een dag had hij Boris zelfs verteld over die nacht in het Polana Hotel toen hij de waarheid over Sam te horen had gekregen. Een controleman was zoiets als wat een priester voor een katholiek moest betekenen – iemand die naar je bekentenissen luisterde, van welke aard dan ook, zonder enige emotie. Hij zei: 'Toen ze van controleman veranderden en Ivan het van je overnam, voelde ik een ondraaglijke eenzaamheid. Ik kon met Ivan nooit over iets anders praten dan zaken.'

'Het spijt me erg dat ik weg moest. Ik heb geprobeerd ze ervan af te brengen. Ik heb mijn best gedaan om te blijven. Maar je weet hoe het gaat in je eigen organisatie. Het gaat bij ons net zo. We leven in hokjes en zij zijn degenen die het hokje kiezen.' Hoe vaak had hij die vergelijking niet op zijn eigen kantoor gehoord. Aan beide kanten leven dezelfde clichés. Castle zei: 'Het wordt tijd om van boek te veranderen.'

'Ja. Is dat alles? Je gaf een dringend signaal over de telefoon. Heb je nog nieuws over Porton?'

'Nee. Ik weet niet of ik hun verhaal wel vertrouw.'

Ze zaten op ongemakkelijke stoelen ieder aan een kant van het bureau als meester en leerling. Alleen was de leerling in dit geval zoveel ouder dan de meester. Ach, het kwam ook wel voor, veronderstelde Castle, bij de biecht dat een oude man zijn zonden uitsprak tegen een priester die jong genoeg was om zijn zoon te zijn. Met Ivan was de dialoog tijdens hun zeldzame bijeenkomsten altijd kort geweest, de informatie werd doorgegeven, de vragenlijsten werden in ontvangst genomen, alles ging strikt zakelijk. Met Boris had hij zich kunnen ontspannen. 'Betekende Frankrijk een promotie voor je?' Hij nam nog een sigaret.

'Ik weet het niet. Dat weet je nooit, nietwaar? Het zou kunnen zijn dat mijn terugkomst hier een promotie is. Misschien vinden ze je laatste rapport wel erg belangrijk, en dachten ze dat ik het beter kon behandelen dan Ivan. Of is Ivan in gevaar gekomen? Je gelooft dat verhaal over Porton niet, maar heb je echt harde bewijzen dat jouw mensen een lek vermoeden?'

'Nee. Maar bij het soort spel dat wij spelen, ga je op je instincten vertrouwen en ze hebben wel degelijk een routine-inspectie gehouden van de hele sectie.'

'Je noemt het zelf *routine*.'

'Ja, het zou tot de routine kunnen behoren, ten dele gaat het heel openlijk toe, maar ik geloof dat er wel iets meer aan vastzit. Ik heb de indruk dat Davis' telefoon wordt afgetapt en de mijne misschien ook, hoewel ik dat niet geloof. In elk geval kunnen we beter ophouden met die telefoonsignalen naar mijn huis. Je hebt mijn rapport gelezen van Mullers bezoek en de Uncle Remus-operatie. Ik hoop bij God dat jullie, als er een lek *is*, van andere kanalen gebruik zullen maken. Ik heb het gevoel dat ze me een gemerkt biljet in de hand gestopt hebben.'

'Je hebt niets te vrezen. We zijn uiterst voorzichtig geweest met dat rapport. Toch geloof ik niet dat Mullers missie een, zoals jij het noemt, gemerkt biljet kan zijn. Porton misschien wel, maar Muller niet. We hebben een bevestiging ervan gekregen uit Washington. We nemen

Uncle Remus zeer serieus, en we willen dat je daarop al je aandacht richt. Het zou gevolgen voor ons kunnen hebben in de Middellandse Zee, de Golf, de Indische Oceaan. Zelfs in de Stille Zuidzee. Op de lange duur...'

'Er is voor mij geen lange duur meer, Boris. Ik ben toch al over de pensioengerechtigde leeftijd.'

'Ik weet het.'

'Ik wil nu met pensioen gaan.'

'Dat zouden we niet prettig vinden. De komende twee jaar kunnen zeer belangrijk zijn.'

'Voor mij ook. Ik zou ze graag op mijn eigen manier willen besteden.'

'Hoe dan?'

'Met voor Sarah en Sam zorgen. Naar de film gaan. In rust en vrede oud worden. Het zou veiliger voor jullie zijn om me te laten vallen, Boris.'

'Waarom?'

'Muller is gekomen en heeft aan mijn eigen tafel gezeten en met ons meegegeten en beleefd gedaan tegen Sarah. Neerbuigend beleefd. Voorwendend dat er geen rassenscheiding bestond. Wat heb ik een hekel aan die man! En wat haat ik die hele vervloekte BOSS-organisatie. Ik haat de mensen die Carson vermoord hebben en het nu longontsteking noemen. Ik haat ze omdat ze geprobeerd hebben Sarah op te sluiten en Sam in de gevangenis geboren te laten worden. Je zou er veel verstandiger aan doen om een man aan te trekken die niet haat, Boris. Uit haat kunnen gemakkelijk fouten voortkomen. Haten is even gevaarlijk als liefhebben. Ik ben dubbel gevaarlijk, Boris, omdat ik ook liefheb. De liefde is een euvel in onze geheime diensten.'

Hij voelde een enorme verlichting zonder terughoudendheid met iemand te kunnen spreken die hem, naar hij geloofde, begreep. De blauwe ogen schenen onvoorwaardelijke vriendschap te beloven, de glimlach moedigde hem aan om voor even de last van de geheimhouding van zich af te leggen. Hij zei: 'Met Uncle Remus is de maat vol – dat we achter de schermen notabene met Amerika samengaan om dat apartheidsgeboefte te helpen. De ergste wandaden, Boris, liggen altijd in het verleden, en de toekomst is nog niet bereikt. Ik kan niet blijven doormalen: "Denk aan Praag! Denk aan Budapest!" – dat was jaren geleden. We moeten ons bezighouden met het heden, en het heden is Uncle Remus. Ik ben een genaturaliseerde zwarte sinds ik op Sarah verliefd werd.'

'Waarom denk je dan dat je gevaarlijk bent?'

'Omdat ik me zeven jaar lang heb kunnen beheersen, en dat lukt nu niet meer. Cornelius Muller heeft me mijn beheersing doen verliezen. Misschien heeft C hem juist om die reden naar me toegestuurd. Misschien probeert C me op die manier uit mijn tent te lokken.'

'We vragen je alleen nog even vol te houden. Natuurlijk zijn de beginjaren in dit spel altijd het gemakkelijkst, is 't niet zo? De tegenstrijdigheden zijn dan nog niet zo duidelijk en de noodzaak van geheimhouding heeft nog niet de tijd gehad om uit te groeien tot hysterie of de menopauze van een vrouw. Probeer om je niet zoveel zorgen te maken, Maurice. Slik je valium en neem 's avonds maar een Mogadon. Kom me gerust opzoeken als je gedeprimeerd bent en met iemand moet praten. Dat is niet het grootste gevaar.'

'Ik heb nu toch wel genoeg gedaan, nietwaar, om mijn schuld aan Carson in te lossen?'

'Ja, natuurlijk, maar we kunnen je nog niet missen – vanwege Uncle Remus. Zoals je het daarnet stelde, je bent nu een genaturaliseerde zwarte.'

Castle voelde zich alsof hij bijkwam uit een verdoving, er was met succes een operatie uitgevoerd. Hij zei: 'Neem me niet kwalijk. Ik heb me belachelijk aangesteld.' Hij kon zich niet precies herinneren wat hij had gezegd. 'Geef me een glas whisky, Boris.'

Boris deed het bureau open en haalde een fles en een glas te voorschijn. Hij zei: 'Ik weet dat je van J. & B. houdt.' Hij schonk een royale hoeveelheid in en hij keek naar de snelheid waarmee Castle dronk. 'Je drinkt de laatste tijd een tikje te veel, is 't niet, Maurice?'

'Ja. Maar dat weet niemand. Alleen thuis. Sarah merkt het wel.'

'Hoe gaat het daar?'

'Sarah maakt zich zorgen over de telefoontjes. Ze denkt altijd aan gemaskerde inbrekers. En Sam heeft nachtmerries omdat hij binnenkort naar school moet – een blanke school. Ik maak me zorgen over wat er met hen beiden zal gebeuren als mij iets overkomt. Uiteindelijk gebeurt er altijd wat, nietwaar?'

'Laat het allemaal maar aan ons over. Ik kan je beloven – we hebben je vluchtroute zeer zorgvuldig geregeld. In geval van nood...'

'*Mijn* vluchtroute? En Sarah en Sam dan?'

'Die volgen je wel. Je kunt op ons vertrouwen, Maurice. We zorgen heus voor ze. Ook wij weten onze dankbaarheid te tonen. Denk eens aan Blake – we zorgen altijd voor onze mensen.' Boris liep naar het raam. 'Alles is veilig. Je moet nodig naar kantoor. Mijn eerste leerling komt over een kwartier.'

'Welke taal breng je hem bij?'

'Engels. Lach me niet uit.'

'Je Engels is bijna volmaakt.'

'Mijn eerste leerling vandaag is een Pool net als ik. Een vluchteling van *ons*, niet van de Duitsers. Ik mag hem graag – het is een fanatieke vijand van Marx. Je glimlacht. Dat is een stuk beter. Je moet het nooit meer zo ver laten komen met jezelf.'

'Dat veiligheidsonderzoek. Zelfs Davis kan het niet verdragen – en hij is onschuldig.'

'Maak je geen zorgen. Ik geloof dat ik wel een manier weet om hun aandacht af te leiden.'

'Ik zal proberen me geen zorgen te maken.'

'Van nu af aan maken we gebruik van de derde bergplaats, en als er problemen zijn, geef je me direct een seintje – ik ben hier alleen maar om je te helpen. Vertrouw je me?'

'Natuurlijk vertrouw ik je, Boris. Ik wou alleen dat jouw mensen *mij* helemaal vertrouwden. Die boekencode – het is een vreselijk trage en ouderwetse manier van communiceren, en je weet hoe riskant het is.'

'Het is niet dat we je niet vertrouwen. Het is ter wille van je eigen veiligheid. Je huis kan elk moment doorzocht worden in het kader van een routineonderzoek. In het begin wilden ze je een microdot-uitrusting geven – ik heb ze ervan weerhouden. Is dat wat je wou horen?'

'Ik wil nog iets anders.'

'Vertel maar.'

'Ik wil het onmogelijke. Ik wou dat al die leugens niet nodig waren. En ik wou dat we aan dezelfde kant stonden.'

'We?'

'Jij en ik.'

'Dat staan we toch?'

'Ja, in dit geval... voorlopig. Weet je dat Ivan een keer geprobeerd heeft me te chanteren?'

'Een domme man. Ik veronderstel dat dat de reden is dat ze me hebben teruggestuurd.'

'Het is altijd volkomen duidelijk geweest tussen ons. Ik geef jullie alle informatie over mijn sectie die je maar wilt. Ik heb nooit voorgewend dat ik jullie overtuiging deel – ik zal nooit een communist worden.'

'Natuurlijk. We hebben altijd begrip gehad voor je standpunt. We hebben je alleen nodig voor Afrika.'

'Maar wat ik aan jullie doorgeef – dat moet ik zelf beoordelen. Ik strijd aan jullie zijde in Afrika, Boris – niet in Europa.'

'Het enige dat we van je nodig hebben is alle bijzonderheden van Uncle Remus die je maar te pakken kunt krijgen.'

'Ivan wilde heel wat meer. Hij heeft me bedreigd.'

'Ivan is weg. Vergeet hem nou maar.'

'Jullie zouden meer succes hebben zonder mij.'

'Nee. Muller en zijn vrienden zouden dan meer succes hebben,' zei Boris.

Als een manisch-depressieve psychoot had Castle zijn uitbarsting gehad, de puist die van tijd tot tijd kwam opzetten was doorgebroken, en hij voelde een opluchting zoals hij elders nooit ervaren had.

Deze keer was de Travellers aan de beurt, en hier, in de club waarvan hij bestuurslid was, voelde Sir John Hargreaves zich volkomen thuis, in tegenstelling met de Reform. Het weer was veel kouder dan op de dag van hun vorige lunch samen en hij zag er geen heil in om te gaan praten in het park.

'O, ik weet wat je denkt, Emmanuel, maar ze kennen je hier maar al te goed,' zei hij tegen dokter Percival. 'Tijdens de koffie zullen ze ons volledig met rust laten. Ze zijn er nu wel achter dat je over niets anders dan vissen praat. Tussen haakjes, hoe vond je de gerookte forel?'

'Nogal droog,' zei dokter Percival, 'vergeleken bij die van de Reform.'

'En de rosbief?'

'Misschien toch ietsje te gaar?'

'Je bent moeilijk tevreden te stellen, Emmanuel. Steek een sigaar op.'

'Als het een echte havanna is tenminste.'

'Uiteraard.'

'Ik vraag me af of je ze in Washington zal kunnen krijgen.'

'Ik betwijfel of de *détente* zich ook al tot sigaren uitstrekt. In elk geval zal de kwestie van de laserstralen voorrang genieten. Wat een spelletje is het toch allemaal, Emmanuel. Soms wou ik dat ik terug was in Afrika.'

'Het oude Afrika.'

'Ja. Je hebt gelijk. Het oude Afrika.'

'Dat is voorgoed weg.'

'Daar ben ik nog niet zo zeker van. Misschien als we de rest van de wereld vernietigen, zullen de wegen worden overwoekerd en alle nieuwe luxehotels instorten, de wouden komen terug, en de stamhoofden, de medicijnmannen – in noordoostelijk Transvaal zit nog steeds een regenmaakster.'

'Ben je van plan ze dat in Washington ook te vertellen?'

'Nee. Maar ik zal geen enkel enthousiasme voor Uncle Remus tonen.'

'Ben je er tegen?'

'De States, wijzelf en Zuid-Afrika – we zijn onverenigbare bondgenoten. Maar het plan zal doorgaan omdat het Pentagon oorlogsspelletjes wil spelen nu ze geen echte oorlog voorhanden hebben. Nu, ik laat het aan Castle over om het spel met hun meneer Muller te spelen. Tussen haakjes, hij is naar Bonn vertrokken. Ik hoop niet dat West-Duitsland ook een medespeler is.'

'Hoelang blijf je weg?'

'Niet langer dan tien dagen, hoop ik. Ik houd niet van het klimaat van Washington – in alle betekenissen van het woord.' Met een glimlach van genoegen tipte hij een bevredigende askegel af. 'Dokter Castro's sigaren,' zei hij, 'doen in geen enkel opzicht onder voor die van sergeant Batista.'

'Ik wou dat je op dit moment niet wegging, John, net nu we een vis aan de haak lijken te hebben.'

'Het is jou wel toe te vertrouwen om hem zonder mijn hulp binnen te halen – het kan ook altijd nog een oude schoen blijken te zijn.'

'Ik denk van niet. Dat leer je wel aanvoelen wanneer je een oude schoen aan de haak hebt.'

'Ik laat het in vol vertrouwen aan je over, Emmanuel. En aan Daintry, natuurlijk.'

'Stel dat we het niet eens kunnen worden?'

'Dan ligt de beslissing bij jou. Jij bent mijn plaatsvervanger bij deze zaak. Maar in godsnaam, Emmanuel, doe niet iets overhaasts.'

'Ik ben alleen maar overhaast als ik in mijn Jaguar zit, John. Als ik aan het vissen ben, heb ik een heleboel geduld.'

6

1

Castles trein kwam veertig minuten te laat in Berkhamsted. Er waren werkzaamheden aan de spoorlijn ergens voorbij Tring, en toen hij op kantoor arriveerde, leek zijn kamer ongewoon leeg. Davis was er niet, maar dat was nauwelijks een verklaring voor het gevoel van leegte in de kamer; Castle zat er dikwijls genoeg alleen – als Davis lunchen was, als Davis naar het toilet was, als Davis naar de dierentuin was om Cynthia te ontmoeten. Het duurde een halfuur voor hij het briefje van Cynthia in zijn bak tegenkwam: 'Arthur voelt zich niet goed. Kolonel Daintry wil u spreken.' Even vroeg Castle zich af wie Arthur in 's hemelsnaam was; Davis was voor hem altijd alleen maar Davis geweest. Begon Cynthia, vroeg hij zich af, eindelijk te zwichten voor de langdurige belegering? Was dat de reden dat ze nu zijn voornaam gebruikte? Hij belde haar en vroeg: 'Wat is er met Davis?'

'Ik weet het niet. Een van die mensen van Milieubeheer belde voor hem op. Hij zei iets over maagkrampen.'

'Een kater?'

'Als het dat alleen maar was geweest, had hij zelf wel opgebeld. Ik wist niet goed wat ik moest doen omdat u er niet was. Daarom heb ik dokter Percival maar gebeld.'

'Wat zei hij?'

'Hetzelfde als u zei – een kater. Blijkbaar zijn ze gisteravond bij elkaar geweest – hebben te veel port en whisky gedronken. Tijdens de lunchpauze gaat hij naar hem toe. Hij kan niet eerder.'

'Je denkt toch niet dat het ernstig is, wel?'

'Ik geloof niet dat het ernstig is maar ik geloof ook niet dat het een kater is. Als het ernstig was, zou dokter Percival er toch direct heen gegaan zijn?'

'Nu C weg is naar Washington betwijfel ik of hij veel tijd heeft voor de geneeskunde,' zei Castle. 'Ik ga maar eens naar Daintry toe. Welke kamer?'

Hij deed de deur open waar 72 op stond. Daintry zat er en dokter Percival – hij had het gevoel dat hij ze stoorde in een twistgesprek.

'O ja, Castle,' zei Daintry. 'Ik wilde je inderdaad spreken.'

'Ik stap op,' zei dokter Percival.

'We praten er nog wel over, Percival. Ik ben het niet met je eens. Het spijt me, maar zo is het nu eenmaal. Ik kan echt niet met je instemmen.'

'Weet je nog wat ik over die hokjes gezegd heb – en over Ben Nicholson?'

'Ik ben geen schilder,' zei Daintry, 'en abstracte kunst begrijp ik niet. Hoe dan ook, ik spreek je nog wel.'

Daintry bleef een hele tijd zwijgen nadat de deur dicht was gegaan. Toen zei hij: 'Ik houd er niet van als mensen voorbarige conclusies trekken. Ik ben opgevoed in het geloof dat schuld bewezen moet worden – echt bewezen.'

'Is er iets dat u niet bevalt?'

'Als het om een ziektegeval ging, zou hij het bloed onderzoeken, röntgenfoto's nemen... Hij zou niet zomaar naar een diagnose *raden*.'

'Dokter Percival?'

Daintry zei: 'Ik weet niet hoe ik moet beginnen. Ik mag hierover eigenlijk niet met u praten.'

'Waarover?'

Er stond een foto van een zeer mooi meisje op Daintry's bureau. Daintry's ogen keerden er steeds weer naar terug. Hij zei: 'Voelt u zich soms ook niet vervloekt eenzaam in deze organisatie?'

Castle aarzelde. Hij zei: 'Ach, ik kan goed met Davis opschieten. Dat scheelt een heleboel.'

'Davis? Ja. Ik wilde het juist met u over Davis hebben.'

Daintry stond op en liep naar het raam. Hij wekte de indruk van een gevangene die in een cel zat opgesloten. Hij keek somber naar buiten naar de strenge lucht en werd niet bemoedigd. Hij zei: 'Het is een grijze dag. De herfst is nu toch eindelijk echt ingetreden.'

'"Verandering en bederf in al wat ik zie om mij henen,"' citeerde Castle.

'Wat is dat?'

'Een gezang dat ik vroeger op school zong.'

Daintry ging terug naar zijn bureau en keek weer naar de foto. 'Mijn dochter,' zei hij, alsof hij de behoefte voelde om het meisje voor te stellen.

'Mijn complimenten. Het is een mooi meisje.'

'Ze gaat dit weekend trouwen, maar ik denk niet dat ik er heen ga.'

'Mag u de man niet?'

'O, ik geloof dat hij wel in orde is. Ik heb hem nooit ontmoet. Maar waarover zou ik met hem moeten praten? Jamesons Babypoeder?'

'Babypoeder?'

'Jameson probeert Johnson weg te concurreren – naar ze me heeft verteld.' Hij ging zitten en verviel tot een mismoedig stilzwijgen.

Castle zei: 'Davis schijnt ziek te zijn. Ik was vanmorgen laat op kantoor. Hij heeft een slechte dag uitgezocht. Ik moet de Zaïre-zaken afhandelen.'

'Sorry. Dan mag ik u niet langer ophouden. Ik wist niet dat Davis ziek was. Het is toch niets ernstigs?'

'Ik geloof het niet. Dokter Percival gaat hem tussen de middag opzoeken.'

'Percival?' zei Daintry. 'Heeft hij geen eigen dokter?'

'Ach, als dokter Percival hem opzoekt dan komt het op rekening van de oude firma, nietwaar?'

'Ja. Het enige is dat hij – door zijn werk bij ons – misschien wat achterloopt – medisch, bedoel ik.'

'Ach, het is waarschijnlijk een zeer eenvoudige diagnose.' Hij hoorde de echo van een andere conversatie.

'Castle, het enige waarover ik u wilde spreken is – bent u *werkelijk* tevreden over Davis?'

'Hoe bedoelt u "tevreden"? We werken goed samen.'

'Soms moet ik nogal onnozele vragen stellen – domme vragen misschien – maar dat hoort nu eenmaal bij mijn werk als veiligheidsofficier. Ze hoeven niet altijd veel te betekenen. Davis gokt, is 't niet zo?'

'Een beetje. Hij praat graag over paarden. Ik betwijfel of hij veel wint, of veel verliest.'

'En hij drinkt?'

'Ik geloof niet dat hij meer drinkt dan ik.'

'Dus u heeft *volledig* vertrouwen in hem?'

'Volledig. Natuurlijk kunnen we allemaal fouten maken. Is er soms sprake van een of andere klacht? Ik zou niet graag willen dat Davis werd overgeplaatst, of het zou naar L.M. moeten zijn.'

'Vergeet maar dat ik het gevraagd heb,' zei Daintry. 'Ik stel hetzelfde soort vragen over iedereen. Zelfs over u. Kent u een schilder die Nicholson heet?'

119

'Nee. Is het iemand van ons?'

'Nee, nee. Soms,' zei Daintry, 'voel ik me wat vervreemd. Ik vraag me af of – ach, maar ik neem aan dat u 's avonds altijd naar huis gaat naar uw gezin, nietwaar?'

'Ja... inderdaad.'

'Als u, om de een of andere reden, een keer in de stad moet blijven 's avonds... dan zouden we misschien samen kunnen dineren.'

'Het komt niet vaak voor,' zei Castle.

'Nee, dat begrijp ik.'

'Ziet u, mijn vrouw wordt nogal nerveus als ze alleen is.'

'Natuurlijk. Ik begrijp het. Het was zomaar een idee.' Hij keek weer naar de foto. 'We gingen wel eens samen eten. Ik hoop bij God dat ze gelukkig zal zijn. Je kunt er nooit iets aan doen, hè?'

Stilte daalde over hen neer als een ouderwetse smog en scheidde hen van elkaar. Geen van beiden kon het trottoir zien: ze moesten met hun hand vooruittastend hun weg zoeken.

Castle zei: 'Mijn zoon heeft de huwbare leeftijd nog niet. Ik ben blij dat ik me daar geen zorgen over hoef te maken.'

'U bent er ook op zaterdag, nietwaar? U zou zeker niet een uur of twee langer kunnen blijven... ik ken geen mens op die bruiloft behalve mijn dochter – en haar moeder natuurlijk. Ze heeft gezegd – mijn dochter, bedoel ik – dat ik iemand van kantoor mee kon nemen als ik wilde. Als gezelschap.'

Castle zei: 'Natuurlijk, met plezier... als u echt denkt...' Hij kon zelden weerstand bieden aan een noodkreet, hoe gecodeerd die ook mocht zijn.

2

Voor deze keer stelde Castle het zonder zijn lunch. Hij had geen last van honger – hij had alleen last van de inbreuk op zijn gewoontes. Hij was niet op zijn gemak. Hij wilde weten of het in orde was met Davis.

Toen hij om één uur het grote anonieme gebouw verliet, nadat hij al zijn paperassen in de safe had opgeborgen, zelfs een droog briefje van Watson, zag hij Cynthia bij de deur. Hij zei tegen haar: 'Ik ga kijken hoe het met Davis is. Ga je mee?'

'Nee, waarom zou ik? Ik heb een heleboel boodschappen te doen. Waarom gaat u erheen? Het is toch niets ernstigs?'

'Nee, maar ik ga gewoon even bij hem kijken. Hij is helemaal alleen in die flat, op die Milieu-figuren na. En die komen niet voor de avond thuis.'

'Dokter Percival heeft beloofd hem op te zoeken.'

'Ja, dat weet ik, maar hij zal nu wel weg zijn. Ik dacht dat je er misschien voor zou voelen om mee te gaan... alleen om even te kijken...'

'Nou goed, als we niet te lang hoeven te blijven. We hoeven toch geen bloemen mee te nemen, hè? Zoals bij een ziekenhuis.' Het was een bits meisje.

Davis deed hen open, gekleed in een kamerjas. Castle zag hoe zijn gezicht een ogenblik oplichtte bij het zien van Cynthia, maar toen besefte hij dat ze iemand bij zich had.

Hij merkte zonder enthousiasme op: 'O, *jullie* zijn het.'

'Wat mankeert je, Davis?'

'Ik weet niet. Niks bijzonders. Mijn levertje speelt op.'

'Ik dacht dat je vriend maagkrampen zei aan de telefoon,' zei Cynthia.

'Nou ja, de lever zit toch ergens in de buurt van de maag, is 't niet? Of zijn het de nieren? Ik heb maar een zeer vaag idee van mijn eigen geografie.'

'Ik zal je bed opmaken, Arthur,' zei Cynthia, 'terwijl jullie met elkaar praten.'

'Nee, nee, alsjeblieft niet. Het is alleen maar een beetje rommelig. Ga zitten en maak het je gemakkelijk. Laten we een drankje nemen.'

'Drinken jullie samen maar wat, maar ik ga je bed opmaken.'

'Ze heeft een zeer sterke wil,' zei Davis. 'Wat zal het zijn, Castle? Whisky?'

'Graag, een kleintje dan.'

Davis zette twee glazen neer.

'Jij kan maar beter niet drinken als je wat aan je lever hebt. Wat heeft dokter Percival precies gezegd?'

'O, hij probeerde me bang te maken. Dat doen dokters toch altijd?'

'Ik vind het niet erg om alleen te drinken, hoor.'

'Hij zei dat ik, als ik me niet een beetje inhield, de kans liep levercirrose te krijgen. Ik moet me morgen laten doorlichten. Ik zei tegen hem dat ik niet meer drink dan anderen, maar hij zei dat de ene lever zwakker is dan de andere. Dokters hebben altijd het laatste woord.'

'Ik zou die whisky niet opdrinken als ik jou was.'

'Hij heeft gezegd "minderen", en ik heb deze whisky met de helft verminderd. En ik heb hem beloofd dat ik van de port zal afblijven. Dat doe ik dan voor een week of twee. Hij heeft het maar voor het zeggen. Ik vind het fijn dat jullie even langs zijn gekomen, Castle. Weet je dat dokter Percival me echt een beetje bang heeft gemaakt? Ik had de indruk dat hij me niet alles vertelde wat hij wist. Het zou toch vreselijk zijn als ze besloten hadden om me naar L.M. te sturen en dat *hij* me dan niet zou laten gaan. En ik heb nog een angst – hebben ze over me gesproken met je?'

'Nee. Tenminste, Daintry vroeg me vanmorgen of ik tevreden over je was, en ik zei ja – volledig.'

'Je bent een goede vriend, Castle.'

'Het komt allemaal door dat onzinnige veiligheidsonderzoek. Je weet wel toen je met Cynthia in de dierentuin had afgesproken... Ik heb toen gezegd dat je bij de tandarts was, maar toch...'

'Ja. Ik ben er zo eentje die altijd betrapt wordt. En toch houd ik me bijna altijd aan de regels. Dat is mijn vorm van loyaliteit, denk ik. Jij bent niet zo. Als ik één keer een rapport meeneem om tijdens de lunch te lezen, word ik gesnapt. Maar ik heb ze jou keer op keer zien meenemen. Jij neemt risico's – zoals ze zeggen dat priesters moeten doen. Als ik werkelijk iets uit zou laten lekken – ongewild, natuurlijk – dan zou ik het bij jou opbiechten.'

'In de verwachting absolutie te krijgen?'

'Nee. Maar wel een beetje rechtvaardigheid.'

'Dan zou je je vergissen, Davis. Ik heb niet het flauwste idee wat het woord "rechtvaardigheid" betekent.'

'Dus je zou me laten fusilleren bij het aanbreken van de dag?'

'O nee. Mensen die ik mag zou ik altijd vergiffenis schenken.'

'Nou, dan ben jij het echte gevaar voor de veiligheid,' zei Davis. 'Hoelang denk je dat dat verdomde onderzoek nog zal doorgaan?'

'Ik denk tot ze hun lek hebben gevonden of tot de conclusie komen dat er toch geen lek is geweest. Misschien heeft een man van MI5 het bewijsmateriaal verkeerd geïnterpreteerd.'

'Of een vrouw, Castle. Waarom niet een vrouw? Het zou best een van onze secretaressen kunnen zijn, als ik of jij of Watson het niet zijn. Ik krijg de rillingen als ik eraan denk. Cynthia had een paar dagen geleden beloofd om 's avonds met me te dineren. Ik zat op haar te wachten bij Stone, en aan een tafel naast me zat een knap meisje ook op iemand te wachten. We glimlachten zo wat naar elkaar omdat we allebei in de steek waren gelaten. Als lotgenoten. Ik was van plan om haar aan te spreken – tenslotte had Cynthia me laten zitten – en toen kwam die gedachte bij me op – misschien hebben ze haar hier geposteerd om me te betrappen, misschien hebben ze me een tafel horen reserveren door de telefoon op kantoor. Misschien had Cynthia wel opdracht gekregen om weg te blijven. En wie komt er dan binnen en gaat bij het meisje zitten – raad eens wie: Daintry.'

'Het was waarschijnlijk zijn dochter.'

'Ze gebruiken toch dochters in onze organisatie, nietwaar? Wat een verdomd raar beroep hebben we toch. Je kan niemand vertrouwen. Nu vertrouw ik Cynthia zelfs niet meer. Ze maakt mijn bed op en God mag weten wat ze daarin hoopt te vinden. Maar het enige dat ze tegen zal komen zijn de broodkruimels van gisteren. Misschien gaan ze die dan analyseren. Een kruimel zou een microdot kunnen bevatten.'

'Ik zal zo langzamerhand weg moeten. De Zaïre-portefeuille is binnengekomen.'

Davis zette zijn glas neer. 'Ik mag doodvallen als whisky niet anders smaakt sinds Percival me dingen heeft aangepraat. Geloof *jij* dat ik een leverkwaal heb?'

'Nee. Maar doe het wel een tijdje kalm aan.'

'Makkelijker gezegd dan gedaan. Als ik me verveel, ga ik drinken. Jij boft dat je Sarah hebt. Hoe is het met Sam?'

'Hij vraagt vaak naar je. Hij zegt dat niemand zo goed verstoppertje kan spelen als jij.'

'Een aardige kleine *bastard*. Ik wou dat ik er ook een had – maar dan alleen samen met Cynthia. Wat kan je allemaal niet wensen!'

'Het klimaat in Lourenço Marques is niet zo goed...'

'O, ze zeggen dat het niet geeft voor kinderen tot zes jaar.'

'Ach, misschien begint Cynthia toch te zwichten, tenslotte *is* ze je bed aan het opmaken.'

'Ja, ze wil me best bemoederen, dat wel, maar ze is een van die meisjes die steeds op zoek zijn naar iemand die ze kunnen bewonderen. Ze wil graag iemand die serieus is – zoals jij. Het probleem is dat ik, als ik serieus ben, niet serieus kan *doen*. Ik geneer me om serieus te doen. Kun jij je iemand voorstellen die mij ooit zou bewonderen?'

'Nou, Sam bewondert je.'

'Ik betwijfel of Cynthia van verstoppertje spelen houdt.'

Cynthia kwam terug. Ze zei: 'Je bed was een verschrikkelijke warboel. Wanneer is het voor het laatst opgemaakt?'

'Onze werkster komt op maandag en vrijdag en vandaag is het donderdag.'

'Waarom maak je het zelf niet op?'

'Ach, ik trek de dekens altijd zo'n beetje om me heen als ik erin stap.'

'Die Milieufiguren. Wat doen die eraan?'

'O, die hebben geleerd om vervuiling te negeren zolang die niet officieel onder hun aandacht wordt gebracht.'

Davis liet hen uit. Cynthia zei: 'Tot morgen,' en liep de trap af. Ze riep over haar schouder dat ze een heleboel boodschappen moest doen.

       'Ze had nooit naar me moeten omzien
       Als ze niet wilde dat ik van haar hield,'

citeerde Davis. Castle was verbaasd. Hij had niet gedacht dat Davis Browning zou hebben gelezen – behalve op school natuurlijk.

'Nou,' zei hij, 'op naar de portefeuille.'

'Het spijt me, Castle. Ik weet hoe die portefeuille je ergert. Het is niet zo dat ik me maar ziek houd, echt niet. En het is ook geen kater. Het zijn mijn benen, mijn armen – die zijn zo slap als was.'

'Ga maar weer naar bed.'

'Ja, dat zal ik doen. Sam zou nu niet veel aan me hebben met verstoppertje spelen,' voegde Davis eraan toe, terwijl hij Castle over de trapleuning gebogen nakeek. Toen Castle onderaan de trap was, riep hij: 'Castle!'

'Ja?' Castle keek naar boven.

'Je denkt toch niet dat dit me zal uitschakelen, hè?'

'Je uitschakelen?'

'Ik zou een ander mens zijn als ik naar Lourenço Marques kon.'

'Ik heb mijn best voor je gedaan. Ik heb er met C over gesproken.'

'Je bent een fijne vent, Castle. Bedankt, hoe het ook uitpakt.'

'Ga maar weer naar bed en rust uit.'

'Ja, dat zal ik doen.' Maar hij bleef daar naar beneden staan kijken terwijl Castle wegstapte.

7

1

Castle en Daintry arriveerden als laatsten bij het bureau van de burgerlijke stand en namen plaats op de achterste rij in de strenge bruine zaal. Vier rijen lege stoelen scheidden hen van de ongeveer een dozijn andere gasten, die verdeeld waren in met elkaar rivaliserende clans zoals bij een kerkelijk huwelijk, waarbij de ene clan de andere met kritische belangstelling en enige geringschatting bekeek. Alleen champagne zou later misschien een wapenstilstand tussen hen kunnen bewerkstelligen.

'Ik vermoed dat dat Colin is,' zei kolonel Daintry, wijzend naar een jonge man die net naast zijn dochter had plaats genomen voor de tafel van de ambtenaar. Hij voegde eraan toe: 'Ik ken zijn achternaam niet eens.'

'Wie is die vrouw met het zakdoekje? Ze schijnt ergens overstuur van te zijn.'

'Dat is mijn vrouw,' zei kolonel Daintry. 'Ik hoop dat we weg kunnen komen voor ze ons opmerkt.'

'Dat kunt u niet doen. Uw dochter weet dan zelfs niet dat u gekomen bent.'

De ambtenaar begon te spreken. Iemand zei 'Shhh', alsof ze in de schouwburg zaten en het doek was opgegaan.

'De naam van uw schoonzoon is Clutters,' fluisterde Castle.

'Weet u dat zeker?'

'Nee, maar zo klonk het.'

De ambtenaar sprak het soort korte goddeloze goede wensen uit dat wel eens een lekenpreek wordt genoemd en een paar mensen stapten op, ter verontschuldiging op hun horloge kijkend. 'Zouden wij nu ook niet weg kunnen?' vroeg Daintry.

'Nee.'

Desondanks scheen niemand ze op te merken toen ze weer in Victoria Street stonden. De taxi's schoten als roofvogels op hen af en Daintry deed opnieuw een poging om te ontsnappen.

'Het is niet fair tegenover uw dochter,' argumenteerde Castle.

'Ik weet niet eens waar ze allemaal heen gaan,' zei Daintry. 'Naar een hotel, neem ik aan.'

'We kunnen ze volgen.'

En volgen deden ze – helemaal naar Harrods en nog verder door een lichte herfstige mist.

'Ik kan me niet voorstellen welk hotel...' zei Daintry. 'Ik geloof dat we ze kwijtgeraakt zijn.' Hij leunde voorover om naar de wagen die voor hen reed te turen. 'Pech gehad. Ik zie het achterhoofd van mijn vrouw.'

'Daar zou ik maar niet op afgaan in deze mist.'

'Ik ben er toch aardig zeker van. We zijn vijftien jaar getrouwd geweest.' Hij voegde er somber aan toe: 'En we hebben elkaar zeven jaar lang niet gesproken.'

'De champagne zal wel helpen,' zei Castle.

'Maar ik hou niet van champagne. Het is geweldig vriendelijk van u, meneer Castle, om met me mee te gaan. Alleen had ik dit niet kunnen opbrengen.'

'We drinken even een glas en gaan weer weg.'

'Ik heb geen idee waar we naar op weg zijn. Ik ben in geen jaren deze kant op geweest. Er schijnen zoveel nieuwe hotels te zijn.'

Met horten en stoten reden ze door Brompton Road.

'Gewoonlijk gaat men naar het huis van de bruid,' zei Castle, 'als het niet naar een hotel is.'

'Ze heeft geen huis. Officieel deelt ze een flat met een of andere vriendin, maar ze schijnt al een hele tijd samen te wonen met die knaap Clutters. Clutters! Wat een naam!'

'De naam was misschien toch niet Clutters. De ambtenaar sprak zo onduidelijk.'

De taxi's begonnen de andere gasten af te leveren als pakketten in cadeauverpakking bij een klein, kneuterig mooi huis in een halvemaanvormige straat. Het was een geluk dat ze niet met zovelen waren – de huizen hier waren niet op grote partijen berekend. Zelfs met zo'n vijfentwintig mensen had je het gevoel dat de muren en de vloeren het konden begeven.

'Ik geloof dat ik al weet waar we zijn – de flat van mijn vrouw,' zei Daintry. 'Ik heb gehoord dat ze iets in Kensington heeft gekocht.'

Tree voor tree klommen ze omhoog langs de stampvolle trap naar de salon. Vanaf iedere tafel, vanaf de boekenplanken, de piano, vanaf de schoorsteenmantel, staarden porseleinen uilen de gasten aan, waakzaam, roofzuchtig, met wrede gekromde snavels. 'Ja, het *is* haar flat,' zei Daintry. 'Ze had altijd al een hartstocht voor uilen – maar die hartstocht is wel toegenomen sinds mijn tijd.'

Ze konden zijn dochter niet ontdekken tussen het gezelschap dat zich voor het buffet verdrong. Champagneflessen knalden van tijd tot tijd. Er was een bruidstaart, en zelfs bovenop de roze suikerstellage balanceerde een gipsen uil. Een lange man met een snor die net zo getrimd was als die van Daintry kwam naar hen toe en zei: 'Ik weet niet wie u bent, maar bedien uzelf van de champie.' Te oordelen naar zijn jargon moest hij bijna uit de Eerste Wereldoorlog stammen. Hij had de verstrooide manier van doen van een gastheer van de oude stempel. 'We hebben bezuinigd op het bedienend personeel,' legde hij uit.

'Mijn naam is Daintry.'

'Daintry?'

'Dit is de bruiloft van mijn dochter,' zei Daintry met een stem zo droog als scheepsbeschuit.

'O, dan moet u Sylvia's echtgenoot zijn.'

'Ja. Maar ik heb *uw* naam nog niet gehoord.'

De man liep weg en riep: 'Sylvia! Sylvia!'

'Laten we weggaan,' zei Daintry vertwijfeld.

'U moet uw dochter even begroeten.'

Een vrouw baande zich een weg door de gasten aan het buffet. Castle herkende de vrouw die bij de burgerlijke stand had zitten huilen, maar ze scheen daar nu volledig overheen te zijn. Ze zei: 'Lieveling, Edward vertelde me dat je er was. Wat aardig dat je bent gekomen. Ik weet hoe verschrikkelijk druk je het altijd hebt.'

'Ja, we moeten nu echt weg. Dit is meneer Castle. Van kantoor.'

'Dat vervloekte kantoor. Hoe maakt u het, meneer Castle? Ik moet Elizabeth zien te vinden – en Colin.'

'Stoor ze maar niet. We moeten nu echt weg.'

'Ik ben ook alleen maar voor vandaag overgekomen. Uit Brighton. Edward heeft me met de auto gebracht.'

'Wie is Edward?'

'Hij is vreselijk behulpzaam geweest. Heeft de champagne besteld en van alles en nog wat. Een vrouw heeft een man nodig bij deze gelegenheden. Je bent geen sikkepit veranderd, lieveling. Hoelang is het nu geleden?'

'Zes – zeven jaar?'

'Wat vliegt de tijd.'

'Je hebt sindsdien nog heel wat uilen verzameld.'

'Uilen?' Ze liep weg en riep: 'Colin, Elizabeth, kom eens hier.' Ze kwamen hand in hand. Daintry associeerde zijn dochter niet met kinderlijke aanhankelijkheid, maar ze dacht waarschijnlijk dat hand in hand gaan verplicht was op een bruiloft.

Elizabeth zei: 'Wat lief van je dat je toch bent gekomen, vader. Ik weet wat een hekel je aan dit soort dingen hebt.'

'Ik heb het nooit eerder meegemaakt.' Hij keek naar haar metgezel, die een anjer en een zeer nieuw streepjespak droeg. Zijn haar was gitzwart en goed weggekamd achter de oren.

'Hoe maakt u het, meneer. Elizabeth heeft me al zoveel over u verteld.'

'Ik kan helaas niet hetzelfde zeggen,' zei Daintry. 'Dus u bent Colin Clutters?'

'Niet Clutters, vader. Hoe kom je daar nu bij? Zijn naam is Clough. Ik bedoel *onze* naam is Clough.'

Een stroom van laatkomers die niet bij de burgerlijke stand waren geweest, had Castle van kolonel Daintry gescheiden. Een man in een vest met twee rijen knopen zei tegen hem: 'Ik ken hier geen sterveling – behalve Colin dan natuurlijk.'

Er klonk een geluid van brekend porselein. Mevrouw Daintry's stem verhief zich boven het spektakel. 'In godsnaam, Edward, het is toch niet een van mijn uilen?'

'Nee, nee, wees niet bezorgd, schatje. Alleen maar een asbak.'

'Geen sterveling,' herhaalde de man met het vest. 'Mijn naam is Joiner, tussen haakjes.'

'De mijne is Castle.'

'Kent u Colin?'

'Nee, ik ben met kolonel Daintry meegekomen.'

'Wie is dat?'

'De vader van de bruid.'

Er begon ergens een telefoon te rinkelen. Niemand schonk er enige aandacht aan.

'U zou eigenlijk even een praatje moeten maken met de jonge Colin. Het is een pientere knaap.'

'Hij heeft een eigenaardige achternaam, hè?'

'Eigenaardig?'

'Nou ja... Clutters...'

'Zijn naam is Clough.'

'O, dan heb ik het verkeerd verstaan.'

Er brak weer iets. Edwards stem klonk geruststellend boven het kabaal uit. 'Wees niet bezorgd, Sylvia. Niets ernstigs. Alle uilen zijn nog intact.'

'Hij heeft onze publiciteit zeer revolutionair aangepakt.'

'Werkt u met hem samen?'

'Ik kan wel zeggen, ik *ben* Jamesons Babypoeder.'

De man die Edward werd genoemd, greep Castle bij zijn arm. 'Is uw naam Castle?'

'Ja.'

'Er is iemand aan de telefoon voor u.'

'Maar niemand weet dat ik hier ben.'

'Het is een meisje. Een beetje overstuur. Zei dat het dringend was.'

Castles gedachten gingen naar Sarah uit. Ze wist dat hij een bruiloft bijwoonde, maar zelfs Daintry wist niet waar ze tenslotte terecht zouden komen. Was Sam weer ziek? Hij vroeg: 'Waar is de telefoon?'

'Komt u maar mee,' maar toen ze hem bereikten – een wit toestel naast een wit tweepersoonsbed, bewaakt door een witte uil – was de hoorn weer op de haak gelegd. 'Sorry,' zei Edward, 'ik denk dat ze nog wel een keer belt.'

'Heeft ze haar naam genoemd?'

'Kon het niet verstaan met al dat lawaai hier. Kreeg de indruk dat ze gehuild had. Kom, laten we nog een glas champie nemen.'

'Als u het goedvindt, blijf ik maar hier bij de telefoon.'

'Nu, neem me niet kwalijk dat ik u dan in de steek laat. Ik moet op al die uilen passen, ziet u. Sylvia zou ontroostbaar zijn als er eentje kapotging. Ik heb voorgesteld om ze op te bergen, maar ze heeft er meer dan honderd. En het huis zou er wat kaal uitgezien hebben. Bent u een vriend van kolonel Daintry?'

'We werken op hetzelfde kantoor.'

'Een van die mondje-dicht-organisaties, nietwaar? Wel een beetje pijnlijk voor me om hem op deze manier te ontmoeten. Sylvia had niet gedacht dat hij zou komen. Misschien had ik zelf weg moeten blijven. Tactvol. Maar anderzijds, wie had er dan op de uilen gepast?'

Castle ging op de rand van het grote witte bed zitten, en de witte uil naast de witte telefoon blikte naar hem alsof hij hem herkende als een illegale immigrant die net neergestreken was op de kust van dit vreemde sneeuwcontinent – zelfs de wanden waren wit en onder zijn voeten lag een wit tapijt. Hij was ongerust – ongerust over Sam, ongerust over Sarah, ongerust over zichzelf – vrees stroomde als een onzichtbaar gas uit de hoorn van het zwijgende toestel. Hij en alles wat hij liefhad werden door het geheimzinnige telefoontje bedreigd. Het rumoer van stemmen uit de huiskamer leek nu nog slechts het gerucht van verre inboorlingenstammen achter de sneeuwwoestijn. Toen ging de telefoon. Hij duwde de witte uil opzij en nam de hoorn op.

Tot zijn opluchting hoorde hij de stem van Cynthia. 'Is dat M.C.?'

'Ja, hoe wist je me te vinden?'

'Ik heb eerst de burgerlijke stand geprobeerd, maar u was al weg. Dus toen heb ik in het telefoonboek naar een mevrouw Daintry gezocht.'

'Wat is er, Cynthia? Je stem klinkt zo vreemd.'

'M.C., er is iets vreselijks gebeurd. Arthur is dood.'

Weer, zoals al eerder, vroeg hij zich even af wie Arthur was.

'Davis? Dood? Maar hij zou volgende week weer op kantoor komen.'

'Dat weet ik. De werkster vond hem toen ze – toen ze zijn bed wilde opmaken.' Haar stem stokte.

'Ik kom naar kantoor terug, Cynthia. Heb je dokter Percival gezien?'

'Hij belde me op om het te vertellen.'

'Ik moet het nu kolonel Daintry gaan vertellen.'

'O, M.C., ik wou dat ik aardiger tegen hem was geweest. Het enige dat ik ooit voor hem heb gedaan, was – was zijn bed opmaken.' Hij hoorde hoe ze haar adem inhield om niet in snikken uit te barsten.

'Ik kom zo gauw mogelijk terug.' Hij legde de hoorn op de haak.

De huiskamer was zo vol als maar mogelijk was en even lawaaiig. De taart was aangesneden en mensen zochten naar onopvallende plekjes om hun stuk neer te zetten. Daintry stond in z'n eentje met een punt taart in zijn handen achter een tafel die vol stond met uilen. Hij zei: 'In 's hemelsnaam, laten we opstappen, Castle. Ik voel me niet thuis bij dit soort gedoe.'

'Daintry, ik ben opgebeld door kantoor. Davis is dood.'

'Davis?'

'Hij is dood. Dokter Percival...'

'Percival!' riep Daintry uit. 'Mijn God, die man...'

Hij schoof zijn stuk taart tussen de uilen en een grote grijze uil tuimelde om en kletterde op de grond.

'Edward,' gilde een vrouwenstem, 'John heeft de grijze uil gebroken.'

Edward baande zich een weg naar hen toe. 'Ik kan niet overal tegelijk zijn, Sylvia.'

Mevrouw Daintry dook achter hem op. Ze zei: 'John, ellendige ouwe sufferd die je bent. Dit zal ik je nooit vergeven – nooit. Allemachtig, wat doe je hier eigenlijk in *mijn* huis?'

Daintry zei: 'Kom mee, Castle. Ik zal een andere uil voor je kopen, Sylvia.'

'Hij is onvervangbaar, dit exemplaar.'

'Er is een man dood,' zei Daintry. 'Die is ook onvervangbaar.'

'Ik had niet verwacht dat dit zou gebeuren,' zei dokter Percival tegen hen. Het scheen Castle een wonderlijk onverschillige uitspraak toe, een uitspraak zo koud als het deerniswekkende lichaam dat in een kreukelige pyjama op het bed lag uitgestrekt, het jasje wijd open en de borst ontbloot, waar ze ongetwijfeld lang tevoren tevergeefs naar het minste of geringste teken van een hartslag hadden geluisterd en gezocht. Hij had dokter Percival tot nu toe voor een zeer hartelijk man gehouden, maar de hartelijkheid was verkild in de aanwezigheid van de dood, en er klonk een schrille klank van gegeneerde verontschuldiging door in de vreemde uitspraak die hij had gedaan.

De plotselinge overgang had Castle ervaren als een schok, zoals hij ineens in deze verwaarloosde kamer stond, na al die stemmen van vreemden, de massa's porseleinen uilen en de explosie van champagnekurken bij mevrouw Daintry thuis. Dokter Percival zweeg weer na die ene ongelukkige uitspraak en niemand anders zei iets. Hij stond een eindje van het bed af op een manier alsof hij een schilderij aan een paar onwelwillende kunstcritici toonde en met angstige spanning hun oordeel afwachtte. Daintry zweeg ook. Hij scheen zich ermee tevreden te stellen om dokter Percival te observeren alsof het diens zaak was een of andere evidente fout goed te praten die hij geacht werd in het schilderij te zullen vinden.

Castle voelde een aandrang om het lange stilzwijgen te verbreken. 'Wie zijn die mannen in de zitkamer? Wat doen ze hier?'

Dokter Percival wendde zich met tegenzin van het bed af. 'Welke mannen? O, die. Ik heb Special Branch gevraagd om even rond te kijken.'

'Waarom? Denkt u dat hij vermoord is?'

'Nee, nee. Natuurlijk niet. Niets van dien aard. Zijn lever was in een schrikbarende conditie. Hij is een paar dagen geleden doorgelicht.'

'Waarom zei u dan dat u niet verwacht had...?'

'Ik had niet verwacht dat het zo snel zou gaan.'

'Ik neem aan dat er sectie zal worden verricht?'

'Natuurlijk. Natuurlijk.'

Dat 'natuurlijk' vermeerderde zich als vliegen rondom het lichaam.

Castle ging terug naar de zitkamer. Op de koffietafel stonden een fles whisky en een gebruikt glas en er lag een nummer van *Playboy*.

'Ik heb hem gezegd dat hij niet meer moest drinken,' riep dokter Percival Castle achterna. 'Hij heeft niet naar me geluisterd.'

Er waren twee mannen in de kamer. Een van hen pakte de *Playboy* en bladerde hem door en schudde hem uit. De ander was de laden van het bureau aan het doorzoeken. Hij zei tegen zijn metgezel: 'Hier is zijn adresboekje. Je kunt beter de namen even nalopen. Controleer de telefoonnummers voor het geval dat ze niet kloppen.'

'Ik begrijp nog steeds niet wat ze hier zoeken,' zei Castle.

'Het is alleen maar een veiligheidsinspectie,' legde dokter Percival uit.

'Ik heb geprobeerd je te pakken te krijgen, Daintry, omdat het eigenlijk jouw akkevietje is, maar je bleek weg te zijn naar een of andere bruiloft.'

'Ja.'

'Er schijnen zich de laatste tijd nogal wat onzorgvuldigheden te hebben voorgedaan op kantoor. C is er niet, maar hij zou zeker hebben gewild dat we ons ervan overtuigden dat de arme kerel niets heeft laten slingeren.'

'Zoals telefoonnummers die niet overeenkomen met de namen?' vroeg Castle. 'Dat noem ik nou niet bepaald een kwestie van onzorgvuldigheid.'

'Deze knapen gaan altijd volgens een bepaald systeem te werk. Is 't niet zo, Daintry?'

Maar Daintry antwoordde niet. Hij stond in de deuropening van de slaapkamer en keek naar het lijk.

Een van de mannen zei: 'Kijk hier eens even, Taylor.' Hij gaf de ander een vel papier. De ander las hardop: 'Bonne chance, Kalamazoo, Widow Twanky.'

'Beetje eigenaardig, hè?'

Taylor zei: 'Bonne chance is Frans, Piper. Kalamazoo klinkt als een plaats in Afrika.'

'Afrika, hè? Zou belangrijk kunnen zijn.'

Castle zei: 'Kijk maar eens in de *Evening News*. Je zal waarschijnlijk tot de ontdekking komen dat het drie paarden zijn. Hij wedde altijd op de paardenrennen in het weekend.'

'Aha,' zei Piper. Het klonk een beetje ontmoedigd.

'Het lijkt me dat we onze vrienden van de Special Branch beter met rust kunnen laten bij hun werk,' zei dokter Percival.

'Hoe zit het met Davis' familie?' vroeg Castle.

'Daarvoor zorgen ze op kantoor. De enige naaste bloedverwant schijnt een neef te zijn in Droitwich. Een tandarts.'

Piper zei: 'Hier heb ik iets waar volgens mij een luchtje aan zit, meneer.' Hij reikte dokter Percival een boek aan, en Castle onderschepte het. Het was een kleine bloemlezing van de gedichten van Robert Browning. Binnenin zat een ex libris met een blazoen en de naam van een school, de Droitwich Royal Grammar School. Blijkbaar was de prijs in 1910 toegekend aan een leerling genaamd William Davis voor Engelse stijloefening en William Davis had er met zwarte inkt in een klein pietepeuterig handschrift bijgeschreven: 'Overgedragen aan mijn zoon Arthur door zijn vader ter gelegenheid van zijn Eerste Graad in Natuurkunde, 29 juni, 1953.' Browning en natuurkunde en een zestienjarige jongen wekten in combinatie zeker een wat vreemde indruk, maar dit was het vermoedelijk toch niet wat Piper met 'een luchtje' had bedoeld. 'Wat is het voor boek?' vroeg dokter Percival. 'De gedichten van Browning. Ik zie niet in hoe daar een luchtje aan kan zitten.'

Niettemin moest hij erkennen dat het boekje niet erg overeenstemde met Aldermaston en de toto en *Playboy,* het saaie kantoorwerk en de Zaïre-portefeuille. Stuit men altijd op gegevens waaruit de complexiteit blijkt van zelfs het meest eenvoudige leven als men na de dood maar genoeg rondsnuffelt? Natuurlijk zou Davis het boek bewaard kunnen hebben uit piëteit voor zijn vader, maar het was duidelijk dat hij het had gelezen. Had hij Browning niet geciteerd de laatste keer dat Castle hem levend had gezien?

'Als u het doorkijkt, meneer, zult u zien dat bij bepaalde passages een merkteken is gezet,' zei Piper tegen dokter Percival. 'U weet meer van boekencodes af dan ik. Ik vond dat ik het u maar even moest laten zien.'

'Wat denk je ervan, Castle?'

'Ja, dat *zijn* merktekens.' Hij bladerde het door. 'Het boek is van zijn vader geweest en de merktekens zouden natuurlijk van zijn vader kunnen zijn – ware het niet dat de inkt te nieuw lijkt: hij zet er een "c" bij.'

'Iets onthullends?'

Castle had Davis nooit au sérieux genomen, zijn drinken niet, zijn gokken niet, zelfs zijn wanhopige liefde voor Cynthia niet, maar een dode daar kon men niet zo gemakkelijk aan voorbijgaan. Voor het eerst voelde hij een werkelijke interesse voor Davis. De dood had Davis importantie gegeven. De dood verleende Davis een zeker formaat. De doden zijn misschien wijzer dan wij. Hij bladerde door het boekje als een lid van de Browning Society dat erop belust was een tekst te verklaren.

Daintry scheurde zich los van de slaapkamerdeur. Hij zei: 'Het is toch niet iets... die merktekens?'

'Iets wat?'

'Iets onthullends.' Hij herhaalde Percivals vraag.

'Iets onthullends? Dat zou het wel eens kunnen zijn. Met betrekking tot een algehele geestesgesteldheid.'

'Hoe bedoel je?' vroeg Percival. 'Denk je heus...?' Hij klonk hoopvol, alsof hij beslist wilde dat de man die hiernaast dood lag een gevaar voor de veiligheid was geweest en, enfin, in zekere zin was hij dat ook geweest, dacht Castle. Liefde en haat zijn beide gevaarlijk, zoals hij Boris had gewaarschuwd. Er kwam hem een situatie voor de geest: een slaapkamer in Lourenço Marques, het gezoem van de airconditioning, en Sarah's stem aan de telefoon. 'Hier ben ik', en toen het plotselinge gevoel van grote vreugde. Zijn liefde voor Sarah had hem tot Carson gebracht, en Carson tenslotte tot Boris. Een verliefd man gaat door de wereld als een anarchist die een tijdbom met zich meedraagt.

'Meen je heus dat er aanwijzingen zijn...?' vervolgde dokter Percival. 'Jij hebt een opleiding gehad voor codes. Ik niet.'

'Luister eens naar deze passage. Hij is gemerkt met een verticale streep en de letter "c".

> Toch zeg ik slechts als was ik een gewone vriend,
> Zij het met iets meer klem:
> Ik houd je hand vast wat zich ook maar aandient...'

'Heb je enig idee waar die "c" op duidt?' vroeg Percival – en weer had zijn stem een hoopvolle klank tot Castles ergernis. 'Het zou "code" kunnen betekenen, nietwaar, om hem eraan te herinneren dat hij die bepaalde passage al een keer gebruikt had? Met een boekencode, lijkt me, moet je oppassen dat je niet twee keer dezelfde passage gebruikt.'

'Dat klopt. Hier heb ik nog een gemerkte passage.

> Hoe waardevol die grijze ogen,
> Dat donker haar, van hoeveel waarde,
> Dat men ellende moet gedogen,
> Een ware hel doorstaan op aarde...'

'Volgens mij is dat een gedicht, meneer,' zei Piper.

'Weer een verticale streep en een "c", dokter Percival.'

'Dus je gelooft werkelijk...?'

'Davis heeft eens tegen me gezegd: "Ik kan niet serieus doen als ik serieus ben." Dus ik veronderstel dat hij Browning nodig had om zijn gevoelens te verwoorden.'

'En "c"?'

'Die geeft alleen maar de naam van een meisje aan, dokter Percival. Cynthia. Zijn secretaresse. Een meisje waar hij verliefd op was. Iemand van ons. Geen zaak voor de Special Branch.'

Daintry was een in zichzelf gekeerde rusteloze aanwezige geweest, zwijgend, opgesloten in zijn eigen gedachten. Hij zei nu met een scherpe klank van beschuldiging in zijn stem: 'Er moet sectie worden verricht.'

'Natuurlijk,' zei dokter Percival, 'als zijn dokter dat wil. Ik ben zijn dokter niet. Ik ben slechts een collega van hem – hoewel hij me wel heeft geraadpleegd, en we hebben de röntgenfoto's.'

'Zijn dokter had hier al moeten zijn.'

'Ik laat hem komen zo gauw deze mensen klaar zijn met hun werk. Juist u, kolonel Daintry, zal daar toch het belang van moeten inzien. De veiligheid komt op de eerste plaats.'

'Ik ben benieuwd wat de autopsie zal opleveren, dokter Percival.'

'Ik geloof dat ik u dat wel kan vertellen – zijn lever is bijna volledig vernietigd.'

'Vernietigd?'

'Door de drank natuurlijk, kolonel. Wat anders? Heeft u het me niet tegen Castle horen zeggen?'

Castle liet ze alleen met hun ondergrondse duel. Het was tijd om een laatste blik op Davis te werpen voor de patholoog hem onder handen zou nemen. Hij was blij dat het gezicht geen sporen van pijn vertoonde. Hij trok het pyjamajasje dicht over de ingevallen borst. Er ontbrak een knoop aan. Knopen aanzetten behoorde niet tot de taak van een werkster. De telefoon gaf een klein inleidend rinkeltje dat verder nergens op uitliep. Misschien werden er ergens ver weg een microfoon en een recorder van de lijn ontkoppeld. Davis zou nu niet meer onder surveillance staan. Hij was ontsnapt.

8

1

Castle zat te werken aan het rapport dat hij als zijn laatste beschouwde. Nu Davis dood was, moest de informatie van de Afrikaanse afdeling vanzelfsprekend ophouden. Als het uitlekken van geheimen doorging, kon er geen twijfel over bestaan wie daarvoor verantwoordelijk was, maar als het stopte, zou de schuld met zekerheid aan de dode man toegeschreven worden. Davis was niet meer te schaden; zijn persoonlijke dossier zou gesloten en naar een of ander centraal archief worden gestuurd, waar niemand er belangstelling voor zou hebben. Wat deed het ertoe als het een geschiedenis van verraad bevatte? Net zoals een kabinetsgeheim zou het dertig jaar lang achter slot en grendel blijven. Op een treurige manier was het een providentieel sterfgeval geweest.

Castle kon Sarah Sam horen voorlezen alvorens hem onder de wol te stoppen. Het was een half uur later dan zijn gewone bedtijd, maar vanavond had hij behoefte aan die extra kindertroost daar de eerste week op school onprettig verlopen was.

Wat een langdurig en moeizaam karwei was het om een rapport in boekencode over te zetten. Hij zou *Oorlog en vrede* nu nooit tot het einde toe uitlezen. De volgende dag zou hij zijn exemplaar voor de veiligheid verbranden in een vuurtje van herfstbladeren zonder de aankomst van de Trollope af te wachten. Hij voelde opluchting en spijt – opluchting omdat hij zo goed als hij kon zijn schuld van dankbaarheid aan Carson had afgelost, en spijt dat hij niet meer in de gelegenheid zou zijn het dossier van Uncle Remus te beëindigen en zijn wraak op Cornelius Muller te volvoeren.

Toen hij zijn rapport klaar had, ging hij naar beneden en wachtte op Sarah. Morgen was het zondag. Hij zou het rapport op de geheime plaats moeten deponeren, die derde geheime plaats die nooit meer gebruikt zou worden; hij had de aanwezigheid ervan met een signaal kenbaar gemaakt vanuit een telefooncel op Piccadilly Circus voor hij de trein op het Euston-station nam. Het was een uitermate omslachtige gang van zaken, de manier waarop hij zijn laatste contact legde, maar een snellere en riskantere vorm van communicatie was slechts voorbehouden aan uiterste noodgevallen. Hij schonk zich een driedubbele J. & B. in en het gemurmel van stemmen boven begon hem een tijdelijk gevoel van rust te geven. Er werd zachtjes een deur gesloten, er klonken voetstappen boven in de gang; de trap kraakte altijd bij het naar beneden gaan – hij overdacht hoe dit voor sommige mensen van een saaie en huisbakken, zelfs ondraaglijke alledaagsheid moest zijn. Voor hem betekende het een geborgenheid die hij van uur tot uur gevreesd had te zullen verliezen. Hij wist precies wat Sarah zou zeggen als ze de huiskamer binnenkwam, en hij wist wat hij zou antwoorden. Vertrouwdheid was een bescherming tegen de duisternis van King's Road daarbuiten en de brandende lantaarn van het politiebureau op de hoek. Hij had zich altijd voorgesteld hoe een geüniformeerde politieman, die hij van gezicht waarschijnlijk goed zou kennen, de man van de Special Branch zou vergezellen als het moment daar was.

'Je hebt je whisky al ingeschonken?'

'Kan ik er *jou* een geven?'

'Een kleintje dan, lieverd.'

'Alles goed met Sam?'

'Hij sliep al voor ik hem instopte.'

Zoals in een onverminkt codetelegram was er niet één cijfer verkeerd overgezet.

Hij gaf haar het glas: hij was tot nu toe niet in staat geweest om te vertellen wat er gebeurd was.

'Hoe was het op de bruiloft, lieverd?'

'Heel afschuwelijk. Ik had medelijden met die arme Daintry.'

'Waarom medelijden?'

'Hij raakte een dochter kwijt en ik betwijfel of hij vrienden heeft.'

'Er schijnen zoveel eenzame mensen bij jou op kantoor te zijn.'

'Ja. Al degenen die niet trouwen ter wille van de gezelligheid. Drink eens uit, Sarah.'

'Waarom zo'n haast?'

'Ik wil ons allebei een nieuw glas inschenken.'

'Waarom?'

'Ik heb slecht nieuws, Sarah. Ik kon het je niet vertellen terwijl Sam erbij was. Het gaat over Davis. Davis is dood.'

'Dood? *Davis?*'

'Ja.'

'Hoe dan?'

'Dokter Percival had het over zijn lever.'

'Maar een lever begeeft het niet zomaar – van de ene dag op de andere.'

'Dat is wat dokter Percival zegt.'

'Je gelooft hem niet?'

'Nee. Niet volledig. Ik denk dat Daintry het evenmin gelooft.'

Ze schonk zich twee vingers whisky in – dat had hij haar nooit eerder zien doen. 'Arme, arme Davis.'

'Daintry wil dat er een onafhankelijke autopsie verricht wordt. Percival was daar volledig op voorbereid. Hij is er kennelijk zeer zeker van dat zijn diagnose zal worden bevestigd.'

'Als hij er zo zeker van is, moet het dan ook waar zijn?'

'Ik weet het niet. Ik weet het werkelijk niet. Ze kunnen zoveel arrangeren bij onze firma. Misschien zelfs een autopsie.'

'Wat moeten we Sam vertellen?'

'De waarheid. Het heeft geen zin om sterfgevallen voor een kind te verzwijgen. Het gebeurt toch altijd weer.'

'Maar hij hield zoveel van Davis. Lieverd, laat me er een week of twee niets over zeggen. Tot hij wat vaste grond onder zijn voeten heeft op school.'

'Jij weet wat het beste is.'

'Ik wou bij God dat je niet meer met die mensen te maken hoefde te hebben.'

'Dat komt wel – over een paar jaar.'

'Ik bedoel nu. Direct. Dan zouden we Sam uit bed halen en het land verlaten. Het eerste het beste vliegtuig waar dan ook heen.'

'We moeten wachten tot ik mijn pensioen heb.'

'Ik zou kunnen werken, Maurice. We zouden naar Frankrijk kunnen gaan. Het zou daar makkelijker zijn. Ze zijn daar gewend aan mijn huidskleur.'

'Het is niet mogelijk, Sarah. Nog niet.'

'Waarom niet? Kan je me één goede reden geven...?'
Hij probeerde luchtig te spreken. 'Nou, je weet best dat een ambtenaar naar behoren moet opzeggen.'
'Maken *zij* zich dan druk over dingen als opzeggen?'
Hij schrok van haar snelle inzicht toen ze zei: 'Hebben ze Davis soms opgezegd?'
Hij zei: 'Als het zijn lever is geweest...'
'Dat geloof je toch niet, wel? Vergeet niet dat ik vroeger voor je heb gewerkt – voor hen. Ik ben je agent geweest. Denk maar niet dat ik niet gemerkt heb hoe bezorgd je de afgelopen maand bent geweest – zelfs over de meteropnemer. Er is een lek geweest, is dat het niet? Op jouw afdeling?'
'Ik geloof wel dat ze dat denken.'
'En ze hebben er Davis voor aangezien. Geloof jij dat Davis schuldig was?'
'Hij hoeft niet opzettelijk informatie doorgespeeld te hebben. Hij was erg nonchalant.'
'Denk je dat ze hem misschien omgebracht hebben vanwege zijn nonchalantheid?'
'Ik vermoed dat er in onze organisatie zoiets bestaat als misdadige nonchalantheid.'
'Jij had ook degene kunnen zijn die ze verdachten, in plaats van Davis. En dan zou jij gestorven zijn. Door te veel J. & B.'
'O, ik ben altijd zeer voorzichtig geweest,' en als een droevig grapje voegde hij eraan toe: 'Behalve toen ik op jou verliefd werd.'
'Waar ga je heen?'
'Ik wil even een luchtje scheppen en Buller ook.'

2

Aan de andere kant van het lange ruiterpad door de Meent, dat om de een of andere reden bekendstond als Cold Harbour, begonnen de beukenbossen, afhellend naar de weg naar Ashridge. Castle zat op een aardwal terwijl Buller door de dode bladeren scharrelde. Hij wist dat hij buiten zijn boekje ging door daar te blijven hangen. Nieuwsgierigheid was geen excuus. Hij had zijn bericht moeten achterlaten en... wegwezen. Er kwam langzaam een auto aanrijden op de weg, uit de richting van Berkhamsted, en Castle keek op zijn horloge. Het was vier uur geleden dat hij zijn signaal had gegeven vanuit de telefooncel op Piccadilly Circus. Hij kon net het nummerbord van de wagen onderscheiden, maar zoals hij had kunnen verwachten was het kenteken hem even onbekend als de wagen zelf, een kleine rode Toyota. In de buurt van het parkwachtershuisje bij de ingang van Ashridge Park stopte de auto. Er was geen andere auto in zicht en geen voetganger. De bestuurder doofde zijn lichten, en deed ze toen weer aan alsof hij zich had bedacht. Een geluid achter Castle deed zijn hart verstijven, maar het was Buller maar die gromde tussen de varens.

Castle klom weg tussen de hoge olijfkleurige bomen die zich nu zwart aftekenden in de avondschemering. Het was meer dan vijftig jaar geleden dat hij de holte had ontdekt in de boomstam... vier, vijf, zes bomen van de weg af. In die tijd was hij genoodzaakt geweest zich bijna tot zijn volle lengte uit te rekken om het gat te bereiken, maar zijn hart had toen op dezelfde onregelmatige manier geklopt als nu. Op tienjarige leeftijd had hij er een boodschap achtergelaten voor iemand die hij beminde: het meisje was pas zeven. Hij had haar de schuilplaats laten zien toen ze samen op een picknick waren, en hij had haar gezegd dat hij de volgende keer dat hij er kwam daar iets belangrijks voor haar zou achterlaten.

Bij de eerste gelegenheid stopte hij er een grote, in vetvrij papier verpakte pepermuntstok in, en toen hij de holte later weer opzocht was hij verdwenen. Toen liet hij een briefje achter waarin hij zijn liefde verklaarde – in hoofdletters omdat ze nog maar net had leren lezen – maar toen hij er voor de derde keer terugkwam, ontdekte hij dat het briefje er nog steeds in zat maar ontsierd was door een vulgaire tekening. Een vreemde, dacht hij, moest de geheime bergplaats gevonden hebben; hij had niet kunnen geloven dat zij er verantwoordelijk voor was tot ze haar tong naar hem uitstak, terwijl ze aan de overkant van de High Street voorbijliep, en hij besefte dat ze teleurgesteld was omdat ze niet weer iets lekkers had gevonden. Het was zijn eerste ervaring van seksueel lijden geweest, en hij was nooit meer naar de boom teruggekeerd tot hem bijna vijftig jaar later gevraagd werd door een man in de conversatiezaal van het Regent Palace, die hij daarna nooit meer had gezien, om nog een veilige bergplaats te noemen.

Hij deed Buller aan de lijn en keek toe vanuit zijn schuilplaats tussen de varens. De man van de auto had een zaklantaarn nodig om het gat te vinden. Castle zag even het onderlichaam terwijl het schijnsel langs de stam naar beneden gleed: een corpulente buik, een open gulp. Een slimme voorzorgsmaatregel – hij had zelfs een redelijke hoeveelheid urine opgespaard. Toen de zaklantaarn werd omgedraaid en de terugweg naar de Ashridge Road verlichtte, ging Castle op weg naar huis. Hij zei tegen zichzelf: 'Dit is het laatste rapport,' en hij dacht aan het kind van zeven terug. Ze had eenzaam geleken op de picknick, waar ze elkaar voor het eerst hadden gezien, ze was verlegen en ze was lelijk, en misschien had hij zich daarom tot haar aangetrokken gevoeld.

Waarom zijn sommigen van ons, vroeg hij zich af, niet in staat om succes of macht of grote schoonheid te beminnen? Omdat we ons ten aanzien ervan onwaardig voelen, omdat we ons meer vertrouwd voelen met het gebrekkige? Hij geloofde niet dat dat de reden was. Misschien zocht je het juiste evenwicht wel, net zoals Christus had gedaan, die legendarische figuur waar hij graag in geloofd had. 'Komt herwaarts tot mij, allen die vermoeid en belast zijt.' Jong als het meisje was tijdens die picknick, was ze zwaar belast met haar beschroomdheid en schaamtegevoel. Misschien had hij alleen maar gewild dat ze zou voelen dat iemand haar liefhad en was hij haar daarom zelf gaan liefhebben. Het was niet spijtig, evenmin als het spijtig was geweest dat hij van Sarah was gaan houden terwijl ze zwanger was van een andere man. Hij had het evenwicht kunnen herstellen. Dat was alles.

'Je bent lang weg geweest,' zei Sarah.

'Nou, ik had echt behoefte aan een wandeling. Hoe is het met Sam?'

'Diep in slaap, natuurlijk. Zal ik je nog een whisky inschenken?'

'Ja. Nog een kleintje.'

'Een kleintje? Waarom?'

'Ik weet niet. Om te bewijzen dat ik het wat kalmer aan kan doen misschien. Misschien omdat ik me gelukkiger voel. Vraag me niet waarom, Sarah. Geluk verdwijnt als je erover praat.'

Het smoesje scheen hen allebei te voldoen. Sarah had, tijdens hun laatste jaar in Zuid-Afrika, geleerd om niet te ver door te vragen, maar die nacht in bed lag hij lange tijd wakker terwijl hij steeds opnieuw de slotwoorden herhaalde van het laatste rapport dat hij met behulp van *Oorlog en vrede* had samengesteld. Hij had het boek verschillende keren op goed geluk opengeslagen, op zoek naar een *sortes Virgilianae*, voor hij de zinnen koos waarop hij zijn code zou baseren. 'U zegt: ik ben niet vrij. Maar ik heb mijn hand opgeheven en hem laten vallen.' Het was alsof hij, door deze passage te kiezen, een signaal van verzet uitzond naar beide inlichtingendiensten. Het laatste woord van het bericht, als het door Boris of een ander gedecodeerd zou worden, zou luiden 'vaarwel'.

DEEL 4

1

De nachten na Davis' dood waren vol dromen voor Castle, dromen die samengesteld waren uit de gebroken fragmenten van een verleden dat hem tot in de ochtenduren achtervolgde. Davis speelde er geen rol in – misschien omdat de herinnering aan hem, in hun nu gereduceerde en versomberde onderafdeling – overdag vele uren vervulde. De geest van Davis zweefde rond de Zaïre-portefeuille en de telegrammen die Cynthia codeerde waren nu verminkter dan ooit.

Dus 's nachts droomde Castle van een Zuid-Afrika dat uit haat was gereconstrueerd, hoewel de stukken en brokken soms dooreen waren gehutseld met een Afrika waarvan hij vergeten was hoeveel hij ervan hield. In een van die dromen zag hij plotseling Sarah in een met rommel bezaaid park in Johannesburg op een bank alleen voor zwarten zitten: hij wendde zich af om een andere bank te zoeken. Carson scheidde van hem bij de toegang van een urinoir en koos de deur die voor zwarten bestemd was, hem buiten achterlatend, beschaamd over zijn gebrek aan moed, maar toen, de derde nacht, werd hij door een heel ander soort droom bezocht.

Toen hij wakker werd zei hij tegen Sarah: 'Het is gek. Ik heb van Rougemont gedroomd. Ik heb in geen jaren meer aan hem gedacht.'

'Rougemont?'

'O, dat vergat ik. Je hebt Rougemont nooit gekend.'

'Wie was dat dan?'

'Een boer in de Vrijstaat. Ik mocht hem op een bepaalde manier even graag als Carson.'

'Was het een communist? Vast niet als hij boer was.'

'Nee. Hij was een van de mensen die zullen moeten sterven als jouw volk aan de macht komt.'

'Mijn volk?'

'Ik bedoel natuurlijk "ons volk",' zei hij met droevige haast alsof hij het gevaar had gelopen een belofte te breken.

Rougemont woonde aan de rand van een woestijnachtig gebied niet ver van een oud slagveld uit de Boerenoorlog. Zijn voorouders, die hugenoten waren, waren ten tijde van de vervolging uit Frankrijk gevlucht, maar hij sprak geen Frans, alleen Afrikaans en Engels. Hij was, al voor zijn geboorte, geassimileerd aan de Nederlandse levenswijze – maar niet aan de apartheid. Hij hield zich er afzijdig van – hij wilde niet op de Nationalisten stemmen, hij verafschuwde de United Party, en een of ander onbestemd gevoel van trouw aan zijn voorouders weerhield hem ervan om op de kleine groep progressieven te stemmen. Het was geen heldhaftige houding, maar misschien was het zo dat, in zijn ogen, zoals in die van zijn grootvader, de heldhaftigheid pas begon waar de politiek ophield. Hij behandelde zijn arbeiders met vriendelijkheid en begrip, zonder neerbuigendheid. Castle had op een dag naar hem geluisterd toen hij met zijn zwarte voorman de toestand van de oogst besprak – ze discussieerden met elkaar als gelijken. De familie van Rougemont en de stam van de voorman waren ongeveer tegelijkertijd in Zuid-Afrika gekomen. Rougemonts grootvader was geen struisvogel-miljonair van de Kaap geweest, zoals die van Cornelius Muller: op zestigjarige leeftijd had hij als cavalerist in De Wets commando tegen de Engelse binnendringers gevochten en hij was daarbij gewond geraakt op het plaatselijke kopje, dat met de winterwolken boven de boerderij oprees, en waar de Bosjesmannen honderden jaren eerder dierlijke vormen in de rotsen hadden gekerfd.

'Denk je eens in wat het is om onder vuur daar naar boven te klimmen met bepakking op je rug,' had Rougemont tegen Castle opgemerkt. Hij bewonderde de Britse troepen om hun moed en uithoudingsvermogen zo ver van huis, bijna alsof het legendarische plunderaars uit een geschiedenisboek waren, zoals de vikings die eens de Angelsaksische kust hadden overvallen. Hij had geen wrok tegen het deel van de vikings dat gebleven was, misschien alleen een zeker medelijden met een volk dat geen wortels had in dit oude vermoeide prachtige land waar zijn familie zich driehonderd jaar geleden had gevestigd. Op een dag had hij tegen Castle gezegd bij een glas whisky: 'Je zegt dat je een studie over de apartheid aan het schrijven bent, maar je zult nooit onze complexiteiten begrijpen. Ik haat de apartheid evenzeer als jij, maar je bent veel meer een vreemde voor me dan wie van mijn landarbeiders ook. Wij horen hier thuis – jij bent evenzeer een buitenstaander als de toeristen die komen en gaan.' Castle was er zeker van dat hij, als het beslissende moment kwam, het geweer van zijn huiskamermuur zou grijpen ter verdediging van dit moeilijke cultuurgebied aan de rand van een woestijn. Hij zou niet sterven in de strijd voor de apartheid of het blanke ras, maar voor het aantal *morgens* dat hij zijn eigendom noemde, bedreigd door droogte en overstromingen en aardbevingen en veeziekten, en slangen die hij als een plaag van geringere orde beschouwde, zoals muskieten.

'Was Rougemont een agent van je?' vroeg Sarah.

'Nee, maar vreemd genoeg was hij degene door wie ik Carson leerde kennen.' Hij had eraan toe kunnen voegen: 'En Carson was degene die me tot Rougemonts vijanden heeft gebracht.' Rougemont had Carson aangetrokken om een van zijn arbeiders te verdedigen die door de plaatselijke politie van een geweldmisdrijf werd beschuldigd waaraan hij onschuldig was.

Sarah zei: 'Soms wou ik wel eens dat ik je agent nog was. Je vertelt me nu veel minder dan toen.'

'Ik heb je nooit veel verteld – misschien dacht je van wel, maar ik vertelde je zo min mogelijk, voor je eigen veiligheid, en bovendien waren het dikwijls leugens. Zoals dat boek over de apartheid dat ik wilde schrijven.'

'Ik dacht dat het allemaal anders zou zijn,' zei Sarah, 'in Engeland. Ik dacht dat er geen geheimen meer zouden zijn.' Ze haalde diep adem en viel onmiddellijk weer in slaap, maar Castle lag nog lange tijd wakker. Hij had op zulke momenten een enorm sterke aanvechting om haar in vertrouwen te nemen, om haar alles te vertellen, zoals een man die een voorbijgaande verhouding met een vrouw heeft gehad, een verhouding die voorbij is, zijn vrouw plotseling de hele droevige geschiedenis wil toevertrouwen – om eens voor al de verklaring te geven van alle onverklaarde stiltes, de leugentjes, de zorgen die ze niet samen hebben kunnen delen, maar op dezelfde manier als die andere man kwam hij tot het besluit: 'Waarom zou ik haar nodeloos kwellen nu het allemaal voorbij is?' want hij geloofde werkelijk, zij het maar voor korte tijd, dat het voorbij was.

2

Castle ervoer het als zeer vreemd om in dezelfde kamer waarin hij zovele jaren alleen met Davis had doorgebracht, tegenover hem aan tafel de man genaamd Cornelius Muller te zien zitten – een Muller die op een curieuze manier was veranderd, een Muller die tegen hem zei: 'Het speet me toen ik bij mijn terugkomst uit Bonn het nieuws hoorde... Ik heb uw collega natuurlijk nooit gekend... maar voor u moet het een grote schok geweest zijn...' een Muller die op een normaal mens begon te lijken, niet een ambtenaar van BOSS maar een man die hij toevallig in de trein naar Euston had kunnen ontmoeten. Hij was getroffen door de toon van medeleven in Mullers stem – het klonk wonderlijk oprecht. In Engeland, dacht hij, zijn we steeds cynischer geworden ten aanzien van sterfgevallen waarbij we niet direct betrokken zijn, en zelfs als dat wel het geval is, is het beschaafder om in het bijzijn van een vreemde snel een masker van onverschilligheid voor te doen; de dood en zaken gaan niet samen. Maar in de Nederduits Hervormde Kerk waartoe Muller behoorde, was een sterfgeval, herinnerde Castle zich, nog steeds de belangrijkste gebeurtenis in het familieleven. Castle had eens een begrafenis in Transvaal bijgewoond, en wat hij zich herinnerde was niet de droefheid maar de waardigheid, zelfs het ceremoniële van het gebeuren. De dood had nog steeds een sociale betekenis voor Muller, ook al was hij een ambtenaar van BOSS.

'Wel,' zei Castle, 'het was zeker onverwacht.' Hij voegde eraan toe: 'Ik heb mijn secretaresse gevraagd om de dossiers van Zaïre en Mozambique te brengen. Wat Malawi betreft zijn we afhankelijk van MI5, en zonder toestemming kan ik u hun materiaal niet in handen geven.'

'Ik zal ze opzoeken als ik hier klaar ben,' zei Muller. Hij voegde eraan toe: 'Ik heb het zo plezierig gevonden om een avond bij u thuis door te brengen. Om uw vrouw te ontmoeten...' Hij aarzelde even voor hij doorging: 'en uw zoon.'

Castle hoopte dat deze inleidende opmerkingen slechts een beleefde voorbereiding waren waarna Muller zijn ondervraging zou hervatten naar de route die Sarah naar Swaziland had genomen. Een vijand moest een karikatuur blijven om hem op veilige afstand te houden: een vijand mocht nooit tot leven komen. De generaals hadden gelijk – er moesten geen kerstwensen uitgewisseld worden tussen de loopgraven.

Hij zei: 'Sarah en ik waren natuurlijk erg blij u te zien.' Hij drukte op zijn bel. 'Het spijt me. Ze doen er wel ontzettend lang over om die dossiers te brengen. Door Davis' overlijden is de boel hier een beetje ontregeld.'

Een meisje dat hij niet kende kwam de kamer binnen. 'Ik heb vijf minuten geleden om dossiers getelefoneerd,' zei hij. 'Waar is Cynthia?'

'Ze is er niet.'

'Waarom is ze er niet?'

Het meisje keek naar hem met steenkoude ogen. 'Ze heeft vandaag vrij genomen.'

'Is ze ziek?'

'Zo zou ik het niet willen noemen.'

'Hoe heet je?'

'Penelope.'

'Wel, zou je me dan eens precies willen vertellen, Penelope, hoe je het dan wel zou willen noemen?'

'Ze is overstuur. Dat is toch logisch? Vandaag is de begrafenis. Arthurs begrafenis.'

'Vandaag? Het spijt me. Dat was ik vergeten.' Hij voegde eraan toe: 'Niettemin, Penelope, zou ik graag willen dat je ons die dossiers even bracht.'

Toen ze de kamer uit was, zei hij tegen Muller: 'Het spijt me van al die verwarring. Het moet u een vreemde indruk geven van de gang van zaken hier. Ik was het echt vergeten – Davis wordt vandaag begraven – ze hadden een rouwdienst om elf uur. Het is vertraagd vanwege de autopsie. Het meisje had eraan gedacht. Ik was het vergeten.'

'Het spijt me,' zei Muller, 'ik zou onze afspraak verzet hebben als ik het geweten had.'

'Het is niet aan u te wijten. De kwestie is – ik heb een kantooragenda en een privé-agenda. Ik heb u hier genoteerd, ziet u wel, voor donderdag 10 uur. Mijn privé-agenda laat ik thuis, en daarin moet ik de begrafenis opgeschreven hebben. Ik vergeet altijd weer om ze met elkaar te vergelijken.'

'Maar toch... die begrafenis vergeten... is dat niet een beetje eigenaardig?'

'Ja, Freud zou zeggen dat ik hem wilde vergeten.'

'Bepaalt u maar een andere datum voor me en ik stap op. Morgen of overmorgen?'

'Nee, nee. Wat is in feite belangrijker? Uncle Remus of naar de gebeden luisteren die voor die arme Davis worden uitgesproken? Waar is Carson eigenlijk begraven?'

'In zijn geboorteplaats. Een klein stadje in de buurt van Kimberley. Ik denk dat u wel verbaasd zult zijn als ik u vertel dat ik erbij aanwezig ben geweest.'

'Welnee, het lijkt me dat u de begrafenisgangers moest observeren om te zien wie het waren.'

'Iemand – u heeft gelijk – moest erheen voor observatie. Maar ik besloot zelf te gaan.'

'Niet kapitein Van Donck?'

'Nee. Die zou te gemakkelijk herkend zijn.'

'Ik snap maar niet wat ze met die dossiers uitspoken.'

'Deze Davis – heeft de man toch niet zoveel voor u betekend misschien?' vroeg Muller.

'Niet zoveel als Carson. Die uw mensen gedood hebben. Maar mijn zoon was dol op hem.'

'Carson is aan longontsteking gestorven.'

'Ja. Natuurlijk. Dat vertelde u me al. Ook dat was ik vergeten.'

Toen de dossiers uiteindelijk kwamen, nam Castle ze door om Mullers vragen te beantwoorden, maar zijn hoofd was er maar half bij. 'We hebben daarover nog geen betrouwbare informatie,' hoorde hij zichzelf voor de derde keer zeggen. Natuurlijk was het een doelbewuste leugen – hij beschermde een informatiebron voor Muller – want ze begonnen op gevaarlijk terrein te komen, samenwerkend in een zekere mate van non-coöperatie die nog door geen van beiden was bepaald.

Hij vroeg Muller: 'Is Uncle Remus werkelijk uitvoerbaar? Ik kan niet geloven dat de Amerikanen ooit nog bij zoiets betrokken zullen raken – ik bedoel met troepen in een vreemd werelddeel. Ze zijn even onbekend met Afrika als ze met Azië waren – behalve natuurlijk wat hun door schrijvers zoals Hemingway is verteld. Die ging dan een maand lang op safari, georganiseerd door een reisbureau, en schreef over blanke jagers en het jagen op leeuwen – van die armzalige half uitgehongerde beesten die voor de toeristen zijn gereserveerd.'

'Het ideaal dat Uncle Remus beoogt,' zei Muller, 'maakt het gebruik van troepen bijna overbodig. In elk geval wat grote aantallen betreft. Een paar technici natuurlijk, maar die hebben we al. Amerika beheert een volgstation voor geleide projectielen en een volgstation voor ruimtevaartuigen in de Republiek, en ze hebben overvluchtrechten om deze stations te beschermen – dat zult u stellig allemaal weten. Er zijn geen protesten gekomen, er zijn geen demonstraties geweest. Er hebben zich geen studentenoproeren voorgedaan in Berkeley, er zijn geen vragen gesteld in het Congres. Onze interne beveiliging is tot dusver voortreffelijk gebleken. U ziet, onze rassenwetten hebben in zeker opzicht hun nut wel bewezen: ze blijken een voortreffelijke dekmantel te zijn. We hoeven niet iedereen van spionage te beschuldigen – dat zou alleen maar de aandacht trekken. Uw vriend Carson was gevaarlijk – maar hij zou gevaarlijker geweest zijn als we hem voor spionage hadden moeten berechten. Er is nu een hoop gaande bij de volgstations – daarom willen we een hechte samenwerking met jullie hebben. Jullie kunnen iedere bedreiging aanwijzen en wij kunnen er geruisloos mee afrekenen. In bepaalde opzichten hebben jullie een veel gunstigere positie om de liberale elementen, of zelfs de zwarte nationalisten, te penetreren dan wij. Ik geef u een voorbeeld. Ik ben dankbaar voor jullie inlichtingen over Mark Ngambo – we wisten het natuurlijk al. Maar nu kunnen we er gerust op zijn dat ons niets belangrijks is ontgaan. Er dreigt geen gevaar meer uit die hoek – voorlopig althans. De komende vijf jaar, ziet u, zijn van vitaal belang – ik bedoel voor ons voortbestaan.'

'Maar ik vraag me af, Muller – kunnen jullie voortbestaan? Jullie hebben een lange open grens – te lang voor mijnenvelden.'

'Van de ouderwetse soort, ja,' zei Muller. 'Het is voor ons maar goed dat de atoombom vanwege de waterstofbom alleen nog als een tactisch wapen wordt beschouwd. Tactisch is een geruststellend woord. Niemand zal een kernoorlog beginnen omdat er een tactisch wapen is gebruikt in bijna een woestijngebied aan het andere eind van de wereld.'

'Maar de uitstraling dan?'

'We boffen met de windrichtingen en de woestijnen die we hebben. Bovendien, de tactische bom is redelijk schoon. Schoner dan de bom op

Hiroshima en we weten hoe beperkt de uitwerking daarvan was. In de gebieden die dan misschien voor een paar jaar radioactief zijn, wonen maar weinig blanke Afrikanen. We zijn van plan elke aanval van buitenaf te kanaliseren.'

'Ik begin er een beeld van te krijgen,' zei Castle. Hij dacht aan Sam, zoals hij aan hem had gedacht toen hij de krantefoto van de droogte had gezien – het uitgespreide lichaam en de gier, maar de gier zou als gevolg van de straling eveneens dood zijn.

'Dat is ook wat ik u wilde geven – een algemeen beeld – het is niet nodig dat we ons met alle details bezighouden – zodat u de informatie die u krijgt naar behoren zult kunnen evalueren. De volgstations zijn op dit moment een zeer gevoelig punt.'

'Net zoals de rassenwetten kunnen ze een veelheid van zonden bedekken?'

'Precies. U en ik hoeven niet langer spelletjes te spelen. Ik weet dat u geïnstrueerd bent om bepaalde dingen voor me te verzwijgen, en ik begrijp dat volkomen. Ik heb precies dezelfde opdrachten gekregen als u. Het enig belangrijke is – we moeten beiden een identiek beeld voor ogen hebben; we zullen aan dezelfde kant strijden, dus moeten we hetzelfde beeld voor ons zien.'

'We zitten in feite in hetzelfde hokje?' zei Castle, als zijn privé-grapje tegen hen allemaal, tegen BOSS, tegen zijn eigen dienst, zelfs tegen Boris.

'Hokje? Ja, dat zou u zo wel kunnen stellen.' Hij keek op zijn horloge. 'Zei u niet dat de begrafenis om elf uur was? Het is nu tien voor elf. U kunt beter opstappen.'

'De begrafenis gaat zonder mij ook wel door. Als er een leven na de dood is, begrijpt Davis het wel, en als het er niet is...'

'Ik ben er heel zeker van dat *dat* er een leven na de dood is,' zei Cornelius Muller.

'O ja? Beangstigt dat idee u niet een beetje?'

'Waarom zou het? Ik heb altijd getracht mijn plicht te doen.'

'Maar die tactische atoomwapentjes van u dan? Denk eens aan al die zwarten die eerder dan u zullen sterven en u daar zullen opwachten.'

'Terroristen,' zei Muller, 'die denk ik niet meer tegen te zullen komen.'

'Ik bedoelde niet de guerrillastrijders. Ik bedoel al die gezinnen in het besmette gebied. Kinderen, meisjes, de oude grootmoedertjes.'

'Ik veronderstel dat die hun eigen soort hemel zullen hebben,' zei Muller.

'Apartheid in de hemel?'

'O, ik weet dat u me uitlacht. Maar ik denk niet dat ons soort hemel hun zou bevallen, of wel? Hoe dan ook, dat laat ik allemaal aan de theologen over. Jullie hebben nu ook niet bepaald de kinderen van Hamburg gespaard, is 't wel?'

'God zij dank dat ik er toen niet aan deelnam zoals nu.'

'Ik vind dat als u niet naar de begrafenis gaat, meneer Castle, we maar door moeten gaan met onze zaken.'

'Het spijt me. U heeft gelijk.' Het speet hem inderdaad; hij was zelfs bang, zoals die ochtend in de kantoren van BOSS in Pretoria. Zeven jaar lang had hij zich met nimmer aflatende omzichtigheid door de mijnenvelden bewogen, en nu met Cornelius Muller was hij voor het eerst misgestapt. Was het mogelijk dat hij in een val was gelopen die was opgezet door iemand die zijn aard kende?

'Natuurlijk,' zei Muller, 'ik weet dat jullie Engelsen graag debatteren om te debatteren. Hemel, zelfs jullie C stak de draak met me over de apartheid, maar als het Uncle Remus betreft... wel, dan zullen u en ik ernstig moeten zijn.'

'Ja, terug naar Uncle Remus.'

'Ik heb toestemming om u te vertellen – in grote lijnen natuurlijk – hoe het in Bonn is verlopen.'

'Heeft u daar moeilijkheden gehad?'

'Geen ernstige. De Duitsers – in tegenstelling met andere ex-koloniale machten – hebben heimelijk een grote sympathie voor ons. Je zou kunnen zeggen dat die teruggaat tot het telegram van de keizer aan president Kruger. Ze zijn bezorgd over Zuidwest-Afrika; ze zouden liever zien dat wij Zuidwest-Afrika beheren dan dat er een vacuüm ontstaat. Tenslotte hebben zij met veel hardere hand over het Zuidwesten geheerst dan wij ooit hebben gedaan, en het Westen heeft ons uranium nodig.'

'Bent u met een overeenkomst teruggekomen?'

'Een overeenkomst is niet de juiste benaming. De tijd van geheime verdragen is voorbij. Ik heb alleen contact gehad met mijn ranggenoot daar, niet met de minister van Buitenlandse Zaken of de kanselier. Op precies dezelfde manier als jullie C met de CIA in Washington heeft gesproken. Wat ik hoop is dat we alle drie tot een duidelijkere verstandhouding zijn gekomen.'

'Een geheime verstandhouding in plaats van een geheim verdrag?'

'Juist.'

'En de Fransen?'

'Die leveren geen moeilijkheden op. Zoals wij calvinistisch zijn, zijn zij cartesiaans. Descartes maakte zich niet druk over de geloofsvervolging van zijn tijd. De Fransen hebben een grote invloed op Senegal, de Ivoorkust, ze hebben zelfs een redelijke verstandhouding met Moboetoe in Kinshasa. Cuba zal zich niet meer serieus in Afrikaanse zaken mengen [daar heeft Amerika voor gezorgd], en Angola zal voor een flink aantal jaren geen bedreiging vormen. Niemand is meer apocalytisch heden ten dage. Zelfs een Rus wil in zijn bed sterven, niet in een bunker. In het ongunstigste geval, door gebruik te maken van een paar atoombommen – kleine tactische bommen natuurlijk – zullen we vijf jaar vrede winnen als we worden aangevallen.'

'En daarna?'

'Dat is het punt waar het om draait in onze verstandhouding met Duitsland. Wat we nodig hebben is een technische revolutie en de modernste mijnbouwmachines, alhoewel we op eigen kracht al veel meer hebben bereikt dan men zich realiseert. Over vijf jaar kunnen we het aantal arbeidskrachten in de mijnen meer dan halveren: dan kunnen we de lonen voor geschoolde arbeiders meer dan verdubbelen en kunnen we beginnen met het creëren van wat ze in Amerika hebben, een zwarte middenstand.'

'En de werkelozen?'

'Die kunnen naar hun thuislanden teruggaan. Daar zijn de thuislanden voor bedoeld. Ik ben een optimist, Castle.'

'En de apartheid blijft?'

'Er zal altijd een zekere apartheid zijn zoals ook hier – tussen de rijken en de armen.'

Cornelius Muller nam zijn bril met gouden montuur af en poetste het goud tot het glom. Hij zei: 'Ik hoop dat uw vrouw haar sjaal leuk vond. U weet dat u altijd welkom bent als u terug wilt komen nu we uw werkelijke positie kennen. Ook met uw gezin natuurlijk. U kunt ervan overtuigd zijn dat ze als blanke ereburgers behandeld zullen worden.'

Castle wilde antwoorden: 'Maar ik ben een zwarte ereburger,' maar deze keer toonde hij enige bedachtzaamheid. 'Dank u.'

Muller deed zijn aktentas open en haalde er een vel papier uit. Hij zei: 'Ik heb een paar aantekeningen voor u gemaakt van mijn gesprekken in Bonn.' Hij haalde een ballpoint te voorschijn – ook al van goud. 'Misschien heeft u wat nuttige informatie ten aanzien van deze punten als ik de volgende keer kom. Komt maandag u gelegen? Dezelfde tijd?' Hij voegde eraan toe: 'Vernietig dat alstublieft als u het heeft gelezen. BOSS zou niet willen dat het zelfs in uw geheimste archief opgeborgen zou worden.'

'Natuurlijk. Zoals u wilt.'

Toen Muller weg was, stopte hij het papier in zijn zak.

2

1

Er waren zeer weinig mensen in de St George in Hanover Square toen dokter Percival daar binnenkwam met Sir John Hargreaves, die pas de avond tevoren uit Washington was teruggekeerd.

Een man met een zwarte band om zijn arm stond alleen in de voorste rij bij het gangpad; vermoedelijk, dacht dokter Percival, was het de tandarts uit Droitwich. Hij weigerde voor wie dan ook plaats te maken – het was alsof hij als naaste familielid zijn recht op de hele voorbank handhaafde. Dokter Percival en C namen plaats bijna achterin de kerk. Davis' secretaresse, Cynthia, zat twee rijen achter hen. Kolonel Daintry zat naast Watson aan de andere kant van het gangpad, en er waren een aantal gezichten die dokter Percival maar half bekend voorkwamen. Hij had ze misschien eens vluchtig gezien in een gang of op een vergadering met MI5, misschien waren er zelfs indringers – een begrafenis trekt net als een bruiloft vreemdelingen aan. Twee slordige mannen op de achterste rij waren bijna zeker Davis' medebewoners van het departement van milieubeheer. Er begon iemand zacht op het orgel te spelen.

Dokter Percival fluisterde tegen Hargreaves: 'Heb je een voorspoedige vliegreis gehad?'

'Drie uur te laat op Heathrow,' zei Hargreaves. 'Het voedsel was oneetbaar.' Hij zuchtte – misschien dacht hij met smart aan zijn vrouws steak-and-kidney pie, of aan de gerookte forel op zijn club. Het orgel blies een laatste noot uit en zweeg stil. Enkele mensen knielden en enkele stonden op. Er heerste onzekerheid over wat er verder moest gebeuren.

De predikant, die waarschijnlijk aan niemand daar bekend was, zelfs niet aan de dode man in de kist, reciteerde 'Neem Uw plaag van mij weg; ik word zelfs verteerd door middel van Uw zware hand.'

'Welke plaag was het die Davis gedood heeft, Emmanuel?'

'Maak je geen zorgen, John. De autopsie was geheel in orde.'

De dienst scheen dokter Percival, die in vele jaren geen begrafenis had bijgewoond, vol irrelevante informatie toe. De predikant was begonnen voor te lezen uit de eerste brief aan de Corinthiërs: 'Alle vlees is niet hetzelfde, maar dat van mensen is anders dan dat van beesten, en het vlees van vogels weer anders dan dat van vissen.' De uitspraak was ontegenzeglijk juist, dacht dokter Percival. De doodkist bevatte niet een vis; hij zou meer geïnteresseerd zijn geweest als dat wel het geval was

– een enorme forel bijvoorbeeld. Hij wierp een snelle blik om zich heen. Achter de wimpers van het meisje zat een traan gevangen. Kolonel Daintry had een boze of anders knorrige uitdrukking op zijn gezicht, wat misschien niet veel goeds voorspelde. Ook Watson werd duidelijk ergens door gekweld – waarschijnlijk zat hij te piekeren wie hij tot Davis' functie moest bevorderen. 'Ik wil je na de kerkdienst even spreken,' zei Hargreaves, en ook dat zou wel eens vervelend kunnen zijn.

'Zie, ik deel u een geheimenis mede,' las de predikant. De geheimenis of ik al of niet de juiste man heb gedood? vroeg dokter Percival zich af, maar dat zal wel nooit opgelost worden tenzij de lekken doorgaan – dat zou er zeker op wijzen dat hij een ongelukkige vergissing had begaan. C zou zeer ontsteld zijn en Daintry eveneens. Het was jammer dat men een mens niet in de rivier van het leven kon terugwerpen zoals men een vis kon terugwerpen. De stem van de predikant, die aangezwollen was ter begroeting van een vertrouwde passage uit de Engelse literatuur, 'O Dood, waar is uw prikkel?' zoals een slechte acteur in de rol van Hamlet de beroemde alleenspraak uit haar context rukt, verviel weer tot een dreun bij de droge academische conclusie: 'De prikkel des doods is de zonde, en de kracht der zonde is de wet.' Het klonk als een stelling van Euclides.

'Wat zei je?' fluisterde C.

'Q.E.D.,' antwoordde dokter Percival.

2

'Wat bedoelde je daarnet eigenlijk met Q.E.D.?' vroeg Sir John Hargreaves toen ze erin geslaagd waren om buiten te komen.

'Het leek me een passender respons op wat de predikant zei dan Amen.'

Ze liepen daarna in een nagenoeg stilzwijgen naar de Travellers Club. In onuitgesproken eensgezindheid scheen de Travellers hun een passender gelegenheid toe om die dag de lunch te gebruiken dan de Reform – Davis was een erereiziger geworden vanwege zijn reis naar onbekende regionen en hij had stellig zijn aanspraak op algemeen stemrecht verloren.

'Ik kan me niet herinneren wanneer ik voor het laatst een begrafenis heb bijgewoond,' zei dokter Percival. 'Een oude oudtante, geloof ik, meer dan vijftien jaar geleden. Een nogal stijve ceremonie, nietwaar?'

'Vroeger in Afrika genoot ik van begrafenissen. Een hoop muziek – zelfs al waren de enige instrumenten potten en pannen en lege sardineblikjes. Ze gaven je het idee dat de dood toch wel eens een vrolijke boel zou kunnen zijn. Wie was dat meisje dat ik zag huilen?'

'Davis' secretaresse. Haar naam is Cynthia. Hij was blijkbaar verliefd op haar.'

'Dat komt vaak voor, lijkt me. Het is onvermijdelijk in een organisatie zoals de onze. Daintry heeft haar toch grondig gecheckt, neem ik aan?'

'O ja, zeker. In feite heeft ze ons – volkomen onbewust – enige nuttige informatie verstrekt – je weet wel, met dat voorval in de dierentuin.'

'De dierentuin?'

'Toen Davis...'

'O ja, nu weet ik het weer.'

Zoals meestal in het weekend was de club bijna leeg. Ze hadden hun lunch willen beginnen – het was een bijna automatische reflex – met gerookte forel, maar het gerecht was niet verkrijgbaar. Daarvoor in de plaats nam dokter Percival met tegenzin genoegen met gerookte zalm. Hij zei: 'Ik wou dat ik Davis beter had gekend. Misschien zou ik hem wel erg sympathiek zijn gaan vinden.'

'En toch geloof je nog steeds dat hij het lek was?'

'Hij heeft de rol van een wat simpele man zeer slim gespeeld. Ik bewonder slimheid – en moed eveneens. Hij zal veel moed nodig gehad hebben.'

'Voor een verkeerd streven.'

'John, John! Jij en ik zijn toch werkelijk niet in de positie om over streven te praten. We zijn geen kruisvaarders – we zitten in een andere eeuw. Saladin is reeds lang geleden uit Jeruzalem verdreven. Niet dat Jeruzalem daar veel mee gewonnen heeft.'

'Hoe het ook zij, Emmanuel... ik kan voor verraad geen bewondering opbrengen.'

'Dertig jaar geleden toen ik student was, zag ik mezelf graag als een soort communist. En nu...? Wie is de verrader – ik of Davis? Ik geloofde werkelijk in internationalisme, en nu strijd ik een ondergrondse strijd voor het nationalisme.'

'Je bent volwassen geworden, Emmanuel, dat is alles. Wat wil je drinken – bordeaux of bourgogne?'

'Bordeaux, als het jou hetzelfde is.'

Sir John Hargreaves dook weg in zijn stoel en verdiepte zich volledig in de wijnkaart. Hij keek bedrukt – misschien alleen omdat hij geen keus kon maken tussen St.-Emilion en Médoc. Tenslotte nam hij een besluit en bestelde. 'Ik vraag me soms af wat je bij ons doet, Emmanuel.'

'Je zei het daarnet al, ik ben volwassen geworden. Ik geloof niet dat het communisme – op den duur – ook maar iets beter zal werken dan het christendom, en ik ben niet het kruisvaarderstype. Kapitalisme of communisme? Misschien is God wel een kapitalist. Ik wil aan de kant staan die tijdens mijn leven de meeste kans heeft om te winnen. Kijk niet zo geschokt, John. Je denkt dat ik een cynicus ben, maar ik wil gewoon niet een hoop tijd verspillen. De winnende kant zal in staat zijn om betere ziekenhuizen te bouwen en meer aan kankeronderzoek te besteden – als al die atoom-onzin voorbij is. Voor het zover is, heb ik plezier in het spel dat we met z'n allen spelen. Alleen maar plezier. Ik pretendeer niet met God of Marx te dwepen. Hoed je voor mensen die een geloof hebben. Het zijn geen betrouwbare spelers. Evengoed zal men een goede speler aan de andere kant van het schaakbord leren waarderen – het maakt het spel alleen maar leuker.'

'Zelfs als het een verrader is?'

'Ach, verrader – dat is een ouderwets woord, John. De speler is even belangrijk als het spel. Ik zou geen plezier hebben in het spel met een slechte speler tegenover me aan tafel.'

'En toch... heb je Davis gedood? Of niet?'

'Hij is aan een leverkwaal gestorven, John. Lees het sectierapport maar.'

'Een gelukkige coïncidentie?'

'De gemerkte kaart – het was jouw idee – kwam voor de dag, snap je – de oudste truc die er bestaat. Alleen hij en ik kenden mijn fantasietje over Porton.'

'Je had behoren te wachten tot ik terug was. Heb je het met Daintry besproken?'

'Je had mij de leiding gegeven, John. Als je de vis aan de lijn voelt, ga je niet aan de kant staan wachten tot iemand je adviseert wat je moet doen.'

'Deze château talbot – vind jij hem wel helemaal zoals hij behoort te zijn?'

'Hij is voortreffelijk.'

'Ik denk dat ze in Washington mijn smaak bedorven hebben. Al die dry Martini's.' Hij proefde zijn wijn opnieuw. 'Of anders is het jouw schuld. Maak jij je nou nooit ergens zorgen over, Emmanuel?'

'Wel, ja, ik maak me een beetje zorgen over de rouwdienst – je zal wel opgemerkt hebben dat er zelfs orgel werd gespeeld, en dan is er ook nog de teraardebestelling. Dat zal allemaal een hoop geld kosten, en ik vermoed niet dat Davis veel ping-ping heeft nagelaten. Denk je dat die arme duvel van een tandarts dat allemaal heeft betaald – of hebben onze vrienden uit het oosten dat gedaan? Dat vind ik niet helemaal zoals het hoort.'

'Maak je daar maar geen zorgen over, Emmanuel. De dienst betaalt. Wij hoeven geen rekenschap af te leggen van onze geheime fondsen.' Hargreaves schoof zijn glas opzij. Hij zei: 'Deze talbot smaakt toch niet als een '71-er.'

'Ik was zelf verrast, John, door Davis' snelle reactie. Ik heb zijn gewicht precies berekend en hem een dosis gegeven waarvan ik dacht dat die net niet dodelijk was. Zie je, aflatoxine is nooit eerder op een menselijk wezen getest, en ik wilde er zeker van zijn dat we in een plotseling noodgeval de juiste dosis konden geven. Misschien was zijn lever er toch al slecht aan toe.'

'Hoe heb je het hem toegediend?'

'Ik kwam langs om een borrel met hem te drinken en hij gaf me een of andere afschuwelijke whisky die hij White Walker noemde. De smaak was sterk genoeg om de aflatoxine te verdoezelen.'

'Ik kan alleen maar hopen en bidden dat je de goede vis te pakken hebt,' zei Sir John Hargreaves.

3

Daintry liep somber St James's Street in, en toen hij White passeerde op weg naar zijn flat riep een stem naar hem vanaf het bordes. Hij keek op uit de goot waar zijn gedachten hadden gelegen. Hij herkende het gezicht, maar hij kon er op dat moment geen naam aan verbinden, of zich zelfs maar herinneren in welke omstandigheden hij het eerder had gezien. Boffin kwam bij hem op. Buffer?

'Heb je nog wat Maltesers voor me, ouwe heer?'

Toen kwam de situatie van hun ontmoeting hem weer voor de geest, gepaard met een gevoel van verwarring.

'Hoe denkt u over een stukje eten, kolonel?'

Buffy was de belachelijke naam. Natuurlijk, de kerel zou zeker nog een andere bezitten, maar Daintry had hem nooit te horen gekregen. Hij zei: 'Het spijt me. Er wacht thuis al een lunch op me.' Dit was niet helemaal onwaar. Hij had een blikje sardines opengemaakt voor hij naar Hanover Square ging, en er was nog wat brood en kaas over van de lunch van gisteren.

'Kom, laten we dan wat drinken. Maaltijden thuis kunnen altijd wachten,' zei Buffy, en Daintry kon geen excuus bedenken om niet met hem mee naar binnen te gaan.

Daar het nog vroeg was, zaten er maar twee mensen in de bar. Ze schenen Buffy een tikkeltje te goed te kennen, want ze begroetten hem zonder enthousiasme. Het scheen Buffy niet te kunnen schelen. Hij wuifde naar hem met een wijd gebaar waarin hij ook de barbediende betrok. 'Dit is de kolonel.' Beiden bromden iets tegen Daintry met matte beleefdheid. 'Uw naam ben ik nooit te weten gekomen,' zei Buffy, 'op die jachtpartij.'

'Ik ben de uwe ook nooit te weten gekomen.'

'We hebben elkaar ontmoet,' legde Buffy uit, 'bij Hargreaves thuis. De kolonel is er zo eentje die achter de schermen werkt. James Bond enzovoorts.'

Een van de twee zei: 'Ik heb die boeken van Ian nooit kunnen lezen.'

'Mij te sexy,' zei de ander. 'Overdreven. Ik houd van een goed nummer net als iedereen, maar het is toch allemaal niet zo belangrijk, wel? Niet de manier waarop je het doet, bedoel ik.'

'Wat wilt u drinken?' vroeg Buffy.

'Een dry Martini,' zei kolonel Daintry, en, terugdenkend aan zijn ontmoeting met dokter Percival, voegde hij eraan toe: 'Zeer dry.'

'Een grote, zeer dry, Joe, en een grote medium. Echt groot, ouwe jongen. Niet gierig zijn.'

Er viel een diepe stilte over de kleine bar alsof ieder van hen aan iets anders dacht – aan een roman van Ian Fleming, aan een jachtpartij, of een begrafenis. Buffy zei: 'De kolonel en ik hebben een bepaalde smaak gemeen – Maltesers.'

Een van de mannen ontwaakte uit zijn eigen gedachtenwereld en zei: 'Maltesers? Ik heb liever Smarties.'

'Wat zijn dat in 's hemelsnaam, Smarties, Dicky?'

'Kleine chocoladeballetjes met allemaal verschillende kleuren. Ze smaken praktisch hetzelfde, maar, ik weet niet waarom, de rode en de gele vind ik het lekkerste. De paarse daar houd ik niet van.'

Buffy zei: 'Ik zag u aankomen op straat, kolonel. U scheen een heel gesprek met uzelf te voeren, als ik zo vrij mag zijn dat te zeggen. Staatsgeheimen? Waar was u naar op weg?'

'Gewoon naar huis,' zei Daintry. 'Ik woon hier vlakbij.'

'U zag er wat je noemt afgeknapt uit. Ik dacht bij mezelf, het land moet wel in ernstige moeilijkheden verkeren. De jongens achter de schermen weten meer dan wij.'

'Ik kom van een begrafenis.'

'Niet iemand van uw naasten, hoop ik?'

'Nee. Iemand van kantoor.'

'Nou ja, een begrafenis is naar mijn idee altijd nog beter dan een bruiloft. Ik kan bruiloften niet uitstaan. Een begrafenis is definitief. Een bruiloft – ach, dat is alleen maar een betreurenswaardige overgangsfase naar iets anders. Een echtscheiding is meer iets om te vieren – maar ja, dat is ook vaak een overgangsfase, naar weer een ander huwelijk. De mensen kunnen het gewoon niet laten.'

'Schei uit, Buffy,' zei Dicky, de man die van Smarties hield, 'je hebt er zelf ook wel eens over gedacht. Van dat huwelijksbureau van jou weten we alles af. Je hebt verdomd veel geluk gehad dat je eraan ontsnapt bent.'

Joe, geef de kolonel nog een Martini.'

Daintry, zich verloren voelend tussen deze vreemden, dronk zijn eerste glas leeg. Hij zei, als een man die een zin uit een reiswoordenboek opzegt in een taal die hij niet kent: 'Ik ben ook op een bruiloft geweest. Onlangs nog.'

'Ook iets achter de schermen? Ik bedoel, een van jullie mensen?'

'Nee. Het was mijn dochter. Die trouwde toen.'

'Allemachtig,' zei Buffy, 'ik had nooit gedacht dat u ook een van die – ik bedoel, een van die gehuwde types was.'

'Dat hoeft het niet noodzakelijkerwijs te betekenen,' zei Dicky.

De derde man, die tot op dat moment nauwelijks had gesproken, zei: 'Je hoeft niet zo verduveld superieur te doen, Buffy. Ik heb er ook eens toe behoord, al lijkt het vreselijk lang geleden. Een feit is dat Dicky door mijn vrouw Smarties heeft leren kennen. Herinner je je die middag nog, Dicky? We hadden een nogal sombere lunch gehad, omdat we ergens wel wisten dat het tussen ons afgelopen was. Toen zei ze: "Smarties," zomaar ineens, "Smarties"... Ik weet niet waarom. Ik vermoed dat ze dacht dat we toch ergens over moesten praten. Ze vond het altijd erg belangrijk om de schijn op te houden.'

'Ik kan niet zeggen dat ik het nog weet, Willie. Ik heb het idee dat ik Smarties bijna mijn hele leven gekend heb. Dacht eigenlijk dat ik ze zelf had ontdekt. Geef de kolonel nog een dry, Joe.'

'Nee, als u het niet erg vindt... ik moet echt naar huis.'

'Het is mijn beurt,' zei de man die Dicky heette. 'Schenk zijn glas bij, Joe. Hij komt van een begrafenis. Hij moet een beetje opgevrolijkt worden.'

'Ik was al heel jong aan begrafenissen gewend,' zei Daintry tot zijn eigen verbazing nadat hij een slok van zijn derde dry Martini had genomen. Hij realiseerde zich dat hij vrijer praatte dan hij gewoonlijk met vreemden deed en bijna de hele wereld bestond voor hem uit vreemden. Hij had zelf graag een rondje willen geven, maar het was nu eenmaal hun club. Hij voelde zich zeer vriendschappelijk jegens hen, maar hij bleef – daar was hij zeker van – toch een vreemde in hun ogen. Hij wilde hun belangstelling wekken, maar er waren zoveel onderwerpen taboe voor hem.

'Hoezo? Waren er dan veel sterfgevallen in uw familie?' vroeg Dicky met alcoholische nieuwsgierigheid.

'Nee, dat nu niet direct,' zei Daintry, terwijl zijn verlegenheid weggespoeld werd door zijn derde Martini. Om de een of andere reden herinnerde hij zich een provinciestationnetje waar hij meer dan dertig jaar geleden met zijn peloton was aangekomen – de borden die de plaatsnaam aangaven waren na Duinkerken allemaal weggehaald tegen een eventuele Duitse invasie. Het was alsof hij zich opnieuw van een zware bepakking ontdeed, die hij met veel kabaal op de vloer van White liet vallen. 'Ziet u,' zei hij, 'mijn vader was een geestelijke, vandaar dat ik als kind naar een hoop begrafenissen ben geweest.'

'Dat had ik nooit kunnen raden,' zei Buffy. 'Dacht dat u uit een militaire familie stamde – de zoon van een generaal, het oude regiment, en dat soort flauwekul. Joe, mijn glas schreeuwt om ingeschonken te worden. Maar natuurlijk, nu ik eraan denk, het feit dat uw vader geestelijke was, verklaart een heleboel.'

'Wat verklaart dat dan?' vroeg Dicky. Om de een of andere reden leek hij geërgerd en in de stemming om alles te betwisten. 'De Maltesers?'

'Nee, niet de Maltesers, dat is een ander verhaal. Daar kan ik nu niet op ingaan. Het zou te lang duren. Wat ik bedoel is dat de kolonel tot de jongens achter de schermen behoort, en in zekere zin is dat ook het geval met een geestelijke, nu ik eraan denk... Je weet wel, het biechtgeheim enzo, dat speelt zich ook allemaal achter de schermen af.'

'Mijn vader was niet rooms-katholiek. Hij behoorde zelfs niet tot de High Church. Hij was vlootaalmoezenier. In de eerste oorlog.'

'De eerste oorlog,' zei de gemelijke man genaamd Willie die eens getrouwd was geweest, 'was die tussen Kaïn en Abel.' Zijn opmerking klonk kortaf alsof hij een eind wilde maken aan een overbodige conversatie.

'Willies vader was ook een geestelijke,' legde Buffy uit. 'Een hoge piet. Een bisschop tegen een vlootaalmoezenier. Afgetroefd.'

'Mijn vader heeft de Slag om Jutland meegemaakt,' vertelde Daintry hun. Hij had niet de bedoeling iemand uit te dagen door Jutland tegenover een bisdom te stellen. Het was gewoon weer een herinnering die bij hem opkwam.

'Als non-combattant dan natuurlijk. Dat telt toch nauwelijks, wel?' zei Buffy. 'Het haalt niet bij Kaïn en Abel.'

'Zo oud ziet u er anders nog niet uit,' zei Dicky. Hij sprak met iets van achterdocht in zijn stem, nippend van zijn glas.

'Mijn vader was toen nog niet getrouwd. Hij trouwde mijn moeder na de oorlog. In de twintiger jaren.' Daintry besefte dat de conversatie belachelijk begon te worden. De gin werkte als een waarheidsserum. Hij wist dat hij te veel praatte.

'Hij is dus met uw moeder getrouwd?' vroeg Dicky scherp alsof hij een verhoor afnam.

'Natuurlijk is hij met haar getrouwd. In de twintiger jaren.'

'Ze leeft nog?'

'Ze zijn beiden al heel lang dood. Ik moet nu echt naar huis. Anders is mijn eten niet meer smakelijk,' voegde Daintry eraan toe, denkend aan de sardines die op een bord lagen uit te drogen. Het gevoel onder hem welgezinde vreemden te zijn, verdween. De conversatie dreigde pijnlijk te worden.

'Maar heeft dit allemaal met een begrafenis te maken? Wat voor begrafenis eigenlijk?'

'Stoort u zich maar niet aan Dicky,' zei Buffy. 'Hij houdt van ondervragen. Hij heeft tijdens de oorlog bij MI5 gezeten. Nog een gin voor iedereen, Joe. Hij heeft het toch al verteld, Dicky. Het was een arme sloeber van kantoor.'

'En heeft u hem naar behoren naar zijn graf begeleid?'

'Nee, nee. Ik ben alleen naar de rouwdienst geweest. Op Hanover Square.'

'Dat moet de St George zijn,' zei de zoon van de bisschop. Hij hield Joe zijn glas voor alsof het een Avondmaalskelk was.

Het duurde een aardig tijdje voor Daintry zich uit de bar van White los kon maken. Buffy begeleidde hem zelfs helemaal tot de stoep. Er kwam een taxi voorbij. 'Ziet u nu wat ik bedoel?' zei Buffy. 'Bussen in St James's Street. Niemand is meer veilig.' Daintry had geen flauw idee wat hij bedoelde. Terwijl hij de straat uitliep naar het paleis besefte hij dat hij meer had gedronken dan hij in jaren had gedaan op dit uur van de dag. Het waren aardige kerels, maar hij moest voorzichtig zijn. Hij had veel te veel gepraat. Over zijn vader, zijn moeder. Hij liep langs Lock's hoedenwinkel; langs Overtons Restaurant; op de hoek van Pall Mall bleef hij staan. Hij was zijn doel voorbijgeschoten – dat had hij nog op tijd gemerkt. Hij draaide zich resoluut om en keerde op zijn schreden terug naar de deur van de flat waar zijn lunch op hem wachtte.

Er was inderdaad nog kaas en brood, en het blikje sardines bleek hij achteraf toch niet opengemaakt te hebben. Hij was niet erg handig en het lipje brak af toen hij het blik nog maar voor een derde open had. Toch lukte het hem de helft van de sardines in stukjes en brokjes met een vork eruit te peuteren. Hij had geen honger – het was genoeg. Hij aarzelde of hij nog iets zou drinken na die dry Martini's en besloot toen tot een flesje Tuborg.

Zijn lunch nam minder dan vier minuten in beslag, maar het scheen hem een behoorlijk lange tijd toe vanwege de gedachten die hij had. Zijn gedachten waren onvast als die van een dronkeman. Hij dacht eerst aan dokter Percival en Sir John Hargreaves zoals ze na de dienst voor hem uit op straat hadden gelopen, met gebogen hoofd, als samenzweerders. Daarna dacht hij aan Davis. Niet dat hij ook maar enige persoonlijke sympathie voor Davis voelde, maar zijn dood zat hem dwars. Hij zei hardop tegen de enige getuige, en dat was toevallig een sardinestaartje dat aan zijn vork geprikt zat: 'Een jury zou iemand nooit schuldig verklaren op grond van die bewijzen.' Schuldig? Hij had geen enkel bewijs dat Davis niet, zoals de autopsie uitwees, een natuurlijke dood was gestorven – levercirrose was wat men een natuurlijke dood noemde. Hij probeerde zich te herinneren wat dokter Percival die avond van de jachtpartij tegen hem had gezegd.

Hij had die avond te veel gedronken, zoals hij ook vanmorgen had gedaan, omdat hij zich niet op zijn gemak voelde met mensen die hij niet begreep, en Percival was ongenodigd op zijn kamer gekomen en had over een schilder genaamd Nicholson gepraat.

Daintry at niet van de kaas; hij bracht hem samen met het vettige bord naar de keuken – of kitchenette zoals het tegenwoordig zou worden genoemd – er was maar ruimte voor één persoon tegelijk. Hij herinnerde zich de kolossale ruimtes van de souterrain-keuken in die obscure pastorie in Suffolk waar zijn vader na de Slag om Jutland was beland, en hij herinnerde zich Buffy's loze woorden over het biechten. Zijn vader had de biecht nooit goedgekeurd noch de biechtstoel die door een celibatair van de High Church in de aangrenzende parochie was ingesteld. Bekentenissen bereikten hem, zo ze hem al bereikten, uit de tweede hand, want mensen biechtten soms wel bij zijn moeder, die zeer geliefd was in het dorp, en hij had haar deze bekentenissen in bedekte termen aan zijn vader horen overbrengen, van alle grofheden, boosaardigheden of wreedheden ontdaan. 'Ik vind dat je eigenlijk wel moet weten wat mevrouw Baines me gisteren vertelde.'

Daintry sprak hardop – het was een gewoonte waar hij zich steeds vaker aan overgaf – tegen de gootsteen: 'Er waren *geen* echte bewijzen tegen Davis.' Hij voelde zich schuldig omdat hij had gefaald – een man, ver in de middelbare leeftijd, die zich over niet al te lange tijd zou terugtrekken – terugtrekken uit wat? Hij zou de ene eenzaamheid voor de andere verwisselen. Hij wilde naar de pastorie in Suffolk terug. Hij wilde het lange met onkruid begroeide pad oplopen tussen de laurierstruiken die nooit bloeiden, en de voordeur binnenstappen. Alleen de hal was al groter dan zijn hele flat. Links hing een aantal hoeden aan een kapstok en rechts stond een koperen granaathuls met paraplu's. Hij liep de hal door, en toen hij heel zacht de kamerdeur opendeed, verraste hij zijn ouders terwijl ze hand in hand op de sitsen sofa zaten omdat ze alleen dachten te zijn. 'Zal ik mijn ontslag nemen,' vroeg hij hun, 'of op mijn pensionering wachten?' Hij wist heel goed dat het antwoord van hen beiden 'Nee' zou zijn – van zijn vader omdat deze de kapitein van zijn kruiser iets van het goddelijke recht van koningen had toegeschreven – zijn zoon kon onmogelijk beter weten dan zijn opperbevelhebber wat de juiste handelwijze was – en van zijn moeder – ach, als een meisje in het dorp moeilijkheden had met haar werkgever zei ze altijd: 'Wees niet onbezonnen. Het valt niet mee om een andere baan te vinden.' Zijn vader, de ex-vlootaalmoezenier, die in zijn kapitein en zijn God geloofde, zou hem het christelijke antwoord hebben gegeven, en zijn moeder zou hem het praktische en wereldse antwoord hebben gegeven. Als hij nu zijn ontslag zou nemen, had hij toch even weinig kans om een andere baan te vinden als een dienstbode in het dorpje waar ze hadden gewoond?

Kolonel Daintry ging naar zijn zitkamer terug, de vette vork vergetend die hij nog in zijn hand had. Voor het eerst sinds jaren had hij zijn dochters telefoonnummer – ze had het hem na haar huwelijk op een gedrukt kaartje toegestuurd. Het was zijn enige verbinding met haar dagelijks leven. Misschien was het mogelijk, dacht hij, om zichzelf op het eten uit te nodigen. Hij zou het niet met zoveel woorden opperen, maar als ze het aanbood...

De stem aan de andere kant van de lijn herkende hij niet. Hij zei: 'Spreek ik met 6731075?'

'Ja. Wie moet u hebben?' Het was een man die sprak – een vreemde.

Hij raakte in de war en was zijn geheugen voor namen kwijt. Hij antwoordde: 'Mevrouw Clutter.'

'Dan bent u verkeerd verbonden.'

'Neem me niet kwalijk.' Hij hing op. Natuurlijk had hij moeten zeggen: 'Ik bedoel mevrouw Clough,' maar het was nu te laat. De vreemde, veronderstelde hij, was zijn schoonzoon.

4

'Vond je het vervelend,' vroeg Sarah, 'dat ik er niet naar toe kon?'

'Nee, natuurlijk niet. Ik kon zelf ook niet – ik had een afspraak met Muller.'

'Ik was bang dat ik niet op tijd thuis zou zijn als Sam uit school kwam. Dan zou hij me gevraagd hebben waar ik was geweest.'

'Het zal hem toch een keer verteld moeten worden.'

'Ja, maar daar is nog tijd genoeg voor. Waren er veel mensen aanwezig?'

'Niet veel, vertelde Cynthia. Watson natuurlijk, als hoofd van de afdeling. Dokter Percival. C. Het was keurig van C om er heen te gaan. Davis was niet wat je noemt een belangrijk persoon in de firma. En zijn neef was er – Cynthia dacht dat het zijn neef was omdat hij een zwarte band droeg.'

'Wat gebeurde er na de dienst?'

'Dat weet ik niet.'

'Ik bedoel – met het lichaam.'

'O, ik denk dat ze het naar Golders Green hebben gebracht om te worden verbrand. Dat werd aan de familie overgelaten.'

'Die neef?'

'Ja.'

'Vroeger in Afrika hadden we betere begrafenissen,' zei Sarah.

'Ach ja... andere landen, andere gewoonten.'

'Jullie land heet een oudere beschaving te hebben.'

'Ja, maar oude beschavingen blinken niet altijd uit door diepgaande gevoelens ten aanzien van de dood. We zijn niet erger dan de Romeinen.'

Castle dronk zijn whisky uit. Hij zei: 'Ik ga naar boven om Sam vijf minuten voor te lezen – anders denkt hij misschien dat er iets aan de hand is.'

'Zweer me dat je niets tegen hem zal zeggen,' zei Sarah.

'Vertrouw je me dan niet?'

'Natuurlijk vertrouw ik je, maar...' Het 'maar' achtervolgde hem op de trap. Hij had lange tijd met 'maars' moeten leven – we vertrouwen u, maar... Daintry die in zijn aktentas keek, de onbekende in Watford, die de opdracht had te controleren of hij alleen naar het rendez-vous was gekomen dat hij met Boris had. Zelfs Boris. Hij dacht: is het mogelijk dat het leven op een dag zo simpel als de kindertijd zal zijn, dat het met het ge-maar afgelopen zal zijn, dat ik door iedereen als vanzelfsprekend zal worden vertrouwd, zoals Sarah me vertrouwt – en Sam?

Sam lag op hem te wachten, zijn gezicht zwart tegen het schone kussensloop. De lakens moesten die dag verschoond zijn, waardoor het contrast nog sterker was, als een reclame voor Black and White-whisky. 'Hoe gaat het ermee?' vroeg hij omdat hij niets anders wist te zeggen, maar Sam gaf geen antwoord – hij had ook zijn geheimen.

'Hoe ging het op school?'

'Het ging best.'

'Wat voor lessen heb je vandaag gehad?'

'Rekenen.'

'Hoe ging dat?'

'Best.'

'En verder?'

'Opstel.'

'En lukte dat een beetje?'

'Best.'

Castle wist dat het bijna zover was dat hij zijn kind voor altijd zou verliezen. Ieder 'best' viel op het trommelvlies als het geluid van verre explosies die de bruggen tussen hen vernietigden. Als hij Sam zou vragen: 'Vertrouw je me niet?' zou hij misschien antwoorden: 'Jawel, maar...'

'Zal ik je voorlezen?'
'Ja, graag.'
'Wat vind je leuk?'
'Dat boek over die tuin.'
Castle wist even niet waar hij het over had. Hij keek langs de plank met stukgelezen boeken die bij elkaar werden gehouden door twee porseleinen honden die wat van Buller weg hadden. Sommige van die boeken waren nog uit zijn eigen kleutertijd: de andere waren bijna allemaal door hem zelf uitgezocht, daar Sarah pas laat met boeken in aanraking was gekomen en de boeken die ze kende waren allemaal voor volwassenen. Hij pakte een boek met gedichtjes van de plank dat hij vanaf zijn kindertijd had gekoesterd. Er was geen bloedband tussen Sam en hem, geen enkele waarborg dat hun smaak overeen zou komen, maar hij had altijd de hoop – zelfs een boek kon een brug zijn. Hij sloeg het boek op goed geluk open, althans dat dacht hij, maar een boek is als een zanderig pad waarop de indrukken van voetstappen achterblijven. Hij had Sam al verscheidene malen hieruit voorgelezen gedurende de afgelopen twee jaar, maar de voetsporen van zijn eigen kinderjaren hadden diepere indrukken achtergelaten en het boek viel open bij een gedicht dat hij nooit eerder hardop had gelezen. Na een zin of twee merkte hij dat hij het bijna uit zijn hoofd kende. De kindertijd kent gedichten, dacht hij, die iemands leven meer vormen dan bijbelteksten.

'Over de grens, onvergeeflijke zonde,
Met takkengekraak door het gat in de heg,
Sluipen we steels in de avondstonde
Naar de rivieroevers op weg.'

'Wat zijn grenzen?'
'Dat is waar het ene land ophoudt en het andere begint.' Het leek, zo gauw hij het gezegd had, een moeilijke omschrijving, maar Sam aanvaardde haar.
'Wat is een onvergeeflijke zonde? Zijn het spionnen?'
'Nee, nee, geen spionnen. De jongen in het verhaal is gezegd dat hij de tuin niet uit mocht, en...'
'Wie heeft dat tegen hem gezegd?'
'Zijn vader, denk ik, of zijn moeder.'
'En dat is een zonde?'
'Dit is lang geleden geschreven. De mensen waren toen strenger, en in elk geval, het is niet ernstig bedoeld.'
'Ik dacht dat moord een zonde was.'
'Ja, natuurlijk, moord is niet goed.'

'Net als de tuin uit gaan?'

Castle begon het te betreuren dat hij op dat gedicht was gestuit, dat hij dat ene speciale voetspoor van zijn eigen lange tocht had gevolgd. 'Wil je niet dat ik doorlees?' Hij keek vluchtig de volgende zinnen door – ze leken onschuldig genoeg.

'Dit niet. Dit begrijp ik niet.'

'Nou, welk dan?'

'Er is er een over een man...'

'De lantaarnopsteker?'

'Nee, dat is het niet.'

'Wat doet die man dan?'

'Ik weet het niet. Hij is in het donker.'

'Dat geeft me niet veel houvast.' Castle bladerde terug in het boek, zoekend naar een man in het donker.

'Hij rijdt op een paard.'

'Is dit het soms?'

Castle las voor:

> 'Als de maan achter wolken verdwenen is
> En er steekt een stormwind op,
> Dan rijdt door de regen en duisternis...'

'Ja, ja, dat is het.'

> 'Een ruiter in galop.
> Waarom galoppeert hij in 't holst van de nacht,
> Als het vuur is gedoofd, uit alle macht?'

'Ga door. Waarom hou je nou op?'

> 'Als de bomen bezwijken in jammerklacht
> En het schip in de storm vergaat,
> Hoor je de ruiter die jacht en jacht,
> Klepperend over de straat.
> In volle galop komt hij langs, vliegensvlug
> Keert hij in volle galop weer terug.'

'Dat is het. Dat is het versje dat ik het mooiste vind.'

'Het is een beetje griezelig,' zei Castle.

'Daarom vind ik het ook mooi. Heeft hij een kousemasker voor?'

'Er staat niet in dat het een rover is, Sam.'

'Waarom springt hij dan op en neer voor het huis? Heeft hij een wit gezicht zoals jij en meneer Muller?'

'Dat staat er niet in.'

'Ik denk dat hij zwart is, zwart als mijn hoed, zwart als mijn kat.'

'Waarom?'

'Ik denk dat alle witte mensen bang voor hem zijn en hun huis op slot doen voor als hij binnenkomt met een vleesmes en hun strot afsnijdt. Heel langzaam,' voegde hij er met welbehagen aan toe.

Sam had er nooit zwarter uitgezien, dacht Castle. Hij legde zijn arm om hem heen met een gebaar van bescherming, maar hij kon hem niet beschermen tegen de gewelddadigheid en de wraakgevoelens die in het hart van het kind begonnen te werken.

Hij ging naar zijn studeerkamer, ontsloot een lade en nam Mullers aantekeningen eruit. Er was een kop: 'Een Definitieve Oplossing'. Muller had blijkbaar geen enkele aarzeling gevoeld om deze frase in een Duits oor uit te spreken, en de oplossing, dat was duidelijk, was niet verworpen – zij stond nog open ter discussie. Hetzelfde beeld herhaalde zich als een obsessie – het stervende kind en de gier.

Hij ging zitten en nam Mullers aantekeningen zorgvuldig over. Hij nam zelfs niet de moeite om ze uit te typen. De anonimiteit van een schrijfmachine was, zoals de zaak-Hiss had aangetoond, maar zeer betrekkelijk en hij had hoe dan ook geen behoefte om pietepeuterige voorzorgen te nemen. Wat de boekencode betreft, die had hij vaarwelgezegd met zijn laatste bericht dat eindigde met 'vaarwel'. Nu, terwijl hij 'Definitieve Oplossing' noteerde en hij de woorden die volgden nauwkeurig overnam, identificeerde hij zich voor het eerst werkelijk met Carson. Carson zou in deze situatie het uiterste risico hebben genomen. Hij ging, zoals Sarah het eens had gesteld, 'te ver'.

5

Om twee uur 's nachts lag Castle nog wakker toen hij door een kreet van Sarah werd opgeschrikt. 'Nee!' schreeuwde ze, 'nee!'

'Wat is er?'

Er kwam geen antwoord, maar toen hij het licht aandeed, zag hij dat haar ogen wijd opengesperd waren van angst.

'Je hebt weer een nachtmerrie gehad. Het was alleen maar een nachtmerrie.'

Ze zei: 'Het was ontzettend.'

'Vertel het me maar. Een droom komt nooit terug als je hem direct vertelt voor je hem vergeten bent.'

Hij voelde haar beven tegen zijn zij. Haar angst sloeg op hem over. 'Het was maar een droom, Sarah, vertel me er maar over. Bevrijd je ervan.'

Ze zei: 'Ik zat in een spoortrein. Hij vertrok. Jij bleef achter op het perron. Ik was alleen. Jij had de kaartjes. Sam was bij jou. Hij scheen het niet erg te vinden. Ik wist zelfs niet waar we naar op weg waren. En ik hoorde de controleur in de volgende coupé. Ik wist dat ik in de verkeerde wagon zat, de afdeling voor blanken.'

'Nu je hem verteld hebt, komt de droom niet meer terug.'

'Ik wist dat hij zou zeggen: Eruit jij. Je hebt hier niks te maken. Dit is een wagon voor blanken.'

'Het is maar een droom, Sarah.'

'Ja. Ik weet het. Het spijt me dat ik je wakker heb gemaakt. Je hebt je slaap hard nodig.'

'Het leek een beetje op die dromen die Sam had. Weet je nog?'

'Sam en ik zijn kleurbewust, nietwaar? Het achtervolgt ons allebei in de slaap. Soms vraag ik me af of je alleen van me houdt vanwege mijn kleur. Als jij zwart was, zou je toch niet van een blanke vrouw houden alleen omdat ze blank was, hè?'

'Nee. Ik ben geen Zuidafrikaner die een weekendje in Swaziland is. Ik kende je al bijna een jaar voor ik verliefd op je werd. Het ging langzaam. Al die maanden dat we in het geheim samenwerkten. Ik was zogenaamd een diplomaat, zo veilig als de bank. Jij liep alle risico's. Ik had geen nachtmerries, maar ik lag wel wakker, me afvragend of je op ons volgende rendez-vous zou komen of dat je zou verdwijnen zonder dat ik ooit zou weten wat er met je was gebeurd. Alleen een boodschap van een van de anderen misschien dat de verbinding verbroken was.'

'Dus je was bezorgd over de verbinding.'

'Nee. Ik was bezorgd over wat er met jou zou gebeuren. Al maandenlang hield ik van je. Ik wist dat ik niet meer zou kunnen leven als je zou verdwijnen. Nu zijn we veilig.'

'Ben je daar zeker van?'

'Natuurlijk ben ik daar zeker van. Heb ik dat niet zeven jaar lang bewezen?'

'Ik bedoel niet dat je van me houdt. Ik bedoel weet je zeker dat we veilig zijn?'

Op die vraag was geen gemakkelijk antwoord te geven. Het laatste gecodeerde rapport met het slotwoord 'vaarwel' was prematuur geweest en de passage die hij had gekozen, 'ik heb mijn hand opgeheven en hem laten vallen', was geen teken van vrijheid in de wereld van Uncle Remus.

DEEL 5

DEEL 4

1

1

De duisternis was vroeg ingevallen met de mist en de motregen van november, toen hij de telefooncel verliet. Op geen enkele van zijn signalen was een antwoord gekomen. In Old Compton Street bescheen het nevelige rode licht van het neonwoord 'Boeken', dat aangaf waar Halliday jr. zijn dubieuze handel dreef, het trottoir met minder onbeschaamdheid dan normaal; Halliday sr. in de winkel aan de overkant boog zich zoals gewoonlijk onder een enkele gloeilamp, om energie te besparen. Toen Castle de winkel binnenstapte, drukte de oude man zonder op te kijken op een schakelaar om de met ouderwetse klassieke werken bezette planken aan weerszijden te verlichten.

'U bent niet iemand die elektriciteit verspilt,' zei Castle.

'Ah! U bent het, meneer. Ja, ik draag ook mijn steentje bij om de regering te helpen, en ik krijg toch niet veel echte klanten meer na vijven. Een enkele schuchtere verkoper, maar hun boeken zijn zelden nog in redelijke staat, en dan moet ik ze teleurgesteld laten vertrekken – ze denken maar dat ieder boek van honderd jaar oud waarde heeft. Het spijt me, meneer, van de vertraging met de Trollope, als dat de reden is van uw komst. Het is moeilijk gebleken om het tweede exemplaar te vinden – het is een keer op de televisie geweest, dat is de kwestie – zelfs de Penguins zijn uitverkocht.'

'Er is nu geen haast meer mee. Eén exemplaar is voldoende. Ik kwam even langs om u dat te zeggen. Mijn vriend is naar het buitenland verhuisd.'

'Ach, dan zult u uw literaire avonden wel missen, meneer. Ik zei laatst nog tegen mijn zoon...'

'Het is eigenaardig, meneer Halliday, maar ik heb uw zoon nog nooit gezien. Is hij er nu? Misschien zou ik hem even kunnen spreken over een paar boeken die ik wel kan missen. Mijn belangstelling voor *curiosa* ben ik eigenlijk ontgroeid. Zou ik hem daar treffen?'

'Nee, meneer, op het moment niet. Om u de waarheid te zeggen, hij is wat in moeilijkheden geraakt. Het ging hem te goed. Hij heeft vorige maand een zaak geopend in Newington Butts en de politie daar is veel minder inschikkelijk dan die we hier hebben – of duurder, als men cynisch wil zijn. Hij moest de hele middag op het kantongerecht aanwezig zijn vanwege een paar van die rare blaadjes van hem en hij is nog steeds niet terug.'

'Ik hoop dat zijn moeilijkheden u geen last zullen bezorgen, meneer Halliday.'

'O hemeltje, nee. De politie is me zeer welgezind. Ik geloof eigenlijk dat ze met me te doen hebben omdat ik een zoon heb die dat soort zaken doet. Ik zeg tegen ze dat ik, als ik jong was, misschien wel hetzelfde zou doen, en dan lachen ze.'

Het was Castle altijd vreemd voorgekomen dat 'ze' zo'n dubieuze tussenpersoon als de jonge Halliday uitgekozen hadden, wiens winkel elk ogenblik door de politie doorzocht kon worden. Misschien, dacht hij, was het een soort dubbele bluf. De zedenpolitie zou vast niet opgeleid zijn in de fijne kneepjes van het inlichtingenwerk. Het was zelfs mogelijk dat Halliday jr. even onwetend was als zijn vader ten aanzien van de rol die hij speelde. Dat was wat hij beslist te weten wilde komen, want hetgeen hij hem ging toevertrouwen, was van levensbelang voor hem.

Hij staarde naar de overkant naar de helrode neonletters en de seksbladen in de etalage en verwonderde zich over de vreemde emotie die hem ertoe dreef om zo'n openlijk risico te nemen. Boris zou het niet goedgekeurd hebben, maar nu hij 'hun' zijn laatste rapport en ontslagaanzegging had toegestuurd, voelde hij een onweerstaanbaar verlangen om rechtstreeks, mondeling te communiceren, zonder de tussenkomst van geheime bergplaatsen en boekencodes en ingewikkelde signalen vanuit telefooncellen.

'U heeft geen idee wanneer hij terugkomt?' vroeg hij meneer Halliday.

'Geen idee, meneer. Zou ik u misschien kunnen helpen?'

'Nee, nee, ik wil u niet lastig vallen.' Hij had geen telefooncode om de aandacht van Halliday jr. te trekken. Ze waren zo zorgvuldig uit elkaar gehouden dat hij zich soms afvroeg of hun enige ontmoeting misschien voor het uiterste noodgeval was voorbehouden.

Hij vroeg: 'Kan het zijn dat uw zoon een rode Toyota heeft?'

'Nee, maar soms gebruikt hij de mijne als hij de stad uit moet – naar veilingen, meneer. Daar helpt hij me nu en dan mee, want ik ga niet meer zo makkelijk overal naar toe als vroeger. Waarom vraagt u dat?'

'Ik dacht dat ik er eens een voor de winkel had zien staan.'

'Dat kan niet die van ons zijn geweest. Niet in de stad. Het zou niet economisch zijn met al die verkeersopstoppingen. We moeten zoveel mogelijk bezuinigen als de regering ons dat vraagt.'

'Nu, ik hoop dat de kantonrechter niet te streng voor hem is geweest.'

'Dat is zeer meelevend van u, meneer. Ik zal hem zeggen dat u geweest bent.'

'Het geval is dat ik een briefje bij me heb dat u hem misschien zou willen geven. Let wel, het is vertrouwelijk. Ik zou niet willen dat de mensen wisten wat voor soort boeken ik verzamelde toen ik jong was.'

'U kunt van me op aan, meneer. Ik heb u nog nooit teleurgesteld. En de Trollope?'

'O, laat die Trollope maar.'

Op Euston nam Castle een kaartje naar Watford – hij wilde niet zijn abonnement Londen-Berkhamsted laten zien. Controleurs hebben een geheugen voor abonnementskaarten. In de trein las hij, om zijn geest bezig te houden, een ochtendblad dat op de plaats naast hem was achtergelaten. Er stond een interview in met een filmster die hij nooit had gezien [de bioscoop in Berkhamsted was in een bingohal veranderd]. De acteur was blijkbaar voor de tweede maal getrouwd. Of was het de derde? Hij had de journalist verscheidene jaren tevoren in een interview verteld dat het huwelijk voor hem had afgedaan. 'Dus u bent van gedachten veranderd?' vroeg de schrijver van de roddelrubriek brutaalweg. Castle las het interview van het begin tot het eind. Dit was nu een man die met een verslaggever over de meest persoonlijke dingen van zijn leven kon praten: 'Toen ik met mijn eerste vrouw trouwde, was ik erg arm. Ze begreep het niet... onze seksuele relatie liep volkomen stuk. Met Naomi is het anders. Naomi weet dat als ik uitgeput thuiskom uit de studio... wanneer het even kan, gaan we alleen met z'n tweeën een week weg naar een rustig plaatsje zoals Saint-Tropez om stoom af te blazen.' Het zou hypocriet zijn om het hem kwalijk te nemen, dacht Castle: ik ga als het kan met Boris praten: er komt een moment dat men moet praten.

In Watford verrichtte hij stelselmatig dezelfde handelingen als de vorige keer, aarzelen bij de bushalte, weer doorlopen, wachten op de eerstvolgende hoek om te zien of hij gevolgd werd. Hij kwam bij de koffiebar, maar hij ging niet naar binnen maar liep door. De vorige keer werd hij gegidst door de man met de losse schoenveter, maar nu had hij geen gids. Was hij links of rechts afgeslagen op de hoek? Alle straten in dit deel van Watford zagen er hetzelfde uit – rijen identieke huizen met puntgevels en kleine voortuintjes beplant met rozebomen die dropen van de nattigheid – het ene huis verbonden met het andere door een garage voor één auto.

Op goed geluk zocht hij nog een straat af, en nog een, maar hij trof steeds dezelfde huizen aan, zowel in de straten als op de pleintjes, en hij voelde zich voor de mal gehouden door de overeenkomst van de namen – Laurel Drive, Oaklands, The Shrubbery – met de naam die hij zocht, Elm View. Op een zeker moment vroeg een politieagent, die hem zag dwalen, of hij hem van dienst kon zijn. Het origineel van Mullers aantekeningen leek als een revolver in zijn zak te rusten en hij zei nee, dat hij alleen maar op zoek was naar een Te Huur-bordje in de omgeving. De agent vertelde hem dat er in de derde of vierde straat links twee waren, en bij toeval bleek de derde straat Elm View te zijn. Hij had het nummer niet onthouden, maar een straatlantaarn bescheen het glas-in-lood raampje van een deur en dat herkende hij. Geen enkel raam was verlicht, en hij had weinig hoop toen hij, turend van dichtbij, het verminkte naamkaartje 'ition Limited' las en op de bel drukte. Het was onwaarschijnlijk dat Boris hier op deze tijd zou zijn; ja, hij kon zelfs wel helemaal niet in Engeland zijn. Hij had zijn betrekkingen met hen verbroken, dus waarom zouden ze een gevaarlijk kanaal openhouden? Hij probeerde de bel voor de tweede keer, maar er kwam geen reactie. Zelfs Ivan, die geprobeerd had hem te chanteren, zou op dat moment welkom zijn geweest. Er was niemand – letterlijk niemand meer – met wie hij kon praten.

Hij was onderweg een telefooncel gepasseerd en daar ging hij nu naar terug. In een huis aan de overkant zag hij door een raam waarvan de gordijnen open waren een familie aan de tea of een vroege avondmaaltijd beginnen: een vader en twee kinderen op tienerleeftijd, een jongen en een meisje, gingen aan tafel zitten, de moeder kwam binnen met een schaal, en de vader scheen een gebed te zeggen, want de kinderen bogen hun hoofd. Hij herinnerde zich dat gebruik uit zijn kindertijd maar dacht dat het al lang geleden was uitgestorven – misschien waren het rooms-katholieken, de gebruiken schenen bij hen veel langer voort te bestaan. Hij begon het enige nummer te draaien dat hij nog kon proberen, een nummer dat alleen gebruikt mocht worden in het uiterste noodgeval, bij tussenpozen de hoorn op de haak leggend aan de hand van zijn horloge. Nadat hij vijf keer gedraaid had zonder gehoor te krijgen, verliet hij de cel. Het was alsof hij vijf keer in de lege straat om hulp had geroepen – en hij had geen idee of iemand hem had gehoord. Misschien waren na zijn laatste rapport alle communicatielijnen voor altijd afgesneden.

Hij keek naar de overkant van de straat. De vader maakte een grapje en de moeder glimlachte instemmend en het meisje knipoogde naar de jongen in de geest van 'Die ouwe is weer bezig.' Castle liep de straat uit in de richting van het station – niemand volgde hem, niemand keek uit het raam terwijl hij voorbijliep, niemand passeerde hem. Hij voelde zich onzichtbaar, neergezet in een vreemde wereld waarin zich geen andere menselijke wezens bevonden die hem als soortgenoot herkenden.

Hij bleef staan aan het eind van de straat die The Shrubbery heette naast een afschuwelijke kerk, die zo nieuw was dat het leek alsof hij van de ene dag op de andere uit de glimmende steentjes van een bouwpakket was opgetrokken. De lichten brandden binnen en hetzelfde gevoel van verlatenheid dat hem naar de winkel van Halliday had gedreven, dreef hem nu het gebouw in. Hij zag aan het weelderig opgesmukte altaar en de sentimentele beelden dat het een rooms-katholieke kerk was. Er bevond zich geen kloeke schare burgerij die schouder aan schouder met volle overgave over 'a green hill far away' zong. Een oude man zat niet ver van het altaar te dutten boven zijn parapluknop, en twee vrouwen die zusters hadden kunnen zijn in hun gelijksoortige sombere kleding wachtten bij een hokje dat hem een biechtstoel toescheen. Een vrouw in een regenjas kwam eruit vanachter een gordijn en een vrouw zonder jas ging erin. Het leek wel een weerhuisje dat regen aangaf. Niet ver ervandaan ging Castle zitten. Hij voelde zich moe – de tijd voor zijn drie J. & B.'s was reeds lang voorbij; Sarah zou nu ongerust worden, en terwijl hij naar het zachte stemmengemompel in de biechtstoel luisterde, groeide het verlangen in hem om zich na zeven jaar zwijgen openlijk en zonder enige terughouding uit te spreken. Boris is voor altijd teruggeroepen, dacht hij, ik zal het nooit meer kunnen vertellen – tenzij ik, natuurlijk, in de beklaagdenbank terechtkom. Ik zou daar zoals dat heet een 'bekentenis' kunnen afleggen – achter gesloten deuren natuurlijk, de zaak zou zeker in gesloten zitting worden behandeld.

De tweede vrouw kwam te voorschijn en de derde ging naar binnen. De andere twee hadden zich vlot genoeg – in besloten zitting – van hun geheimen ontlast. Ze knielden afzonderlijk neer voor hun respectieve altaren met een zelfvoldane uitdrukking van ijverige plichtsbetrachting op hun gezicht. Toen de derde vrouw te voorschijn kwam, zat er niemand meer te wachten behalve hij. De oude man was wakker geworden en weggegaan met een van de vrouwen. Door een kier in het gordijn van de priester ving hij een glimp op van een lang wit gezicht; iemand schraapte de novemberdampigheid uit zijn keel. Castle dacht: Ik wil praten; dus waarom ga ik niet praten? Zo'n priester is verplicht mijn geheim te bewaren. Boris had tegen hem gezegd: 'Kom me gerust opzoeken als je met iemand moet praten; dat is het grootste gevaar niet,' maar hij was ervan overtuigd dat Boris voorgoed weg was. Praten was voor hem een therapeutische daad – hij begaf zich langzaam naar de biechtstoel, als een huiverige patiënt die voor de eerste keer een psychiater bezoekt.

Een patiënt die niet op de hoogte was van de gang van zaken. Hij trok het gordijn achter zich dicht en stond aarzelend in de kleine benauwde ruimte die overbleef. Hoe te beginnen? De flauwe geur van eau-de-cologne moest een van de vrouwen hebben achtergelaten. Er klapte een luikje open en hij zag een scherp profiel als dat van een toneeldetective. Het profiel kuchte en mompelde iets.

Castle zei: 'Ik wil met u praten.'

'Waarom blijft u daar zo staan?' zei het profiel. 'Mankeert u iets aan uw knieën?'

'Ik wil alleen maar met u praten,' zei Castle.

'U bent hier niet om met mij te praten,' zei het profiel. Er klonk een ge-tjink-tjink-tjink. De man had een rozenkrans op zijn schoot en scheen hem te gebruiken als een ketting met klikklakballen. 'U bent hier om met God te praten.'

'Nee, ik niet. Ik kom hier alleen om met u te praten.'

De priester keek met tegenzin opzij. Zijn ogen waren met bloed belopen. Castle kreeg de indruk dat hij door een grimmig toeval op een medeslachtoffer van eenzaamheid en geheimhouding was gestuit.

'Kniel neer, man, wat voor katholiek denkt u eigenlijk dat u bent?'

'Ik ben niet katholiek.'

'Nou, wat doet u hier dan?'

'Ik wil praten, dat is het enige.'

'Als u voorlichting wilt hebben, kunt u uw naam en adres bij de pastorie opgeven.'

'Ik wil geen voorlichting.'

'U verspilt mijn tijd,' zei de priester.

'Geldt het biechtgeheim dan niet voor niet-katholieken?'

'U moet maar naar een geestelijke van uw eigen kerk gaan.'

'Ik hoor niet bij een kerk.'

'Dan denk ik dat u bij een dokter moet zijn,' zei de priester. Hij smakte het luikje dicht en Castle verliet de biechtstoel. Het was een absurde afloop, dacht hij, van een absurde daad. Hoe had hij kunnen verwachten dat de man hem zou begrijpen ook al had hij mogen praten? Hij had een veel te lange geschiedenis te vertellen, een geschiedenis die zovele jaren geleden in een vreemd land was begonnen.

2

Sarah kwam de kamer uit om hem te begroeten terwijl hij zijn jas ophing in de vestibule. Ze vroeg: 'Is er iets gebeurd?'

'Nee.'

'Je bent nog nooit zo laat geweest zonder op te bellen.'

'O, ik ben een paar adressen af geweest om mensen op te zoeken. Ik heb niemand thuis getroffen. Ik denk dat ze allemaal een lang weekend hebben genomen.'

'Wil je je whisky nog? Of wil je nu direct eten?'

'Whisky. Een grote, graag.'

'Groter dan anders?'

'Ja, en geen soda.'

'Er is wel iets gebeurd.'

'Niets van belang. Maar het is koud en nat buiten, bijna winters. Slaapt Sam al?'

'Ja.'

'Waar is Buller?'

'Op kattejacht in de tuin.'

Hij ging zitten in zijn gebruikelijke stoel en de gebruikelijke stilte viel over hen. Normaal ervoer hij de stilte als een behaaglijke sjaal die om zijn schouders was geworpen. Stilte was ontspanning, stilte betekende dat woorden niet nodig waren tussen hen – hun liefde stond zo vast dat deze geen bevestiging behoefde: ze hadden een levensverzekering afgesloten op hun liefde. Maar deze avond, met het origineel van Mullers aantekeningen in zijn zak en zijn kopie ervan nu in handen van de jonge Halliday, was de stilte als een vacuüm waarin hij niet kon ademen: de stilte was het ontbreken van alles, zelfs van vertrouwen, zij was een voorsmaak van het graf.

'Nog een whisky, Sarah.'

'Je drinkt *echt* te veel. Denk eens aan die arme Davis.'

'Hij is niet door de drank gestorven.'

'Maar ik dacht...'

'Jij dacht wat alle anderen dachten. En je hebt het verkeerd. Als het je te veel moeite is om me nog een whisky in te schenken, zeg het dan, want dan doe ik het zelf.'

'Ik zei alleen maar denk eens aan Davis...'

'Ik wil niet bemoederd worden, Sarah. Je bent Sams moeder, niet de mijne.'

'Ja, ik *ben* zijn moeder ook en jij bent zijn vader niet eens.'

Ze keken elkaar aan met verbijstering en ontsteltenis. Sarah zei: 'Ik bedoelde niet...'

'Het is jouw schuld niet.'

'Het spijt me.'

Hij zei: 'Zo zal het in de toekomst gaan als we niet kunnen praten. Je vroeg me wat ik gedaan heb. Ik heb de hele avond lopen zoeken naar iemand om mee te praten, maar er was niemand.'

'Praten waarover?'

De vraag bracht hem tot zwijgen.

'Waarom kun je niet met *mij* praten? Omdat Zij het verbieden, neem ik aan. Het ambtsgeheim – al die stompzinnigheid.'

'Dat is het niet.'

'Wat dan wel?'

'Toen we in Engeland kwamen, Sarah, stuurde Carson iemand naar me toe. Hij had jou en Sam gered. De enige wederdienst die hij vroeg, was wat hulp. Ik was dankbaar en ik stemde toe.'

'Wat is daar dan verkeerd aan?'

'Mijn moeder vertelde me dat ik als kind bij een ruil altijd te veel weggaf, maar het was niet te veel voor de man die jou uit de handen van BOSS had gered. Het komt hierop neer – ik ben zoals dat heet een dubbelagent geworden. Ik kan levenslange gevangenisstraf krijgen.'

Hij had altijd geweten dat deze scène op een zekere dag tussen hen uitgespeeld moest worden, maar hij had zich nooit kunnen voorstellen wat voor woorden ze dan tegen elkaar zouden zeggen. Ze zei: 'Geef me een slok whisky.' Hij gaf haar zijn glas en ze nam een teug. 'Ben je in gevaar?' vroeg ze. 'Ik bedoel nu. Vanavond.'

'Zolang we samen zijn, ben ik al in gevaar.'

'Maar is het nu ernstiger?'

'Ja. Ik geloof dat ze ontdekt hebben dat er een lek is en ik denk dat ze dachten dat het Davis was. Ik geloof niet dat Davis een natuurlijke dood is gestorven. Er was iets dat dokter Percival zei...'

'Denk je dat ze hem gedood hebben?'

'Ja.'

'Dus jij had het ook kunnen zijn?'

'Ja.'

'Ga je er nog steeds mee door?'

'Ik heb het rapport geschreven dat ik als mijn laatste beschouw. Ik heb het hele gedoe vaarwelgezegd. Maar toen – toen gebeurde er iets anders. Met Muller. Ik moest het ze laten weten. Ik hoop dat het gelukt is. Ik weet het niet.'

'Hoe hebben ze op kantoor het lek ontdekt?'

'Ik denk dat ze ergens een overloper hebben zitten – waarschijnlijk ter plaatse – die toegang had tot mijn rapporten en ze weer terugspeelde naar Londen.'

'Maar als hij dit laatste terugspeelt?'

'O, ik weet wat je wilt zeggen. Davis is dood. Ik ben de enige op kantoor die met Muller te maken heeft.'

'Waarom ben je doorgegaan, Maurice? Het is zelfmoord.'

'Er worden misschien een heleboel levens mee gered – levens van jouw volk.'

'Praat niet over mijn volk. Ik heb geen volk meer. Jij bent "mijn volk".' Hij dacht: Dat is vast iets uit de bijbel. Ik heb dat eerder gehoord. Ze is dan ook op een methodistische school geweest.

Ze legde haar arm om hem heen en bracht het glas whisky naar zijn mond. 'Ik wou dat je niet al die jaren had gewacht om het me te vertellen.'

'Ik was bang om het je te vertellen – Sarah.' De oudtestamentische naam schoot hem te binnen bij het noemen van die van haar. Het was een vrouw genaamd Ruth geweest die had gezegd wat zij zei – of iets dat er veel op leek.

'Bang van mij en niet bang van Hen?'

178

'Bang voor jou. Je zal nooit weten hoe lang het leek, die tijd dat ik op je wachtte in het Polana Hotel. Ik dacht dat je nooit zou komen. Zolang het licht was, keek ik met een verrekijker naar autonummers. Even nummers betekenden dat Muller je te pakken had. Oneven nummers dat je onderweg was. Deze keer is er geen Polana Hotel en geen Carson. Het gebeurt niet tweemaal op dezelfde manier.'

'Wat wil je dat ik doe?'

'Het beste zou zijn als je met Sam naar mijn moeder ging. Zonder je van me af. Doe het voorkomen dat we een vreselijke ruzie hebben gehad en dat je wilt scheiden. Als er niets gebeurt, blijf ik hier en kan je weer terugkomen.'

'Wat moet ik al die tijd doen? Naar autonummers kijken? Zeg eens wat het op een na beste is.'

'Als ze me nog steeds beschermen – ik weet niet of dat zo is – hebben ze me een veilige vluchtroute beloofd, maar dan moet ik alleen gaan. Dus dan zal je toch ook naar mijn moeder moeten met Sam. Het enige verschil is dat we niet kunnen communiceren. Je zal niet weten wat er is gebeurd – misschien wel heel lang niet. Ik geloof dat ik nog liever wil dat de politie me komt halen – op die manier zouden we elkaar tenminste in de rechtszaal terugzien.'

'Maar Davis heeft de rechtszaal nooit gehaald, is 't wel? Nee, als ze je beschermen, ga dan, Maurice. Dan weet ik tenminste dat je in veiligheid bent.'

'Je hebt geen woord van afkeuring gesproken, Sarah.'

'Wat voor woord?'

'Nou, ik ben toch wat ze doorgaans een verrader noemen.'

'Wat zegt dat?' zei ze. Ze legde haar hand in de zijne: het was een intiemer gebaar dan een kus – zelfs een vreemde kan men kussen. Ze zei: 'Wij hebben ons eigen land. Jij en ik en Sam. Dat land heb je nooit verraden, Maurice.'

Hij zei: 'Het heeft geen zin om vanavond nog langer hierover te piekeren. We hebben nog tijd en we moeten slapen.'

Maar toen ze in bed lagen, begonnen ze onmiddellijk te vrijen, zonder erbij na te denken, zonder te spreken, alsof het iets was dat ze een uur geleden hadden afgesproken terwijl al hun gepraat het alleen maar had uitgesteld. Het was maanden geleden dat ze elkaar voor het laatst op die manier gevonden hadden. Nu zijn geheim was uitgesproken, kwam de liefde los, en hij viel bijna op hetzelfde moment dat hij terugtrok, in slaap. Zijn laatste gedachte was: Er is nog tijd – het duurt dagen, misschien wel weken, voor een lek teruggemeld kan worden. Morgen is het zaterdag. We hebben een heel weekend voor ons om een besluit te nemen.

2

Sir John Hargreaves zat in de studeerkamer van zijn landgoed Trollope te lezen. Het had een periode van bijna volmaakte rust moeten zijn – de weekendrust, die alleen een officier van dienst met een dringend bericht gerechtigd was te verstoren, en dringende berichten waren hoogst zeldzaam bij de geheime dienst – het tijdstip van de tea waarbij zijn afwezigheid door zijn vrouw werd geëerbiedigd, daar ze wist dat Earl Grey 's middags de Cutty Sark om zes uur voor hem bediert. Tijdens zijn dienstjaren in West-Afrika had hij de romans van Trollope leren waarderen, al was hij geen romanlezer. Op momenten van ergernis had hij *The Warden* en *Barchester Towers* als kalmerende boeken ervaren, ze bevorderden het geduld dat Afrika vereiste. Mr Slope deed hem aan een bemoeizuchtige en eigengereide districtscommissaris denken, en Mrs Proudie aan de vrouw van de gouverneur. Nu voelde hij zich verontrust naar aanleiding van een stuk proza dat hem in Engeland had behoren te kalmeren zoals vroeger in Afrika. De roman was getiteld *The Way We Live Now* – iemand, hij wist niet meer wie het was, had hem verteld dat er naar de roman een goede televisieserie was gemaakt. Hij hield niet van televisie, desondanks was hij er zeker van dat hij de Trollope-serie zou hebben gewaardeerd.

Dus gedurende die hele middag had hij enige tijd het serene genoegen beleefd dat Trollope hem altijd verschafte – de geest van een bedaarde Victoriaanse wereld, waarin het goede goed was en het kwade kwaad terwijl het ene gemakkelijk van het andere was te onderscheiden. Hij had geen kinderen die hem misschien hadden kunnen leren dat het in werkelijkheid anders was – hij noch zijn vrouw had ooit een kind willen hebben; ze waren wat dit betreft eensgezind, hoewel misschien om verschillende redenen. Aan zijn ambtelijke verantwoordelijkheden had hij geen particuliere verantwoordelijkheden willen toevoegen [kinderen zouden in Afrika een voortdurende bron van zorg zijn geweest], en zijn vrouw, wel – dacht hij dan met genegenheid – die wenste haar figuur en haar onafhankelijkheid intact te houden. Hun gemeenschappelijke onverschilligheid voor kinderen versterkte hun liefde voor elkaar. Terwijl hij Trollope las met een glas whisky naast zich, dronk zij thee in haar kamer met even grote tevredenheid. Het was voor hen allebei een weekend van rust – geen jachtpartij, geen gasten, de in november vroeg invallende duisternis over het park – hij kon zich zelfs voorstellen in Afrika te zijn, ergens in een nachtverblijf in de bush, op een van de lange tochten waar hij altijd zo van genoot, ver van het hoofdkwartier. De kok zou dan nu een kip aan het plukken zijn achter het verblijf en de honden zouden aan komen zetten in de hoop dat er wat voor ze zou overschieten... De lichten in de verte waar de autoweg liep, hadden best de lichten kunnen zijn van het dorp waar de meisjes de luizen uit elkaars haar zaten te pikken.

Hij las over de oude Melmotte – de zwendelaar zoals zijn medeleden hem beschouwden. Melmotte ging op zijn plaats zitten in het restaurant van het Lagerhuis – 'Het was onmogelijk om hem weg te sturen – bijna even onmogelijk om naast hem te zitten. Zelfs de obers waren nauwelijks bereid hem te bedienen; maar met geduld en volharding kreeg hij tenslotte zijn maaltijd.'

Hargreaves voelde zich, tegen wil en dank, aangetrokken tot Melmotte in zijn isolement, en hij herinnerde zich met spijt wat hij tegen dokter Percival had gezegd toen Percival een zekere sympathie voor Davis had uitgesproken. Hij had het woord 'verrader' gebruikt zoals Melmottes ambtgenoten het woord 'zwendelaar' gebruikten. Hij las verder: 'Degenen die hem gadesloegen, constateerden onder elkaar dat hij ingenomen was met zijn eigen onbeschaamdheid; – maar in werkelijkheid was hij op dat ogenblik waarschijnlijk de allerdiepst ongelukkige man van Londen.' Hij had Davis nooit gekend – hij zou hem niet herkend hebben als hij hem op kantoor in de gang was tegengekomen. Hij dacht: Misschien heb ik ondoordacht gesproken – ik heb dom gereageerd – maar het was Percival die hem had geëlimineerd – ik had de zaak niet aan Percival over moeten laten... Hij las weer verder: 'Maar zelfs hij, die nu door de hele wereld was verlaten, met niets anders in het vooruitzicht dan de diepste ellende die de verontwaardiging van gekwetste rechtsgevoelens hem kon toebrengen, was in staat om de laatste ogenblikken van zijn vrijheid te gebruiken om althans een reputatie van onbeschaamdheid te vestigen.' Arme drommel, dacht hij, men moet toegeven dat hij moedig was. Had Davis vermoed wat voor middel dokter Percival in zijn whisky kon doen als hij de kamer even verliet?

Het was toen dat de telefoon ging. Hij hoorde dat hij door zijn vrouw in haar kamer werd opgenomen. Zij deed meer haar best zijn rust te beschermen dan Trollope had gedaan, maar desondanks was ze, als gevolg van enige aandrang aan de andere kant van de lijn, genoodzaakt de telefoon door te verbinden. Met tegenzin nam hij de hoorn op. Een stem die hij niet herkende zei: 'Met Muller.'

Hij was nog verdiept in de wereld van Melmotte. Hij zei: 'Muller?'

'Cornelius Muller.'

Er viel een ongemakkelijke stilte en toen legde de stem uit: 'Uit Pretoria.'

Een ogenblik dacht Sir John Hargreaves dat de vreemdeling uit die verre stad belde, en toen wist hij het weer. 'Ja. Ja. Natuurlijk. Waarmee kan ik u van dienst zijn?' Hij voegde eraan toe: 'Ik hoop dat Castle...'

'Ik wil graag met u praten, Sir John, *over* Castle.'

'Maandag ben ik op kantoor. Als u mijn secretaresse even belt...' Hij keek op zijn horloge. 'Ze is nog op kantoor.'

'Morgen bent u er niet?'

'Nee. Ik breng het weekend thuis door.'

'Kan ik u dan komen opzoeken, Sir John?'

'Is het zo dringend?'

'Ik dacht van wel. Ik heb sterk het idee dat ik een zeer ernstige vergissing heb gemaakt. Ik moet echt heel nodig met u praten, Sir John.'

Daar gaat mijn Trollope, dacht Hargreaves, en die arme Mary – ik probeer het kantoor op een afstand te houden als we hier zijn maar toch dringt het zich altijd weer op. Hij herinnerde zich de avond van de jachtpartij toen Daintry zo lastig was geweest... Hij vroeg: 'Hebt u een auto?'

'Ja. Natuurlijk.'

Hij dacht: Ik kan de zaterdag toch nog vrij hebben als ik vanavond redelijk gastvrij ben. Hij zei: 'Het is nog geen twee uur rijden – als u wilt komen eten?'

'Natuurlijk. Dat is zeer vriendelijk van u, Sir John. Ik zou u niet gestoord hebben als ik niet dacht dat het belangrijk was. Ik...'

'Misschien lukt het ons niet om meer dan een omelet in elkaar te flansen, Muller. We eten maar wat de pot schaft,' voegde hij eraan toe.

Hij legde de hoorn neer, zich het apocriefe verhaal van de kannibalen herinnerend waarvan hij wist dat het over hem werd verteld. Hij liep naar het raam en keek naar buiten. Afrika week terug. De lichten waren de lichten van de autoweg die naar Londen en kantoor voerde. Hij voelde de naderende zelfmoord van Melmotte – er was geen andere oplossing. Hij ging naar de salon: Mary schonk zich een kopje Earl Grey in uit de zilveren theepot die ze op een veiling bij Christie had gekocht. Hij zei: 'Het spijt me, Mary. We hebben vanavond een gast aan tafel.'

'Dat vreesde ik al. Toen hij er zo op aandrong om je te spreken... Wie is het?'

'De man die BOSS ons heeft gestuurd uit Pretoria.'

'Kon hij niet tot maandag wachten?'

'Hij zei dat het te dringend was.'

'Ik hou niet van die apartheidshufters.' Gewone Engelse platheden klonken altijd vreemd in haar Amerikaans accent.

'Ik evenmin, maar we moeten nu eenmaal met ze samenwerken. Ik neem aan dat we wel een soort maaltijd in elkaar kunnen flansen.'

'Er is nog wat koud rundvlees.'

'Dat is beter dan de omelet die ik hem heb beloofd.'

Het was een stijve maaltijd omdat er niet over kantoorzaken kon worden gesproken, hoewel Lady Hargreaves haar best deed, met behulp van de beaujolais, om een mogelijk gespreksonderwerp te vinden. Ze bekende volledig onbekend te zijn met Zuidafrikaanse kunst en literatuur, maar het was een onbekendheid die Muller met haar gemeen bleek te hebben. Hij erkende dat ze wel een paar dichters en schrijvers hadden – en hij noemde de Hertzog Prijs, maar hij voegde eraan toe dat hij hen geen van allen had gelezen. 'Ze zijn onbetrouwbaar,' zei hij, 'de meesten van hen.'

'Onbetrouwbaar?'

'Ze zijn bij de politiek betrokken. Er zit nu een dichter in de gevangenis voor hulp aan terroristen.' Hargreaves probeerde een ander onderwerp aan te snijden, maar hij kon niets anders bedenken in verband met Zuid-Afrika dan goud en diamanten – die waren ook bij de politiek betrokken, evenzeer als de schrijvers. Het woord diamanten bracht hem op Namibië en hij herinnerde zich dat Oppenheimer, de miljonair, de progressieve partij steunde. Zijn Afrika was het verarmde Afrika van de rimboe geweest, maar over het zuiden lag de politiek als het puin van een mijn. Hij zou blij zijn als ze samen alleen waren met een fles whisky en twee leunstoelen – het was makkelijker om moeilijke dingen te bespreken in een leunstoel – het was moeilijk, had hij altijd ervaren, om boos te worden in een leunstoel.

'U moet me verontschuldigen,' zei Hargreaves, 'dat ik niet in Londen was om u te begroeten. Ik moest naar Washington toe. Een van die formele bezoeken waar men niet aan ontkomt. Ik hoop dat mijn mensen u alle medewerking hebben gegeven.'

'Ik moest ook weg,' zei Muller, 'naar Bonn.'

'Maar dat was niet bepaald een formeel bezoek zeker? De Concorde heeft Londen zo vervloekt dicht bij Washington gebracht – ze verwachten bijna van je dat je even overkomt voor de lunch. Ik hoop dat alles naar wens is gegaan in Bonn – binnen de mogelijkheden, natuurlijk. Maar ik neem aan dat u dat allemaal al hebt besproken met onze vriend Castle.'

'Meer uw vriend, dacht ik, dan de mijne.'

'Ja, ja. Ik weet dat er jaren geleden wat probleempjes zijn geweest tussen u beiden. Maar dat is toch een afgedane geschiedenis?'

'Bestaat dat wel, meneer, een afgedane geschiedenis? De Ieren denken van niet, en wat hier de Boerenoorlog wordt genoemd, is een oorlog die nog steeds voortduurt, maar wij noemen hem de onafhankelijkheidsoorlog. Ik ben verontrust over Castle. Dat is de reden dat ik u vanavond lastig val. Ik ben onvoorzichtig geweest. Ik heb hem wat aantekeningen gegeven met betrekking tot mijn bezoek aan Bonn. Niets dat erg geheim is, natuurlijk, maar toch, als iemand tussen de regels weet te lezen...'

'Ach, mijnheer Muller, u kunt Castle vertrouwen. Ik zou hem niet gevraagd hebben u in te lichten als hij niet de beste man was...'

'Ik heb bij hem thuis gegeten. Het verbaasde me te zien dat hij met een zwart meisje getrouwd is, hetzelfde meisje dat de oorzaak was van wat u "wat probleempjes" noemt. Hij schijnt zelfs een kind bij haar te hebben.'

'We kennen hier geen rassenscheiding, Muller, en ze is zeer grondig doorgelicht, kan ik u verzekeren.'

'Hoe dan ook, het waren de communisten die haar ontvluchting hebben geregeld. Castle was een grote vriend van Carson. Ik neem aan dat u dat weet.'

'We weten alles over Carson – en de ontvluchting. Het behoorde tot Castles werk om contacten met communisten te onderhouden. Bezorgt Carson jullie nog steeds moeilijkheden?'

'Nee. Carson is gestorven in de gevangenis – aan longontsteking. Ik zag hoe geschokt Castle was toen ik het hem vertelde.'

'Waarom ook niet? Als het vrienden waren.' Hargreaves keek met spijt naar zijn Trollope die achter de fles Cutty Sark lag. Muller stond abrupt op en liep de kamer door. Hij bleef staan voor een foto van een zwarte man met een slappe zwarte hoed op van het soort dat missionarissen eens droegen. Een kant van zijn gezicht was misvormd door lupus en hij glimlachte naar degene achter de camera met slechts een kant van zijn mond.

'Arme kerel,' zei Hargreaves, 'hij was stervende toen ik die foto nam. Hij wist het. Het was een dappere man zoals alle Kru's. Ik wilde iets van hem hebben als aandenken.'

Muller zei: 'Ik heb niet alles opgebiecht, meneer. Ik heb Castle per ongeluk de verkeerde aantekeningen gegeven. Ik had er een aantal gemaakt om hem te laten zien en een aantal om mijn rapport uit samen te stellen en ik heb de papieren door elkaar gehaald. Weliswaar is er niets bij dat zeer geheim is – iets zeer geheims zou ik hier niet op papier zetten – maar er zaten wel enige onvoorzichtige uitlatingen tussen...'

'Heus, u hoeft zich geen zorgen te maken, meneer Muller.'

'Ik maak me toch zorgen, meneer. Jullie leven in dit land in zo'n andere atmosfeer. Jullie hebben zo weinig te vrezen vergeleken bij ons. Die zwarte hier op de foto – was u op hem gesteld?'

'Hij was een vriend van me – een vriend waar ik van hield.'

'Ik kan dat van geen enkele zwarte zeggen,' antwoordde Muller. Hij draaide zich om. Aan de andere kant van de kamer, aan de muur, hing een Afrikaans masker.

'Ik vertrouw Castle niet.' Hij zei: 'Ik kan niets bewijzen, maar ik heb een intuïtie... Ik wou dat u iemand anders had aangewezen om me in te lichten.'

'Er waren slechts twee mensen die met uw materiaal te maken hadden. Davis en Castle.'

'Davis is degene die gestorven is?'

'Ja.'

'Jullie nemen de dingen zo luchtig op hier. Soms benijd ik jullie wel eens. Dingen zoals een zwart kind. Weet u, meneer, naar onze ervaring is er niemand zo kwetsbaar als een ambtenaar van de geheime dienst. Een paar jaar terug hebben we bij BOSS een lek gehad – op de afdeling die zich met de communisten bezighield. Een van onze meest intelligente mensen. Ook hij ging vriendschappen aan – en de vriendschappen gingen zijn doen en laten bepalen. Bij deze zaak was Carson ook betrokken. En er was nog een geval – een van onze ambtenaren was een briljant schaker. Het inlichtingenwerk werd voor hem gewoon een spelletje schaak. Hij was alleen geïnteresseerd als hij het tegen een werkelijk eersteklas speler moest opnemen. Op den duur vond hij geen voldoening meer in zijn werk. De spelletjes waren te gemakkelijk – dus nam hij het tegen zijn eigen kant op. Ik geloof dat hij erg genoten heeft van dat spel zolang het duurde.'

'Wat is er met hem gebeurd?'

'Hij is nu dood.'

Hargreaves moest weer aan Melmotte denken. De mensen spraken over moed als een van de voornaamste deugden. Maar hoe beoordeelt men de moed van een alom bekende zwendelaar en bankroetier die zijn plaats inneemt in de eetzaal van het Lagerhuis? Is moed een rechtvaardiging? Is moed ten aanzien van welk doel dan ook een deugd? Hij zei: 'We zijn er zeker van dat Davis het lek was dat we moesten dichten.'

'Een fortuinlijk sterfgeval?'

'Cirrose van de lever.'

'Ik heb u verteld dat Carson aan longontsteking is gestorven.'

'Castle, naar ik toevallig weet, speelt geen schaak.'

'Er bestaan ook andere motieven. Geldzucht.'

'Dat is stellig niet op Castle van toepassing.'

'Hij houdt van zijn vrouw,' zei Muller, 'en van zijn kind.'

'Nou en?'

'Ze zijn beiden zwart,' antwoordde Muller simpel, terwijl hij naar de foto van het Kru-stamhoofd aan de muur tegenover hem keek alsof, dacht Hargreaves, zelfs ik niet verheven ben boven zijn argwaan, die als een zoeklicht op de Kaap de grimmige zeeën afspeurt naar vijandelijke vaartuigen.

Muller zei: 'Ik hoop bij God dat u gelijk heeft en dat Davis het lek was. Ik geloof echter niet dat het zo is.'

Hargreaves keek hoe Muller in zijn zwarte Mercedes wegreed door het park. De lichten vertraagden en kwamen tot stilstand; hij moest de portierswoning bereikt hebben, waar sinds de Ierse bomaanslagen begonnen een man van Special Branch was gestationeerd. Het landgoed leek niet meer op een verlengstuk van het Afrikaanse oerwoud – het was een klein perceel van de graafschappen rond Londen waar Hargreaves zich nooit thuis had gevoeld. Het was tegen middernacht. Hij liep naar boven naar zijn kleedkamer, maar het enige kledingstuk dat hij uittrok was zijn overhemd. Hij deed een handdoek om zijn nek en begon zich te scheren. Hij had zich voor het avondeten nog geschoren en de handeling kwam niet uit noodzaak voort, maar als hij zich schoor kon hij altijd helderder denken. Hij ging nauwkeurig de redenen na die Muller had gegeven om Castle te verdenken – zijn relatie met Carson – die had niets te betekenen. Een zwarte vrouw en kind – Hargreaves dacht met weemoed en een gevoel van gemis terug aan de zwarte maîtresse die hij vele jaren geleden voor zijn huwelijk had gehad. Ze was gestorven aan zwartwaterkoorts en toen ze overleed had hij het gevoel gehad dat een groot deel van zijn liefde voor Afrika met haar in het graf was verdwenen. Muller had gesproken over intuïtie – 'Ik kan niets bewijzen, maar ik heb een intuïtie...' Hargreaves was de laatste om met intuïtie te spotten. In Afrika had hij naar zijn intuïtie geleefd, hij koos zijn huisjongens altijd aan de hand van zijn intuïtie – niet aan de hand van de verfomfaaide aantekenboekjes met onleesbare referenties die ze bij zich hadden. Eens had hij aan een intuïtie zijn leven te danken gehad.

Hij droogde zijn gezicht af en hij dacht: Ik ga Emmanuel opbellen. Dokter Percival was de enige echte vriend die hij had bij de hele firma. Hij deed de slaapkamerdeur open en keek naar binnen. De kamer was donker en hij dacht dat zijn vrouw sliep tot ze zei: 'Waar blijf je zo lang, schat?'

'Ik kom zo. Ik wil alleen Emmanuel nog even opbellen.'

'Is die Muller vertrokken?'

'Ja.'

'Ik mag hem niet.'

'Ik evenmin.'

3

1

Castle werd wakker en keek op zijn horloge, hoewel hij geloofde dat hij de tijd in zijn hoofd had – hij wist dat het een paar minuten voor acht zou zijn, zodat hij net de tijd had om naar zijn studeerkamer te gaan en het nieuws aan te zetten zonder Sarah wakker te maken. Hij was verbaasd toen hij zag dat zijn horloge op vijf over acht stond – zijn innerlijke klok had hem nooit eerder in de steek gelaten, en hij twijfelde aan zijn horloge, maar tegen de tijd dat hij zijn kamer bereikte, was het belangrijke nieuws al voorbij – er waren alleen nog wat plaatselijke nieuwtjes die de nieuwslezer gebruikte om de tijd te vullen: een ernstig ongeluk op de M4, een kort interview met mevrouw Whitehouse die een of andere nieuwe campagne tegen de pornografie toejuichte, en misschien ter illustratie van haar praatje werd nog het triviale feit vermeld dat een obscure boekhandelaar genaamd Holliday – 'Neem me niet kwalijk, *Halliday*' – voor een kantonrechter in Newington Butts was verschenen in verband met het verkopen van een pornografische film aan een veertienjarige jongen. Zijn zaak was ter behandeling naar de arrondissementsrechtbank verwezen en zijn borgtocht was vastgesteld op tweehonderd pond.

Dus hij was in vrijheid, dacht Castle, met het afschrift van Mullers aantekeningen in zijn zak, terwijl hij waarschijnlijk door de politie in de gaten werd gehouden. Hij zou ze misschien niet durven afleveren, op welke afgesproken plaats ook, hij zou ze misschien niet eens durven vernietigen; het meest waarschijnlijke was dat hij ze zou bewaren als een onderhandelingsobject met de politie. 'Ik ben een belangrijker man dan jullie denken: als dit zaakje geregeld kan worden, zal ik jullie eens iets laten zien... laat me met iemand van de Special Branch praten.' Castle kon zich het soort gesprek levendig voorstellen dat op dat moment zou kunnen plaatsvinden: de sceptische plaatselijke politie en Halliday die als lokkertje de eerste pagina van Mullers notities prijsgeeft.

Castle deed de deur van de slaapkamer open: Sarah sliep nog. Hij zei tegen zichzelf dat nu het moment was gekomen dat hij altijd had verwacht, het moment dat hij helder moest denken en vastberaden moest handelen. Hoop was hier niet op zijn plaats, evenmin als wanhoop. Dat waren emoties die het denkvermogen zouden vertroebelen. Hij moest ervan uitgaan dat Boris weg was, dat de verbinding was afgesneden en dat hij zelfstandig moest handelen.

Hij liep de trap af naar de huiskamer waar Sarah de telefoon niet zou horen en draaide voor de tweede maal het nummer dat hem gegeven was om alleen in het uiterste noodgeval te gebruiken. Hij had geen idee in wat voor kamer de telefoon nu rinkelde – het netnummer was ergens in Kensington: hij draaide drie keer met een pauze ertussen van tien seconden en hij had de indruk dat zijn SOS in een lege kamer weerklonk, maar hij wist het niet zeker... Er was geen andere mogelijkheid om hulp in te roepen, er restte hem niets anders dan het veld te ruimen. Hij zat naast de telefoon en maakte zijn plannen, of liever overdacht ze en beaamde ze, want hij had ze al lang geleden gemaakt. Hij hoefde niets belangrijks meer te vernietigen, daar was hij praktisch zeker van, geen boeken die hij voor het coderen had gebruikt... hij was ervan overtuigd dat er geen papieren meer lagen die verbrand moesten worden... hij kon het huis gerust verlaten, afgesloten en leeg... een hond kon je niet verbranden natuurlijk... wat moest hij met Buller doen? Wat belachelijk om op dit ogenblik bezorgd te zijn over een hond, een hond waarop hij zelfs nooit gesteld was geweest, maar zijn moeder zou Sarah nooit toestaan om Buller als een vaste inwoner van het huis in Sussex te introduceren. Hij kon hem, veronderstelde hij, naar een kennel brengen, maar hij wist er geeneen... Dit was het enige probleem waarvoor hij nooit een oplossing had gezocht. Hij hield zichzelf voor dat het niet van belang was, terwijl hij naar boven ging om Sarah te wekken.

Waarom was ze vanmorgen nu zo diep in slaap? Hij herinnerde zich, terwijl hij naar haar keek met de tederheid die men zelfs voor een slapende vijand kan voelen, hoe hij na het vrijen in een diepe ledigheid was gevallen zoals hij in geen maanden had meegemaakt, eenvoudig omdat ze openhartig hadden gepraat, omdat ze geen geheimen meer voor elkaar hadden. Hij kuste haar en ze deed haar ogen open en hij zag aan haar dat ze onmiddellijk wist dat ze geen tijd te verliezen hadden; ze kon niet, op haar gebruikelijke manier, langzaam ontwaken, en haar armen uitsteken en zeggen: 'Ik heb gedroomd...'

Hij zei tegen haar: 'Je moet nu mijn moeder opbellen. Het lijkt natuurlijker als jij het doet als we ruzie hebben gehad. Vraag of je met Sam een paar dagen kan komen logeren. Je moet maar een beetje liegen. Het is des te beter als ze denkt dat je liegt. Het maakt het makkelijker voor je, als je daar bent, om het verhaal beetje bij beetje te vertellen. Je kunt zeggen dat ik iets onvergeeflijks heb gedaan... We hebben het gisteravond allemaal besproken.'

'Maar je zei dat we nog de tijd hadden...'

'Ik heb me daarin vergist.'

'Is er dan iets gebeurd?'

'Ja. Je moet direct weg met Sam.'

'En jij blijft hier?'

'Of ze helpen me om weg te komen of de politie komt me halen. Jij moet er niet zijn als dat gebeurt.'

'Het is dus afgelopen met ons?'

'Natuurlijk is het niet afgelopen. Zolang we leven, zullen we elkaar proberen te vinden. Hoe dan ook. Waar dan ook.'

Ze spraken nauwelijks met elkaar terwijl ze zich snel aankleedden, als vreemden op reis die gedwongen zijn dezelfde *wagon litte* delen. Pas toen ze zich omdraaide bij de deur, op weg om Sam wakker te maken, vroeg ze: 'Hoe moet het met de school? Ik denk niet dat iemand de moeite zal nemen...'

'Maak je nu geen zorgen. Bel maandag maar op en zeg dat hij ziek is. Ik wil jullie allebei zo gauw mogelijk het huis uit hebben. Voor het geval dat de politie komt.'

Vijf minuten later kwam ze terug en zei: 'Ik heb met je moeder gesproken. Ze was nu niet bepaald enthousiast. Ze heeft een gast voor de lunch. Wat doen we met Buller?'

'Ik bedenk wel iets.'

Om tien voor negen stond ze klaar met Sam om te vertrekken. Er stond een taxi voor de deur. Castle ervoer een vreselijk gevoel van onwerkelijkheid. Hij zei: 'Als er niets gebeurt, kan je weer terugkomen. Dan hebben we de ruzie bijgelegd.' Sam was in elk geval vrolijk. Castle keek naar hem terwijl hij met de chauffeur zat te lachen.

'Als...'

'Jij bent naar het Polana Hotel gekomen.'

'Ja, maar je zei dat dingen nooit tweemaal op dezelfde manier gebeuren.'

Bij de taxi vergaten ze elkaar zelfs een kus te geven en wisten dat toen nog net onhandig te herstellen – een kus zonder betekenis, verstoken van alles behalve het gevoel dat dit vertrek niet echt kon zijn – dat het iets was dat ze droomden. Ze hadden altijd hun dromen uitgewisseld – die privécodes die onbreekbaarder waren dan Enigma.

'Kan ik je opbellen?'

'Het is beter van niet. Als alles goed is, bel ik je over een paar dagen op vanuit een telefooncel.'

Toen de taxi wegreed, kon hij haar zelfs niet nakijken vanwege het getinte glas van de achterruit. Hij ging naar binnen en begon een kleine tas in te pakken, geschikt voor een gevangenis of een vlucht. Een pyjama, toiletspullen, een kleine handdoek – na enige aarzeling deed hij er zijn paspoort bij. Toen ging hij zitten en begon te wachten. Hij hoorde een van de buren wegrijden en toen viel de zaterdagse stilte over de buurt. Hij had het gevoel alsof hij nog het enige levende wezen was in King's

Road, op de politie op de hoek na. De deur werd opengeduwd en Buller kwam binnenwaggelen. Hij ging op zijn kont zitten en fixeerde Castle met uitpuilende en hypnotische ogen. 'Buller,' fluisterde Castle, 'Buller, wat een verdomde lastpost ben je toch altijd geweest, Buller.' Buller bleef staren – het was de manier om een wandeling los te krijgen.

Buller zat nog naar hem te kijken toen een kwartier later de telefoon ging. Castle liet hem bellen. Hij belde en belde maar, als een kind dat huilde. Dit kon niet het signaal zijn waar hij op hoopte – een 'control' zou nooit zo lang de lijn hebben bezet – het was waarschijnlijk een vriendin van Sarah, dacht Castle. Het kon in geen geval voor hem zijn. Hij had geen vrienden.

2

Dokter Percival zat te wachten in de hal van de Reform, in de buurt van de imposante brede trap, die er uitzag alsof hij was geconstrueerd om het zware gewicht van oude liberale staatslieden te torsen, die gebaarde en besnorde mannen van levenslange onkreukbaarheid. Slechts een ander lid was in zicht toen Hargreaves binnenkwam en hij was klein en onbeduidend en bijziend – hij had moeite om de beursberichten aan de muur te lezen. Hargreaves zei: 'Ik weet dat het mijn beurt is, Emmanuel, maar de Travellers is gesloten. Ik hoop dat je het niet erg vindt dat ik hier ook met Daintry afgesproken heb.'

'Ach, hij is nou niet de lolligste die ik ken,' zei dokter Percival. 'Veiligheidsproblemen?'

'Ja.'

'Ik had gehoopt dat je wat rust zou hebben na Washington.'

'Je kunt niet verwachten lang rust te hebben in dit werk. Ik geloof ook niet dat ik dat prettig zou vinden, of wat is anders de reden dat ik er niet mee ophoud?'

'Praat niet over ophouden, John. God mag weten met wat voor B.Z.-figuur ze ons dan misschien opschepen. Wat zijn de moeilijkheden?'

'Laten we eerst wat drinken.' Ze liepen de trap op en namen plaats aan een tafel in het portaal buiten het restaurant. Hargreaves dronk zijn Cutty Sark puur. Hij zei: 'Als je nu eens de verkeerde man zou hebben gedood, Emmanuel?'

Dokter Percivals ogen gaven geen blijk van verbazing. Hij bestudeerde nauwkeurig de kleur van zijn dry Martini, rook eraan, verwijderde met zijn nagel het reepje citroenschil alsof hij voor zichzelf een doktersrecept samenstelde.

'Ik heb er het volste vertrouwen in dat het niet zo is.'

'Muller deelt je vertrouwen niet.'
'O, Muller! Wat weet Muller ervan?'
'Hij weet niets. Maar hij heeft een intuïtie.'
'Als dat het enige is...'
'Je bent nooit in Afrika geweest, Emmanuel. In Afrika leer je op intuïtie vertrouwen.'
'Daintry zal heel wat meer verlangen dan alleen intuïtie. In het geval Davis nam hij zelfs geen genoegen met de feiten.'
'Feiten?'
'Die kwestie van de dierentuin en de tandarts – om maar een voorbeeld te noemen. En Porton. Porton was doorslaggevend. Wat ga je Daintry vertellen?'
'Mijn secretaresse heeft vanmorgen direct geprobeerd Castle te bellen. Er werd helemaal niet opgenomen.'
'Hij is waarschijnlijk het weekend weg met zijn gezin.'
'Ja. Maar ik heb zijn safe laten openmaken – Mullers aantekeningen lagen er niet in. Ik weet wat je zal zeggen. Iedereen kan wel eens nonchalant zijn. Maar ik dacht dat als Daintry nu eens naar Berkhamsted zou gaan – als hij er niemand aantreft, zou het een kans zijn om het huis discreet te doorzoeken, en als hij wel thuis is... dan zal hij verrast zijn om Daintry te zien, en als hij schuldig is... dan zou hij wat nerveus kunnen worden...'
'Heb je 5 ervan in kennis gesteld?'
'Ja, ik heb met Philips gesproken. Hij laat Castles telefoon weer afluisteren. Ik hoop bij God dat dit allemaal nergens op uitloopt. Anders zou het betekenen dat Davis onschuldig was.'
'Je moet je niet zo druk maken over Davis. Hij is geen verlies voor de firma, John. Hij had nooit aangenomen moeten worden. Hij was onbekwaam en nonchalant en dronk te veel. Hij zou vroeg of laat toch een probleem hebben opgeleverd. Maar als Muller gelijk zou hebben, zal Castle ons heel wat kopzorgen geven. Aflatoxine kan niet worden toegepast. Iedereen weet dat hij geen zware drinker is. Dan zal het de rechtbank moeten worden, John, tenzij we iets anders kunnen bedenken. Advocaten. Getuigenissen achter gesloten deuren. Wat hebben de kranten daar een hekel aan. Sensationele koppen. Ik denk dat Daintry tevreden zal zijn ook al is hij de enige. Hij is er een groot voorstander van de zaken op de wettige manier af te handelen.'
'En daar is hij dan eindelijk,' zei Sir John Hargreaves. Daintry kwam de grote trap op, langzaam. Misschien wilde hij alle treden stuk voor stuk testen, alsof het dubieuze bewijsmiddelen waren.
'Ik wou dat ik wist hoe ik erover moet beginnen.'
'Waarom niet zoals je het tegenover mij hebt gedaan – een beetje cru?'
'Ah, maar hij heeft niet zo'n dikke huid als jij, Emmanuel.'

De uren leken zeer lang. Castle probeerde te lezen, maar geen enkel boek kon de spanning opheffen. Tussen de ene alinea en de andere werd hij geplaagd door de gedachte dat hij ergens in huis iets had laten liggen dat hem zou incrimineren. Hij had ieder boek op iedere plank bekeken – er was er niet een bij dat hij ooit voor codering had gebruikt: *Oorlog en vrede* was veilig en wel vernietigd. Uit zijn studeerkamer had hij ieder vel gebruikt carbonpapier – hoe onschuldig ook – verwijderd en verbrand: de lijst met telefoonnummers op zijn bureau bevatte niets geheimers dan het nummer van de slager en de dokter, en toch had hij het gevoel dat hij vast ergens iets was vergeten dat hem zou kunnen verraden. Hij dacht aan de twee mannen van Special Branch die Davis' flat doorzochten; hij dacht aan de zinnen die Davis in zijn vaders Browning met een 'c' gemerkt had. In dit huis zouden geen sporen van liefde te vinden zijn. Hij en Sarah hadden elkaar nooit liefdesbrieven geschreven – in Zuid-Afrika zouden liefdesbrieven het bewijs van een misdaad zijn geweest.

Hij had nog nooit zo'n lange en eenzame dag doorgemaakt. Hij had geen honger, hoewel alleen Sam iets had gegeten als ontbijt, maar hij zei tegen zichzelf dat men nooit wist wat er voor de avond kon gebeuren of waar hij zijn volgende maaltijd zou gebruiken. Hij ging in de keuken zitten met een bord koude ham voor zich, maar hij had nog maar een plak op toen hij bedacht dat het tijd was om naar het nieuws van één uur te luisteren. Hij luisterde het helemaal uit – zelfs tot de laatste voetbalberichten toe, want het was nooit zeker – er zou nog een dringend nabericht kunnen komen.

Maar natuurlijk was er niets dat hem ook maar in het minst betrof. Zelfs de jonge Halliday werd niet genoemd. Het was ook niet waarschijnlijk; zijn leven zou zich van nu af aan volledig achter gesloten deuren afspelen. Als een man die vele jaren te maken heeft gehad met wat geheime inlichtingen werd genoemd, voelde hij zich wonderlijk onwetend. Hij kwam in de verleiding om zijn dringende SOS weer te laten horen, maar het was zelfs al onvoorzichtig geweest om het de tweede keer van hieruit te doen. Hij had geen idee waar zijn signaal klonk, maar degenen die zijn telefoon afluisterden, zouden best in staat kunnen zijn de aansluiting te traceren. De overtuiging die hij de vorige avond had gevoeld dat de verbinding was afgesneden, dat hij aan zijn lot was overgelaten, groeide met het uur.

Hij gaf wat er over was van de ham aan Buller die hem beloonde met een sliert speeksel op zijn broek. Hij had hem al lang geleden uit moeten laten, maar hij voelde er niet voor om zich buiten de vier muren van het huis te begeven, zelfs niet naar de tuin. Als de politie kwam, wilde hij in zijn huis gearresteerd worden en niet buiten terwijl de buurvrouwen voor hun ramen stonden te gluren. Hij had een revolver boven in een lade naast zijn bed, een revolver waarvan hij het bezit nooit aan Davis had toegegeven, een volkomen legale revolver daterend uit zijn tijd in Zuid-Afrika. Bijna iedere blanke daar had een vuurwapen. Toen hij hem kocht, had hij slechts een van de kamers geladen, de tweede kamer, om een onbezonnen schot te voorkomen, en met die lading was zeven jaar lang niets gebeurd. Hij dacht: Ik zou hem tegen mezelf kunnen gebruiken als de politie binnenvalt, maar hij wist heel goed dat zelfmoord voor hem uitgesloten was. Hij had Sarah beloofd dat ze eens weer samen zouden zijn.

Hij las, hij zette de televisie aan, hij las weer. Hij kwam op een krankzinnig idee: de trein naar Londen nemen, naar Halliday's vader gaan en vragen of er nieuws was. Maar misschien hielden ze zijn huis en het station al in de gaten. Om halfvijf, de middag bijna verstreken, terwijl de grauwe avondschemering al inzette, ging de telefoon voor de tweede maal en onlogischerwijs nam hij deze keer wel op. Hij had de vage hoop Boris' stem te zullen horen, hoewel hij maar al te goed wist dat Boris nooit het risico zou nemen om hem thuis op te bellen.

De strenge stem van zijn moeder klonk hem toe alsof ze in dezelfde kamer was. 'Is dat Maurice?'

'Ja.'

'Ik ben blij dat je er bent. Sarah scheen te denken dat je weg zou kunnen zijn.'

'Nee, ik ben er nog.'

'Wat is dat voor nonsens tussen jullie?'

'Het is geen nonsens, moeder.'

'Ik heb haar gezegd dat ze Sam bij mij moest laten en direct terug moest gaan.'

'Ze komt toch niet, wel?' vroeg hij angstig. Een tweede afscheid leek hem ondraaglijk.

'Ze wil niet. Ze zegt dat je haar niet binnen zou laten. Dat is belachelijk natuurlijk.'

'Het is helemaal niet belachelijk. Als ze kwam, zou ik vertrekken.'

'Wat is er in 's hemelsnaam tussen jullie voorgevallen?'

'Je hoort het nog wel eens.'

'Denk je soms over een echtscheiding? Dat zou vreselijk zijn voor Sam.'

'Op het ogenblik is het alleen maar een kwestie van uit elkaar zijn. Laat het nu maar even op zijn beloop, moeder.'

'Ik begrijp er niets van. Ik vind het afschuwelijk als ik dingen niet begrijp. Sam wil weten of je Buller eten hebt gegeven.'

'Zeg hem maar dat ik het gedaan heb.'

Ze hing op. Hij vroeg zich af of ergens een bandrecorder nu hun conversatie afdraaide. Hij had behoefte aan een whisky, maar de fles was leeg. Hij ging naar beneden naar wat eens de kolenkelder was geweest, waar hij zijn wijn en sterke drank bewaarde. Van het stortluik voor de kolen was een soort schuin raampje gemaakt. Hij keek omhoog en zag op de stoep het weerspiegelde licht van een straatlantaarn en de benen van iemand die daaronder moest staan.

De benen staken niet in de broekspijpen van een uniform, maar ze zouden natuurlijk kunnen behoren aan een rechercheur van Special Branch. Wie het ook was, had zich nogal opvallend tegenover de deur geposteerd, maar het zou natuurlijk de bedoeling van de bespieder kunnen zijn hem schrik aan te jagen zodat hij iets onverstandigs zou doen. Buller was met hem meegelopen naar beneden; hij kreeg de benen daarboven ook in de gaten en begon te blaffen. Hij zag er gevaarlijk uit, op zijn achterpoten zittend en zijn muil opgeheven, maar als de benen binnen zijn bereik waren geweest, zou hij er niet in gebeten hebben, hij zou ze bekwijld hebben. Terwijl ze beiden toekeken, verdwenen de benen uit het gezicht, en Buller gromde van teleurstelling – hij zag zijn kans voorbijgaan om een nieuwe vriend te maken. Castle vond een fles J. & B. [het kwam bij hem op dat de kleur van de whisky niet meer van belang was] en ging ermee naar boven. Hij dacht: Als ik me niet van *Oorlog en vrede* had ontdaan, zou ik nu misschien de tijd hebben gehad om een paar hoofdstukken voor mijn plezier te lezen.

Weer dreef zijn onrust hem naar de slaapkamer om tussen Sarah's spullen naar oude brieven te snuffelen, al kon hij zich niet voorstellen hoe welke brief dan ook die hij haar ooit geschreven had incriminerend zou kunnen zijn, maar anderzijds, in de handen van Special Branch kon misschien de meest onschuldige zinspeling zo verdraaid worden dat haar medeplichtigheid erdoor werd bewezen. Hij zag ze er wel voor aan dat ze dat zouden proberen – bij dit soort zaken treedt altijd het weerzinwekkende verlangen naar wraak op. Hij vond niets – als je van elkaar houdt en bij elkaar bent, zullen oude brieven gemakkelijk hun waarde verliezen. Er belde iemand aan de voordeur. Hij stond stil en luisterde en hoorde nog een keer bellen en toen voor de derde keer. Hij zei tegen zichzelf dat deze bezoeker zich niet door stilte liet ontmoedigen en dat het dom was om niet open te doen. Als de verbinding toch niet afgesneden was, zou het iemand kunnen zijn met een boodschap of instructies... Zonder te weten waarom, haalde hij de revolver uit de lade naast zijn bed en stopte hem, geladen met die ene patroon, in zijn zak.

In de gang aarzelde hij nog steeds. Het glas-in-lood raam boven de deur wierp ruitvormige gele, groene en blauwe lichtplekken op de vloer. De gedachte kwam in hem op dat als hij de revolver in zijn hand had terwijl hij de deur opendeed, de politie het recht zou hebben hem neer te schieten uit zelfverdediging – het zou een gemakkelijke oplossing zijn; niets zou ooit officieel bewezen kunnen worden tegen een dode man. Toen berispte hij zichzelf met de gedachte dat geen enkele van zijn handelingen door wanhoop noch door hoop ingegeven mocht worden. Hij liet het wapen in zijn zak zitten en deed de deur open.

'Daintry,' riep hij uit. Hij had niet verwacht een bekend gezicht te zien.

'Mag ik binnenkomen?' vroeg Daintry op een bedeesde toon.

'Natuurlijk.'

Plotseling kwam Buller te voorschijn uit zijn afzondering. 'Hij is niet gevaarlijk,' zei Castle toen Daintry achteruitweek. Hij pakte Buller bij zijn halsband en Buller liet zijn speeksel tussen hen in op de grond vallen als een zenuwachtige bruidegom die de trouwring laat vallen. 'Wat komt u hier doen, meneer Daintry?'

'Ik reed hier toevallig langs en kreeg het idee u eens op te zoeken.' Het was zo'n doorzichtig smoesje dat Castle met hem te doen had. Daintry was niet een van die gladde, vriendelijke maar fatale ondervragers zoals MI5 die voortbracht. Hij was gewoon een veiligheidsofficier aan wie het toevertrouwd was ervoor te zorgen dat de reglementen niet werden overtreden, en aktentassen te controleren.

'Wilt u een borrel?'

'Heel graag.' Daintry's stem was hees. Hij zei – het leek alsof hij voor alles een excuus moest hebben: 'Het is een koude vochtige avond.'

'Ik ben de hele dag niet buiten geweest.'

'O nee?'

Castle dacht: Dat is een ernstige verspreking als dat telefoontje vanmorgen van kantoor was. Hij voegde eraan toe: 'Alleen om de hond uit te laten in de tuin.'

Daintry nam het glas whisky op en keek er lang naar en keek toen de zitkamer rond, kleine snelle momentopnamen, als een persfotograaf. Je kon de oogleden bijna horen klikken. Hij zei: 'Ik hoop dat ik u niet stoor. Uw vrouw...'

'Ze is er niet. Ik ben helemaal alleen. Behalve Buller dan, natuurlijk.'

'Buller?'

'De hond.'

De diepe stilte van het huis werd door de twee stemmen nog geaccentueerd. Ze doorbraken haar beurtelings met onbenullige frasen.

'Ik hoop dat ik niet te veel soda bij uw whisky heb gedaan,' zei Castle. Daintry had nog steeds geen slok genomen. 'Ik heb er niet bij stilgestaan...'

'Nee, nee. Het is zo precies goed voor mij.' De stilte daalde weer neer als het zware veiligheidsscherm in een theater.

Castle begon aan een confidentie: 'Ik moet u bekennen dat ik een beetje in moeilijkheden zit.' Het leek een geschikt moment om Sarah's onschuld te betuigen.

'Moeilijkheden?'

'Mijn vrouw heeft me verlaten. Met mijn zoon. Ze is naar mijn moeder gegaan.'

'Bedoelt u dat er ruzie is geweest?'

'Ja.'

'Dat spijt me erg voor u,' zei Daintry. 'Het is afschuwelijk als dit soort dingen gebeurt.' Hij scheen een situatie te beschrijven die zo onafwendbaar als de dood was. Hij voegde eraan toe: 'Weet u nog de laatste keer dat we elkaar zagen – bij het trouwen van mijn dochter? Het was zeer vriendelijk van u om daarna met me mee te gaan naar het huis van mijn vrouw. Ik was erg blij dat u erbij was. Toen heb ik een van haar uilen gebroken.'

'Ja. Ik herinner het me.'

'Ik geloof dat ik u zelfs niet naar behoren heb bedankt dat u mee bent gegaan. Het was ook een zaterdag. Net als vandaag. Ze was vreselijk boos. Mijn vrouw, bedoel ik, om die uil.'

'We moesten plotseling weg in verband met Davis.'

'Ja, de arme drommel.' Weer daalde het veiligheidsscherm als na een ouderwetse slotzin voor de entr'acte. Het laatste bedrijf zou spoedig beginnen. Het was tijd voor de foyer. Ze namen gelijktijdig een slok.

'Wat denkt u van zijn dood?' vroeg Castle.

'Ik weet niet wat ik ervan moet denken. Om u de waarheid te zeggen, ik probeer er maar niet over te denken.'

'Ze geloven dat hij een lek was op mijn afdeling, nietwaar?'

'Een veiligheidsofficier wordt niet erg in vertrouwen genomen. Waarom denkt u dat?'

'Het is geen normale gang van zaken dat Special Branch een huiszoeking doet als er iemand van ons sterft.'

'Nee, dat lijkt me ook niet.'

'U vond het ook een vreemd sterfgeval?'

'Waarom zegt u dat?'

Hebben we onze rollen omgekeerd, dacht Castle, ben *ik* nu *hem* aan het ondervragen?

'U zei daarnet dat u probeerde niet over zijn dood te denken.'

'Heb ik dat gezegd? Ik weet niet wat ik daarmee bedoelde. Misschien komt het door uw whisky. U heeft er zeker niet te veel soda bij gedaan, weet u.'

'Davis heeft nooit iets, aan wie dan ook, uit laten lekken,' zei Castle. Hij had de indruk dat Daintry naar zijn zak keek die tegen het kussen van zijn stoel uitstulpte door het gewicht van de revolver.

'Gelooft u dat?'

'Ik weet het.'

Hij had niets kunnen zeggen waarmee hij zichzelf vollediger incrimineerde dan dit. Wel beschouwd was Daintry misschien toch niet zo'n slechte verhoorder; en de bedeesdheid en de verwarring en de openhartigheid die hij aan de dag had gelegd, zouden in werkelijkheid deel uit kunnen maken van een nieuwe methode, hetgeen zijn technische opleiding in een hogere klasse zou plaatsen dan die van MI5.

'U weet het?'

'Ja.'

Hij vroeg zich af wat Daintry nu zou doen. Hij had geen bevoegdheid tot arrestatie. Hij zou een telefoon moeten opzoeken en het kantoor moeten raadplegen. De dichtstbijzijnde telefoon was op het politiebureau aan het einde van King's Road – hij zou toch zeker niet de moed hebben om te vragen of hij die van Castle mocht gebruiken? En had hij het gewicht in zijn zak geïdentificeerd? Was hij bang? Als hij weggaat, zou ik tijd hebben om te vluchten, dacht Castle, als hij maar wist waarnaar toe; maar vluchten zonder een bestemming, alleen maar om het moment van gevangenneming uit te stellen, was een daad van paniek. Hij gaf er de voorkeur aan te wachten waar hij was – dat zou tenminste nog een zekere waardigheid hebben.

'Ik heb er altijd mijn twijfels over gehad,' zei Daintry, 'om u de waarheid te zeggen.'

'Dus ze hebben u wel in vertrouwen genomen?'

'Alleen in verband met het veiligheidsonderzoek. Dat moest ik nu eenmaal organiseren.'

'Het was een nare dag voor u, nietwaar, eerst die uil breken en daarna Davis dood in bed vinden?'

'Het beviel me niet wat dokter Percival zei.'

'Wat was dat dan?'

'Hij zei: "Ik had niet verwacht dat dit zou gebeuren."'

'Ja. Ik herinner het me nu.'

'Dat heeft me de ogen geopend,' zei Daintry. 'Ik begreep wat ze van plan waren geweest.'

'Ze hebben voorbarige conclusies getrokken. Ze hebben de alternatieven niet degelijk onderzocht.'

'U bedoelt u zelf?'

Castle dacht: Zo gemakkelijk zal ik het ze niet maken, ik ga niet met zoveel woorden een bekentenis afleggen, hoe effectief die nieuwe techniek van hen ook mag zijn. Hij zei: 'Of Watson.'

'O ja, ik vergeet Watson.'

'Alles van onze afdeling gaat door zijn handen. En dan is er ook natuurlijk nog 69300 in L.M. Ze kunnen zijn boekhouding niet controleren. Wie zal zeggen of hij niet een bankrekening in Rhodesië of Zuid-Afrika heeft?'

'Volkomen waar,' zei Daintry.

'En onze secretaressen. Het zijn niet alleen onze persoonlijke secretaressen die erbij betrokken zouden kunnen zijn. Ze zitten allemaal op een typekamer. U wilt me toch niet vertellen dat de meisjes als ze naar de wc. gaan altijd het telegram dat ze aan het decoderen zijn of het rapport dat ze aan het tikken zijn achter slot en grendel doen?'

'Dat besef ik heel goed. Ik heb de typekamer zelf gecontroleerd. Er is altijd sprake geweest van grote nonchalance.'

'Nonchalance kan ook aan de top beginnen. Davis' dood zou een geval van misdadige nonchalance kunnen zijn.'

'Als hij niet schuldig was, is het moord geweest,' zei Daintry. 'Hij had niet de kans zich te verdedigen, om een advocaat in te schakelen. Ze waren bang voor het effect dat een rechtszaak zou kunnen hebben op de Amerikanen. Dokter Percival had het tegen me over hokjes...'

'O ja,' zei Castle. 'Ik ken dat praatje. Ik heb het zelf vaak genoeg gehoord. Nou, in elk geval, Davis zit nu in zijn hokje.'

Castle merkte dat Daintry's ogen op zijn zak gericht waren. Wendde Daintry voor het met hem eens te zijn met het doel veilig naar zijn auto te kunnen ontkomen? Daintry zei: 'Wij beiden maken dezelfde fout – we trekken voorbarige conclusies. Davis kan schuldig zijn geweest. Waarom bent u er zo zeker van dat hij het niet was?'

'U moet naar de motieven kijken,' zei Castle. Hij had geaarzeld, hij had het ontweken, maar hij was sterk in de verleiding geweest om te antwoorden: 'Omdat ik het lek ben.' Hij was er ondertussen zeker van dat de verbinding afgesneden was en dat hij geen hulp meer kon verwachten, dus wat voor zin had het de afloop uit te stellen? Hij mocht Daintry, hij had hem gemogen sinds de dag van zijn dochters bruiloft. Hij was plotseling menselijk gebleken naar aanleiding van de gebroken uil, in de eenzaamheid van zijn gebroken huwelijk. Als iemand eer zou oogsten van zijn bekentenis, zou hij graag willen dat het Daintry was. Dus, waarom zou hij het niet opgeven en rustig meegaan, zoals de politie het vaak uitdrukte? Hij vroeg zich of hij het spel niet probeerde te rekken alleen om gezelschap te hebben, om de eenzaamheid van het huis en de eenzaamheid van een cel te vermijden.

'Het lijkt me dat Davis' motief geld had kunnen zijn,' zei Daintry.

'Davis gaf niet veel om geld. Het enige dat hij nodig had was genoeg geld om wat op de paarden te wedden en zich een goede port te kunnen veroorloven. U moet de zaak wat nauwkeuriger bekijken.'

'Hoe bedoelt u?'

'Als onze afdeling als enige verdacht werd, zou het uitgelekte materiaal alleen Afrika kunnen betreffen.'

'Waarom?'

'Er is een heleboel andere informatie die onze afdeling passeert – die we doorgeven – en die belangwekkender moet zijn voor de Russen, maar als het lek daar zat, begrijpt u wel dat de andere afdelingen dan ook verdacht zouden zijn? Dus het lek kan alleen maar te maken hebben met ons speciale deel van Afrika.'

'Ja,' stemde Daintry in, 'dat begrijp ik.'

'Dat wijst in de richting van een – nou, misschien niet precies een ideologie – het hoeft niet noodzakelijkerwijs een communist te zijn die u zoekt – maar in elk geval een sterke verbondenheid met Afrika – of met Afrikanen. Ik betwijfel of Davis ooit een Afrikaan heeft gekend.' Hij zweeg even en voegde er toen, weloverwogen en met een zeker genoegen in het gevaarlijke spel, aan toe: 'Behalve natuurlijk mijn vrouw en mijn kind.' Hij zette de puntjes op de i, maar hij was niet van plan ook nog de streepjes door de t te halen. Hij vervolgde: '69300 zit al lange tijd in L.M. Niemand weet wat voor vrienden hij heeft gemaakt – hij heeft zijn Afrikaanse agenten, waarvan er vele communist zijn.'

Na al die jaren van heimelijkheid begon hij plezier te krijgen in dit ganzenbordspel. 'Net zoals ik in Pretoria had,' ging hij door. Hij glimlachte. 'Zelfs C, weet u, koestert een zekere liefde voor Afrika.'

'O, nu maakt u toch een grapje,' zei Daintry.

'Natuurlijk is het een grapje. Ik wil u alleen maar tonen hoe weinig ze tegen Davis konden aanvoeren bij anderen vergeleken, zoals ik zelf of 69300 – en al die secretaressen waarvan we helemaal niets afweten.'

'Ze zijn allemaal zorgvuldig doorgelicht.'

'Natuurlijk zijn ze dat. De namen van al hun vriendjes staan bij ons geregistreerd, althans de vriendjes van dat bepaalde jaar, maar sommige meisjes veranderen van vriendje zoals ze van winterkleding veranderen.'

Daintry zei: 'U heeft een heleboel verdachten genoemd, maar van Davis bent u zo zeker.' Hij voegde er mismoedig aan toe: 'U boft dat u geen veiligheidsofficier bent. Ik had bijna mijn ontslag genomen na Davis' begrafenis. Ik wou dat ik het gedaan had.'

'Waarom heeft u het niet gedaan?'

'Wat zou ik moeten doen om de tijd door te komen?'

'U zou autonummers kunnen verzamelen. Dat heb ik eens gedaan.'

'Waarover had u ruzie met uw vrouw?' vroeg Daintry. 'Vergeef me. Dat gaat me niets aan.'

'Ze is het niet eens met de dingen die ik doe.'

'U bedoelt voor de firma?'

'Dat niet zozeer.'

Castle merkte dat het spel bijna uit was. Daintry had tersluiks op zijn horloge gekeken. Hij vroeg zich af of het een echt horloge was of dat het een microfoon verborg. Misschien dacht hij dat zijn tape afgelopen was. Zou hij naar het toilet vragen zodat hij hem kon verwisselen?

'Wilt u nog een whisky?'

'Nee, dat kan ik beter niet doen. Ik moet nog naar huis rijden.'

Castle ging met hem mee naar de vestibule, en Buller ook. Buller vond het jammer een nieuwe vriend te zien vertrekken.

'Bedankt voor de borrel,' zei Daintry.

'Ik dank u dat u me de gelegenheid heeft gegeven om over een heleboel dingen te praten.'

'Blijf binnen. Het is beestachtig weer.' Maar Castle volgde hem in de koude motregen. Hij zag de achterlichten van een auto vijftig meter terug tegenover het politiebureau.

'Is dat uw auto daarginds?'

'Nee. De mijne staat een stukje verderop, de andere kant uit. Ik moest teruglopen omdat ik door de regen de huisnummers niet kon zien.

'Tot ziens dan.'

'Tot ziens. Ik hoop dat alles in orde komt – met uw vrouw bedoel ik.'

Castle bleef zo lang in de koude gestage regen staan dat hij naar Daintry kon wuiven toen hij langsreed. Zijn auto stopte niet, merkte hij op, bij het politiebureau maar ging rechtsaf in de richting van Londen. Natuurlijk zou hij altijd nog bij de King's Arms of de Swan kunnen stoppen om te telefoneren, maar zelfs in dat geval betwijfelde Castle of hij een erg duidelijk rapport zou kunnen uitbrengen. Ze zouden waarschijnlijk eerst zijn tape willen horen voor ze een besluit namen – Castle was er nu zeker van dat het horloge een microfoon was. Natuurlijk zou het station al bewaakt kunnen worden en de douane van de luchthavens gewaarschuwd kunnen zijn. Eén ding stond wel vast na Daintry's bezoek: de jonge Halliday moest gepraat hebben, anders zouden ze Daintry nooit naar hem toe hebben gestuurd.

In de deuropening keek hij links en rechts de straat in. Ogenschijnlijk was er niemand die hem gadesloeg, maar de achterlichten van de auto tegenover het politiebureau glommen nog op in de regen. Het leek niet op een politiewagen. De politie – zelfs de Special Branch, veronderstelde hij – moest zich behelpen met auto's van Britse makelij en deze – hij wist het niet zeker maar het leek een Toyota. Hij dacht aan de Toyota op de weg naar Ashridge. Hij probeerde de kleur te onderscheiden, maar de regen maakte dat onmogelijk. Rood en zwart deden zich hetzelfde voor in de motregen die nu overging in natte sneeuw. Hij ging naar binnen en voor het eerst durfde hij te hopen.

Hij bracht de glazen naar de keuken en waste ze zorgvuldig af. Het was alsof hij de vingerafdrukken van zijn wanhoop wegwaste. Daarna bracht hij nog twee glazen naar de huiskamer, en voor het eerst deed hij zijn best de hoop aan te kweken. Het was een teer plantje dat met zorg aangekweekt moest worden, en hij hield zichzelf voor dat de auto beslist een Toyota was. Hij wilde er niet aan denken hoeveel Toyota's er in de omgeving waren maar wachtte geduldig tot er gebeld zou worden. Hij vroeg zich af wie degene was die aan zou bellen en Daintry's plaats zou innemen in de deuropening. Het zou Boris niet zijn – daar was hij zeker van – en evenmin zou het de jonge Halliday zijn die nog maar net uit lankmoedigheid vrijgelaten was en nu waarschijnlijk volledig in beslag genomen werd door mensen van de Special Branch.

Hij ging weer naar de keuken en gaf Buller een bord hondebrokken – misschien zou het lange tijd duren voor hij weer kon eten. De klok in de keuken had een luidruchtige tik die de tijd langzamer scheen te doen gaan. Als er werkelijk een vriend in de Toyota zat, dan deed hij er wel lang over om te komen.

4

Kolonel Daintry reed de binnenplaats van de King's Arms op. Er stond slechts één auto op de binnenplaats en hij bleef een tijdje achter het stuur zitten, overwegend of hij nu zou opbellen en wat hij dan zou zeggen. Tijdens zijn lunch in de Reform met C en dokter Percival was hij in stille woede geraakt. Er waren momenten geweest dat hij zijn bord met gerookte forel opzij had willen schuiven en had willen zeggen: 'Ik neem ontslag. Ik wil niets meer te maken hebben met die vervloekte firma van jullie.' Hij was doodziek van geheimhouding en van fouten die verdoezeld en niet toegegeven moesten worden. Aan de overkant van de binnenplaats kwam een man uit een urinoir terwijl hij een melodieloos wijsje fluitend zijn gulp dichtknoopte in de verborgenheid van het duister, en toen de bar binnenging. Daintry dacht: Ze hebben mijn huwelijk verwoest met hun geheimen. Tijdens de oorlog hadden ze een eenvoudig doel gehad – veel eenvoudiger dan dat wat zijn vader had gekend. De Duitse keizer was geen Hitler geweest, maar in de koude oorlog die ze nu voerden, was het mogelijk, zoals in de oorlog tegen de keizer, om goed en kwaad tegen elkaar af te wegen. Er was niets vanzelfsprekend genoeg in het gestelde doel om een moord uit vergissing te rechtvaardigen. Opnieuw bevond hij zich in het kille huis van zijn kindertijd. Hij liep de gang door en ging de kamer binnen waar zijn vader en moeder hand in hand zaten. 'God weet wat het beste is,' zei zijn vader, denkend aan Jutland en admiraal Jellicoe. Zijn moeder zei: 'Schat, op jouw leeftijd is het moeilijk om een andere baan te vinden.' Hij deed zijn lichten uit en stapte door de zware gestage regenval naar de bar. Hij dacht: Mijn vrouw heeft geld genoeg, mijn dochter is getrouwd, ik zou – op de een of andere manier – wel van mijn pensioen kunnen leven.

Op deze koude natte avond was er slechts één man in de bar – hij dronk een groot glas bier. Hij zei: 'Goedenavond, meneer,' alsof ze elkaar goed kenden.

'Goedenavond. Een dubbele whisky graag,' zei Daintry.

'Als je het zo kan noemen,' zei de man terwijl de barkeeper zich omdraaide om een glas onder een fles Johnnie Walker te houden.

'Als je wat zo kan noemen?'

'De avond bedoelde ik, meneer. Hoewel je geen beter weer kunt verwachten, denk ik, in november.'

'Kan ik even telefoneren?' vroeg Daintry aan de barkeeper.

De barkeeper schoof de whisky naar hem toe alsof hij er niets mee te maken wilde hebben. Hij knikte in de richting van een hokje. Hij was duidelijk een man van weinig woorden: hij was hier om te luisteren naar wat de klanten wensten te zeggen maar niet om zich meer te uiten dan strikt noodzakelijk was, tot hij – ongetwijfeld met genoegen – zou mededelen: 'Hoogste tijd, heren.'

Daintry draaide dokter Percivals telefoonnummer en terwijl hij naar de bezettoon luisterde, probeerde hij de woorden te repeteren die hij wilde zeggen. 'Ik heb Castle opgezocht... Hij is alleen thuis... Hij heeft ruzie gehad met zijn vrouw... Er is verder niets te melden...' Hij zou de hoorn op de haak gooien zoals hij hem nu op de haak gooide – toen ging hij terug naar de bar en zijn whisky en naar de man die zo nodig moest praten.

'Uh,' zei de barkeeper, 'uh' en een keer: 'Dat klopt.'

De klant richtte zich tot Daintry en betrok hem in zijn conversatie. 'Ze leren ze tegenwoordig niet eens meer rekenen. Ik vroeg aan mijn neefje – hij is negen – hoeveel is viermaal zeven, en denkt u dat hij het me kon vertellen?'

Daintry dronk zijn whisky met een oog op de telefooncel, terwijl hij nog steeds probeerde te besluiten welke bewoordingen hij zou gebruiken.

'Ik zie wel dat u het met me eens bent,' zei de man tegen Daintry.

'En u?' vroeg hij de barkeeper. 'Uw zaak zou toch naar de bliksem gaan als u niet kon zeggen hoeveel viermaal zeven was?'

De barkeeper veegde wat gemorst bier van de bar en zei: 'Uh.'

'Wat u betreft, meneer, het is voor mij niet moeilijk om te raden welk beroep u uitoefent. Vraag me niet waarom. Het is een gevoel dat ik heb.

Dat komt doordat ik gezichten bestudeer, denk ik, en de menselijke aard. Dat is de reden dat ik over rekenen begon terwijl u aan het telefoneren was. Dat is een onderwerp, zei ik tegen meneer Barker hier, waarover die meneer een uitgesproken mening zal hebben. Heb ik het niet precies zo gezegd?'

'Uh,' zei meneer Barker.

'Ik wil nog wel een biertje als het kan.'

Meneer Barker tapte zijn glas vol.

'Mijn vrienden vragen me wel eens om een demonstratie. Nu en dan maken ze er zelfs wel eens een wedje op. Dat is een schoolmeester, zeg ik dan van iemand in de ondergrondse, of dat is een drogist, en dan informeer ik beleefd naar hun beroep – ze nemen er geen aanstoot aan als ik het ze uitleg – en negen van de tien keer heb ik gelijk. Meneer Barker heeft het me hier wel zien doen, nietwaar, meneer Barker?'

'Uh.'

'Wat u betreft, meneer, als u er geen bezwaar tegen heeft dat ik even mijn spelletje met u speel om meneer Barker hier op deze koude natte avond wat te amuseren – u bent in overheidsdienst. Heb ik het goed, meneer?'

'Ja,' zei Daintry. Hij dronk zijn whisky op en zette zijn glas neer. Het was tijd om de telefoon nog eens te proberen.

'Dus we worden al warm, hè?' De klant fixeerde hem met kraalogen. 'Een soort vertrouwenspost. U weet een heleboel meer van allerlei zaken dan de rest van ons.'

'Ik moet opbellen,' zei Daintry.

'Een ogenblikje, meneer. Ik wil alleen meneer Barker even laten zien...' Hij veegde met een zakdoek wat bier van zijn mond en bracht zijn gezicht dicht bij dat van Daintry. 'U werkt met cijfers,' zei hij. 'U zit bij de belastingdienst.'

Daintry liep naar de telefooncel.

'Ziet u wel,' zei de klant, 'overgevoelige knaap. Ze worden niet graag herkend. Een inspecteur waarschijnlijk.'

Deze keer kreeg Daintry de contacttoon en spoedig hoorde hij dokter Percivals stem, minzaam en geruststellend alsof hij zijn ziekbedmanieren had behouden ook al had hij de ziekbedden reeds lang verlaten. 'Ja? Met dokter Percival. Met wie spreek ik?'

'Met Daintry.'

'Goedenavond, beste kerel. Is er nog nieuws? Waar zit je?'

'Ik ben in Berkhamsted. Ik heb Castle opgezocht.'

'Ja. Wat is je indruk?'

Woede vergreep zich aan de woorden die hij had willen zeggen en verscheurde ze als een brief die je besluit toch niet weg te sturen. 'Mijn indruk is dat je de verkeerde man hebt vermoord.'

'Niet vermoord,' zei dokter Percival vriendelijk, 'een fout in de dosering. Het spul was nog niet eerder op een mens geprobeerd. Maar waarom denk je dat Castle...?'

'Omdat hij er zeker van is dat Davis onschuldig was.'

'Zei hij dat met zoveel woorden?'

'Ja.'

'Wat voert hij in zijn schild?'

'Hij zit te wachten.'

'Waarop dan?'

'Tot er iets gebeurt. Zijn vrouw is bij hem weggelopen met het kind. Hij zegt dat ze ruzie hebben gehad.'

'We hebben al een waarschuwing laten uitgaan,' zei dokter Percival, 'naar de luchthavens – en de zeehavens ook natuurlijk. Als hij er vandoor probeert te gaan, hebben we grond voor sterke verdenking – maar dan hebben we toch nog harde bewijzen nodig.'

'Met Davis heb je niet op harde bewijzen gewacht.'

'C staat erop deze keer. Wat ga je nu doen?'

.'Naar huis.'

'Heb je hem naar Mullers aantekeningen gevraagd?'

'Nee.'

'Waarom niet?

'Het was niet nodig.'

'Je hebt uitstekend werk geleverd, Daintry. Maar waarom ga je ervan uit dat hij zo volkomen eerlijk tegen je is geweest?'

Daintry legde de hoorn neer zonder antwoord te geven en verliet de telefooncel. De klant zei: 'Ik had het goed, hè? U bent een inspecteur van de belastingdienst.'

'Ja.'

'Ziet u wel, meneer Barker. Het was weer raak.'

Kolonel Daintry liep langzaam naar buiten naar zijn auto. Een tijdlang bleef hij erin zitten terwijl de motor draaide, kijkend hoe de regendruppels elkaar najoegen over de voorruit. Toen reed hij de binnenplaats af en sloeg hij de richting in van Boxmoor en Londen en de flat in St James's Street waar het restant camembert van gisteren hem wachtte. Hij reed langzaam. De novembermotregen was overgegaan in echte regen die neigde naar hagel. Hij dacht: Nu, ik heb, wat ze zouden noemen, mijn plicht gedaan, maar hoewel hij op weg was naar huis en de tafel waaraan hij naast de camembert gezeten zijn brief zou schrijven, had hij geen haast om er te komen. In zijn geest was de daad van ontslagneming al volbracht. Hij hield zichzelf voor dat hij een vrij man was, dat hij geen verplichtingen en geen bindingen meer had, maar hij had nooit eerder zo'n diepe eenzaamheid gevoeld als hij nu voelde.

5

Er werd gebeld. Castle had er lange tijd op gewacht en toch aarzelde hij om naar de deur te gaan; het kwam hem nu voor dat hij belachelijk optimistisch was geweest. De jonge Halliday zou intussen zeker hebben gepraat, de Toyota was een van de duizenden Toyota's, de Special Branch had waarschijnlijk gewacht tot hij alleen zou zijn, en hij wist hoe belachelijk loslippig hij tegen Daintry was geweest. Er werd voor de tweede keer gebeld en toen voor de derde keer; er restte hem niets anders dan open te doen. Hij liep naar de deur met zijn hand op de revolver in zijn zak, maar het wapen had niet meer waarde dan een mascotte. Hij kon zich niet schietend een weg naar de vrijheid banen vanaf een eiland. Buller begeleidde hem quasi-heldhaftig naar de deur, zwaar grommend, maar hij wist dat Buller, als de deur openging, voor wie het ook maar was, zou kruipen. Hij kon niet door het glas-in-lood raam kijken omdat de regen erlangs droop. Zelfs toen hij de deur opendeed, kon hij niets duidelijk onderscheiden – alleen een gebogen gestalte.

'Het is een vreselijke avond,' klaagde een bekende stem vanuit de duisternis tegen hem.

'Meneer Halliday – u had ik niet verwacht.'

Castle dacht: Hij is hier om hulp voor zijn zoon te vragen, maar wat kan ik doen?

'Brave jongen. Brave jongen,' zei de bijna onzichtbare meneer Halliday zenuwachtig tegen Buller.

'Kom binnen,' stelde Castle hem gerust. 'Hij is volstrekt ongevaarlijk.'

'Ik zie wel dat het een heel goede hond is.'

Meneer Halliday kwam voorzichtig binnen, tegen de muur gedrukt, èn Buller kwispelde met het stukje staart dat hij had en kwijlde.

'U ziet wel, meneer Halliday, de hele wereld is zijn vriend. Doe uw jas uit, dan drinken we een glas whisky.'

'Ik ben niet zo'n drinker, maar ik zeg toch geen nee.'

'Het speet me voor u toen ik op de radio over uw zoon hoorde. U zult wel erg bezorgd zijn.'

Meneer Halliday volgde Castle naar de huiskamer. Hij zei: 'Het is zijn eigen schuld, meneer, misschien zal het hem een lesje leren. De politie heeft een heleboel spullen uit zijn zaak weggehaald. De inspecteur heeft me een paar van die dingen laten zien en ze waren werkelijk walglijk. Maar, zoals ik tegen de inspecteur zei, ik geloof niet dat hij die rommel zelf las.'

'Ik hoop dat de politie u geen last heeft bezorgd.'

'O nee. Zoals ik u al eens verteld heb, meneer, ik geloof dat ze erg met me te doen hebben. Ze weten dat ik een heel ander soort zaak drijf.'

'Heeft u nog de kans gehad om hem mijn brief te geven?'
'Ah, wat dat betreft, meneer, leek het me verstandiger om dat niet te doen. Onder deze omstandigheden. Maar wees niet bezorgd. Ik heb de boodschap doorgegeven aan degenen voor wie ze werkelijk bestemd was.'
Hij pakte een boek op dat Castle had proberen te lezen en keek naar de titel.
'Wat bedoelt u in 's hemelsnaam?'
'Nu, meneer, ik geloof dat u altijd een wat verkeerde veronderstelling heeft gehad. Mijn zoon heeft zich nooit beziggehouden met het soort zaken waarvoor u zich interesseert. Maar *zij* vonden het maar beter – ingeval er moeilijkheden zouden zijn – dat *u* geloofde...' Hij boog zich voorover en warmde zijn handen voor de gashaard, en zijn ogen keken naar Castle op met een sluwe geamuseerdheid. 'Nu, meneer, zoals de zaken er nu voorstaan, moeten we u hier zeer snel weg zien te krijgen.'
Het was een schok voor Castle om te beseffen hoe weinig vertrouwen er in hem was gesteld, zelfs door degenen die de meeste reden hadden om hem te vertrouwen.
'Als u me de vraag niet kwalijkneemt, meneer, waar zijn uw vrouw en uw zoon eigenlijk? Ik heb opdracht...'
'Vanmorgen, toen ik het nieuws over uw zoon hoorde, heb ik ze weggestuurd. Naar mijn moeder. Zij denkt dat we ruzie hebben gehad.'
'Ach zo, dat is dan een probleem minder.'
Nadat hij zijn handen voldoende verwarmd had, begon de oude meneer Halliday door de kamer te lopen: hij liet zijn ogen langs de boekenplanken gaan. Hij zei: 'Ik geef u er een even goede prijs voor als elke andere boekhandelaar. Vijfentwintig pond contant – meer mag u niet meenemen als u het land uitgaat. Ik heb het geld bij me. Ze passen goed in mijn winkelvoorraad. Al die World's Classics en Everyman's. Ze worden niet herdrukt zoals zou moeten en als ze ze herdrukken, wat een prijs!'
'Ik dacht,' zei Castle, 'dat we nogal haast hadden.'
'Er is één ding dat ik heb geleerd,' zei meneer Halliday, 'in de afgelopen vijftig jaar, en dat is kalm te blijven. Als je je eenmaal gaat haasten, ga je zeker fouten maken. Als je een halfuur overhebt, doe dan altijd alsof je drie uur de tijd hebt. Zei u niet iets over een glas whisky, meneer?'
'Als we er tijd voor hebben...' Castle schonk twee glazen in.
'We hebben de tijd. Ik neem aan dat u een tas heeft gepakt met al het nodige?'
'Ja.'
'Wat bent u van plan met de hond te doen?'
'Hem achterlaten, lijkt me. Ik had er niet aan gedacht... Misschien zou

u hem naar een dierenarts kunnen brengen.'

'Niet verstandig, meneer. Een connectie tussen u en mij – het zou niet gunstig zijn – als ze hem zouden opsporen. Toch zullen we hem de eerste paar uur rustig moeten zien te houden. Is het een blaffer als hij alleen wordt gelaten?'

'Ik weet het niet. Hij is niet gewend om alleen te zijn.'

'Waar ik aan denk zijn de buren die gaan klagen. Een van hen zou best de politie kunnen bellen, en het is niet gunstig als ze een leeg huis zouden vinden.'

'Dat zullen ze toch gauw genoeg vinden.'

'Het geeft niet als u eenmaal veilig in het buitenland bent. Het is jammer dat uw vrouw de hond niet heeft meegenomen.'

'Dat kon niet. Mijn moeder heeft een kat. Buller bijt katten dood zo gauw hij ze ziet.'

'Ja, het zijn ondeugden, die boxers, ten aanzien van katten. Ik heb ook een kat.' Meneer Halliday trok Buller aan zijn oor en Buller kronkelde zich voor hem op de grond. 'Het is net zoals ik zei. Als je gehaast bent, vergeet je dingen. Zoals de hond. Heeft u een kelder?'

'Geen geluiddichte. Als u van plan was om hem daar op te sluiten.'

'Ik meen te zien, meneer, dat er in uw rechterzak een revolver zit – of heb ik het mis?'

'Ik dacht dat als de politie kwam... Er zit maar één patroon in.'

'Een ingeving van de wanhoop, meneer?'

'Ik had nog niet besloten of ik hem zou gebruiken.'

'Ik heb liever dat u hem aan mij geeft, meneer. Als we aangehouden zouden worden, dan heb ik tenminste nog een vergunning, in verband met al die winkeldiefstallen tegenwoordig. Hoe heet hij, meneer? De hond bedoel ik.'

'Buller.'

'Kom hier, Buller, kom hier. Zo ben je een brave hond.' Buller legde zijn snuit op meneer Halliday's knie. 'Brave hond, Buller. Brave hond. Je wilt toch geen last veroorzaken, is 't wel, als je zo'n goede baas hebt als die van jou.' Buller kwispelde met zijn stompje. 'Ze zeggen dat ze weten of je ze mag of niet,' zei meneer Halliday. Hij krabde Buller achter zijn oren en Buller liet zijn waardering blijken. 'Nu, meneer, als u me de revolver zou willen geven... Ah, jij bijt katten dood, hè... Ondeugd die je bent.'

'Ze zullen het schot horen,' zei Castle.

'We zullen even een wandelingetje maken naar de kelder. Eén schot – daar let niemand op. Ze denken dat het de terugslag van een auto is.'

'Hij zal niet met u meegaan.'

'Laten we eens zien. Kom mee, Buller, ouwe jongen. Kom, dan gaan we uit. Uit, Buller.'

'Ziet u wel? Hij gaat niet mee.'

'Het is tijd om te vertrekken, meneer. U kunt beter met me meegaan naar beneden. Ik had u willen sparen.'

'Ik wil niet gespaard worden.'

Castle ging voorop de trap af naar de kelder. Buller kwam achter hem aan en meneer Halliday volgde Buller.

'Ik zou het licht niet aandoen, meneer, een schot en een licht dat uitgaat. *Dat* zou de aandacht kunnen trekken.'

Castle deed wat eens het luik voor de kolen was geweest dicht.

'Nu, meneer, als u me de revolver geeft...'

'Nee, dit doe ik zelf.' Hij stak de revolver uit, op Buller richtend, en Buller, die wel zin had in een spelletje en de loop waarschijnlijk voor een rubberbot hield, sloot zijn kaken eromheen en trok. Castle haalde de trekker tweemaal over vanwege de lege kamer. Hij voelde zich misselijk.

'Ik wil nog een whisky,' zei hij, 'voor we gaan.'

'Dat verdient u zeker, meneer. Het is vreemd hoezeer men gesteld kan raken op zo'n stom dier. Mijn kat...'

'Ik had een hartgrondige hekel aan Buller. Het enige is... nou ja, ik heb nog nooit eerder iets gedood.'

6

'Het is moeilijk rijden in deze regen,' zei meneer Halliday, een zeer lange stilte verbrekend. De dood van Buller had hun tong geketend.

'Waar zijn we naar op weg? Heathrow? De douane zal intussen wel gealarmeerd zijn.'

'Ik breng u naar een hotel. Als u het handschoenenkastje opendoet, meneer, vindt u daar een sleutel in. Kamer 423. U hoeft niets anders te doen dan direct de lift te nemen. Ga niet naar de balie. Wacht op de kamer tot er iemand voor u komt.'

'En als er nu een kamermeisje...'

'Hang een Niet Storen-bordje aan de deur.'

'En daarna...'

'Ik zou het niet weten, meneer. Dit waren de enige instructies die ik heb gekregen.'

Castle vroeg zich af hoe Sam het nieuws van Bullers dood zou opnemen. Hij wist dat het hem nooit vergeven zou worden. Hij vroeg: 'Hoe bent u hierbij betrokken geraakt?'

'Ik ben er niet bij betrokken geraakt, meneer. Ik ben al lid van de partij, in het geheim zou je kunnen zeggen, sinds ik een jongen was. Op mijn zeventiende ging ik in dienst – vrijwillig. Had een verkeerde leeftijd opgegeven. Dacht dat ik naar Frankrijk zou gaan, maar het was Archangel waar ze me naar toe stuurden. Ik ben vier jaar lang krijgsgevangene geweest. Ik heb in die jaren veel gezien en veel geleerd.'

'Hoe werd u daar behandeld?'

'Het was hard, maar een jongen kan veel verdragen, en er was altijd wel iemand die vriendelijk was. Ik heb een beetje Russisch geleerd, genoeg om als tolk te fungeren, en ze gaven me boeken te lezen als ze me geen eten konden geven.'

'Communistische boeken?'

'Natuurlijk, meneer. Een missionaris deelt bijbels uit, nietwaar?'

'Dus u bent een van de gelovigen.'

'Het is een eenzaam leven geweest, dat moet ik toegeven. Ziet u, ik kon nooit naar bijeenkomsten gaan of in marsen meelopen. Zelfs mijn zoon weet het niet. Ze maken gebruik van me voor kleine dingen – zoals in uw geval, meneer. Ik heb heel wat keren uw berichten opgehaald. O, het was een gelukkige dag voor me toen u mijn winkel binnenstapte. Ik voelde me minder alleen.'

'Heeft u nooit eens een beetje getwijfeld, meneer Halliday? Ik bedoel – Stalin, Hongarije, Tsjecho-Slovakije?'

'Ik heb genoeg in Rusland gezien toen ik een jongen was – en ook in Engeland in de crisistijd toen ik terugkwam – om me te wapenen tegen dat soort kleinigheden.'

'Kleinigheden?'

'Neem me niet kwalijk dat ik het zeg, meneer, maar uw geweten is nogal selectief. Ik zou tegen u kunnen zeggen – Hamburg, Dresden, Hiroshima. Hebben die uw geloof in wat u democratie noemt niet een beetje doen wankelen? Misschien is dat wel gebeurd anders zou u hier niet naast me zitten.'

'Dat was een oorlog.'

'Onze mensen zijn al sinds 1917 in oorlog.'

Castle tuurde in de natte duisternis tussen de slagen van de ruitewissers door. 'U brengt me wel naar Heathrow.'

'Niet helemaal.' Meneer Halliday legde een hand zo licht als een Ashridge-herfstblad op Castles knie. 'Maak u geen zorgen, meneer. Zij zorgen voor u. Ik benijd u. Het zou me niet verbazen als u Moskou te zien kreeg.'

'Bent u daar nooit geweest?'

'Nee. Ik ben er nooit dichterbij geweest dan in het krijgsgevangenkamp bij Archangel. Heeft u ooit *De drie zusters* gezien? Ik heb het maar één keer gezien, maar ik heb altijd onthouden wat een van hen zei en ik zeg het tegen mezelf als ik 's nachts niet kan slapen – "Het huis verkopen, aan alles hier een eind maken, en op naar Moskou..."'

'U zou een Moskou aantreffen dat niet erg op dat van Tsjechow lijkt.'

'Er was nog iets dat een van de zusters zei: "Gelukkige mensen merken niet of het winter of zomer is. Als ik in Moskou woonde, zou het me niet uitmaken wat voor weer het was." Enfin, als ik neerslachtig ben, houd ik mezelf voor dat ook Marx Moskou nooit heeft gekend, en dan kijk ik door Old Compton Street en denk: Londen is nog steeds het Londen van Marx. Soho het Soho van Marx. Het was hier dat het *Communistisch manifest* voor het eerst is gedrukt.' Er doemde plotseling een vrachtwagen uit de regen op en week uit en raakte hen bijna en vervolgde onverschillig zijn weg door de nacht. 'Wat een afschuwelijke chauffeurs heb je toch,' zei meneer Halliday, 'ze weten dat *hun* niets kan overkomen in die bakbeesten. Er zouden strengere straffen moeten staan op gevaarlijk rijden. Weet u, meneer, dat is wat er werkelijk mis was in Hongarije en Tsjecho-Slovakije – gevaarlijk rijden. Dubcek was een gevaarlijke bestuurder – zo eenvoudig is dat.'

'Voor mij is het dat niet. Ik heb nooit in Moskou terecht willen komen.'

'Ik vermoed dat het wat vreemd zal aandoen – aangezien u niet een van ons bent, maar daar moet u niet over inzitten. Ik weet niet wat u voor ons gedaan heeft, maar het moet wel belangrijk zijn geweest, en ze zullen voor u zorgen, daar kunt u zeker van zijn. Hemel, het zou me niet verbazen als ze u de Orde van Lenin zouden geven of u op een postzegel zouden afbeelden zoals Sorge.'

'Sorge was een communist.'

'En ik voel me trots als ik eraan denk dat u op weg bent naar Moskou in deze oude auto van mij.'

'Al zouden we eeuwig zo doorrijden, meneer Halliday, dan zou u me nog niet kunnen bekeren.'

'Ik vraag het me af. Tenslotte heeft u een heleboel gedaan om ons te helpen.'

'Ik heb jullie geholpen met Afrika, meer niet.'

'Juist, meneer. U bent op de goede weg. Afrika is de these, zou Hegel zeggen. U behoort tot de antithese – maar u maakt er een actief deel van uit – u bent een van degenen die nog eens tot de synthese zullen behoren.'

'Dat is allemaal jargon voor me. Ik ben geen filosoof.'

'Een strijder hoeft dat niet te zijn, en u bent een strijder.'

'Niet voor het communisme. Ik ben nu nog slechts een gewonde.'

'Ze genezen u wel in Moskou.'

'In een psychiatrische inrichting?'

Die vraag bracht meneer Halliday tot stilte. Had hij een klein barstje gevonden in de dialectiek van Hegel, of was het de stilte van leed en twijfel? Hij zou het nooit weten, want ze naderden het hotel, de lichten ervan vertroebeld door de regen. 'Stapt u hier maar uit,' zei meneer

Halliday. 'Ik kan beter niet gezien worden.' Auto's passeerden hen terwijl ze stilstonden, in een lange verlichte keten, de koplampen van de ene wagen de achterlichten van de andere beschijnend. Een Boeing 707 maakte een luidruchtige landing op London Airport. Meneer Halliday grabbelde achterin de auto. 'Dit was ik vergeten.' Hij haalde een plastic tasje te voorschijn dat eens belastingvrije waren kon hebben bevat. Hij zei: 'Doe de spullen uit uw tas over in deze. Ze zouden u aan de balie op kunnen merken als u met bagage naar de lift loopt.'

'Het is niet groot genoeg.'

'Laat dan achter wat u er niet in kan krijgen.'

Castle gehoorzaamde. Zelfs na al die jaren van in het geheim werken besefte hij dat de jonge rekruut van Archangel in een noodsituatie de echte expert was. Hij deed met tegenzin afstand van zijn pyjama – denkend: Een gevangenis zorgt daar wel voor – zijn wollen trui. Als ik zover kom, zullen ze me iets warms moeten geven.

Meneer Halliday zei: 'Ik heb een cadeautje voor u. Een exemplaar van die Trollope waar u om vroeg. Een tweede exemplaar heeft u nu niet meer nodig. Het is een dik boek, maar u zal heel wat moeten wachten. Dat is altijd zo in een oorlog. Het heet *The Way We Live Now.*'

'Het boek dat uw zoon heeft aangeraden?'

'O, ik heb u daarmee een beetje misleid. Ik ben het die Trollope leest, niet hij. Zijn favoriete schrijver is een man genaamd Robbins. U moet me die kleine mystificatie vergeven – ik wilde dat u een wat gunstigere indruk van hem zou hebben ondanks die winkel. Het is geen kwade jongen.'

Castle gaf meneer Halliday een hand. 'Dat is hij vast niet. Ik hoop dat alles goed met hem zal gaan.'

'Denk eraan. Ga rechtstreeks naar kamer 423, en wacht af.'

Castle liep op het licht van het hotel af met de plastic tas in zijn hand. Hij had het gevoel alsof hij het contact al verloren had met alles wat hij in Engeland had gekend – Sarah en Sam waren onbereikbaar in het huis van zijn moeder waar hij zich nooit thuis had gevoeld. Hij dacht: Ik voelde me meer thuis in Pretoria. Ik had daar werk te doen. Nu is er voor mij geen werk meer te doen. Een stem riep hem achterna door de regen: 'Succes, meneer. Het allerbeste,' en hij hoorde de auto wegrijden.

7

Hij was verbijsterd – toen hij de deur van het hotel binnenstapte bevond hij zich van het ene moment op het andere in het Caribisch gebied. Er was geen regen. Rondom een vijver stonden palmbomen, en aan de hemel glinsterden ontelbare minuscule sterretjes; hij rook de warme, bedompt vochtige lucht die hij zich herinnerde van een verre vakantiereis die hij kort na de oorlog had gemaakt: hij was omgeven – dat was onvermijdelijk in het Caribisch gebied – door Amerikaanse stemmen. Er was geen gevaar dat hij door iemand aan de lange balie zou worden opgemerkt – ze hadden het veel te druk met een toevloed van Amerikaanse reizigers, die net waren aangevoerd van welke luchthaven, Kingston? Bridgetown? Een zwarte ober liep langs en bracht twee glazen rumpunch naar een jong paar dat bij de vijver zat. De lift was daar opzij, de deuren geopend, en toch hield hij zijn pas in van verbazing... De twee jonge mensen begonnen onder de sterren hun punch te drinken met een rietje. Hij stak zijn hand uit om zich ervan te overtuigen dat het niet regende en iemand vlak achter hem zei: 'Hé, als dat Maurice niet is. Wat doe jij hier in deze tent?' Hij hield zijn hand halverwege zijn jaszak in en keek om. Hij was blij dat hij zijn revolver niet meer had.

De spreker was een man genaamd Blit die enige jaren geleden zijn contact in de Amerikaanse ambassade was geweest tot Blit naar Mexico werd overgeplaatst – misschien omdat hij geen Spaans kon spreken. 'Blit!' riep hij uit met geveinsd enthousiasme. Het was altijd zo geweest. Blit had hem vanaf hun eerste ontmoeting Maurice genoemd, maar hij was nooit verder gekomen dan 'Blit'.

'Waar ben je naar op weg?' vroeg Blit, maar hij wachtte niet op een antwoord. Hij had altijd liever over zichzelf gepraat. 'Op weg naar New York,' zei Blit. 'Vliegtuig uitgevallen. Blijf hier overnachten. Leuk bedacht, deze tent. Net de Virgin-eilanden. Ik zou mijn bermudashort aantrekken als ik er een had.

'Ik dacht dat je in Mexico zat.'

'Dat is allang verleden tijd. Ik heb nu weer een Europese post. Doe jij nog steeds donker Afrika?'

'Ja.'

'Ben je hier ook gestrand?'

'Ik moet hier wachten,' zei Castle, hopend dat zijn dubbelzinnigheid geen vragen zou uitlokken.

'Hoe denk je over een Planter's Punch? Die maken ze hier prima, is me verteld.'

'Goed, over een half uur ben ik hier,' zei Castle.

'Oké, oké. Bij de vijver dan.'

'Bij de vijver.'

Castle stapte in de lift en Blit volgde hem. 'Naar boven? Ik ook. Welke verdieping?'

'Vierde.'

'Ik ook. Je kan voor niks mee.'

Kon het zijn dat ook de Amerikanen hem in de gaten hielden? In deze omstandigheden was het onvoorzichtig om ook maar iets aan het toeval toe te schrijven.

'Eet je hier?' vroeg Blit.

'Dat weet ik nog niet. Zie je, het hangt ervan af...'

'De geheimhouding staat wel hoog in je vaandel geschreven,' zei Blit.

'Die goeie ouwe Maurice.' Ze liepen samen de gang door. Kamer 423 kwam het eerst en Castle morrelde lang genoeg met zijn sleutel om te zien dat Blit rechtstreeks doorliep naar 427 – nee, 429. Castle voelde zich veiliger toen zijn deur op slot was en het Niet Storen-bordje aan de buitenkant hing.

De thermostaat van de centrale verwarming stond op 28°. Het was warm genoeg voor een Caribisch eiland. Hij liep naar het raam en keek naar buiten. Beneden was de ronde bar en boven de kunstmatige hemel. Een dikke vrouw met blauw haar liep onvast langs de rand van de vijver: ze zou wel te veel rumpunch hebben gedronken. Hij onderzocht de kamer nauwkeurig of er misschien een aanwijzing voor de toekomst te vinden was, zoals hij zijn eigen huis had onderzocht of er zich nog aanwijzingen van het verleden bevonden. Twee tweepersoonsbedden, een leunstoel, een hangkast, een ladenkast, een bureau met niets erop behalve een schrijfmap, een televisietoestel, een deur die naar de badkamer voerde. Over de wc.-bril zat een strook papier geplakt met de verzekering erop dat hij hygiënisch was: de wastafelglazen waren in plastic verpakt. Hij ging naar de slaapkamer terug en sloeg de schrijfmap open en las op het briefhoofd van het postpapier dat hij in het Starflight Hotel was. Op een kaart stonden de restaurants en de bars vermeld – in een van de restaurants was muziek en gelegenheid tot dansen – het heette de Pizarro. In contrast daarmee heette de grill-room de Dickens, en er was nog een derde restaurant, self-service, dat de Oliver Twist werd genoemd. 'U mag zelf meer nemen.' Een andere kaart deelde hem mee dat er om het half uur een bus naar de luchthaven Heathrow ging.

Hij ontdekte onder het televisietoestel een ijskast met miniatuurflesjes whisky en gin en cognac, tonic en sodawater, twee soorten bier en kwartflessen champagne. Hij koos uit gewoonte een J. & B. en ging zitten wachten. 'U zal heel wat moeten wachten,' had meneer Halliday gezegd toen hij hem de Trollope gaf, en hij begon te lezen omdat er niets anders te doen viel: 'Ik wil de lezer voorstellen aan Lady Carbury, van wier karakter en handelwijze het in hoge mate afhangt welk belang deze bladzijden u mogen inboezemen, terwijl ze daar aan haar schrijftafel zit in haar eigen kamer in haar eigen huis in Welbeck Street.' Hij merkte dat het geen boek was dat hem kon afleiden van de manier waarop hij nu leefde.

Hij ging naar het raam. Beneden liep de zwarte ober voorbij, en toen zag hij Blit naar buiten komen en om zich heen staren. Er kon toch onmogelijk al een halfuur verstreken zijn – tien minuten, stelde hij zich gerust. Blit zou hem nog niet echt gemist hebben. Hij deed het licht in zijn kamer uit, zodat Blit, als hij omhoogkeek, hem niet zou zien. Blit nam plaats aan de ronde bar: hij deed zijn bestelling. Ja, het was een Planter's Punch. De ober deed het schijfje sinaasappel en de kers erin. Blit had zijn jasje uitgedaan en droeg een overhemd met korte mouwen, hetgeen de illusie van de palmen en de vijver en de sterrennacht nog versterkte. Castle zag hem de telefoon van de bar pakken en een nummer draaien. Was het slechts Castles verbeelding dat Blit zijn ogen scheen op te slaan naar het raam van kamer 423 terwijl hij sprak? Rapporteerde hij iets? Aan wie?

Hij hoorde de deur achter zich opengaan en het licht ging aan. Zich snel omdraaiend, zag hij in de spiegel van de hangkast een beeld langsflitsen als van iemand die niet gezien wilde worden – het beeld van een kleine man met een zwarte snor en een donker pak aan en een zwart diplomatenkoffertje in zijn hand. 'Ik ben verlaat door het verkeer,' zei de man in correct uitgesproken maar enigszins gebrekkig Engels.

'Komt u voor mij?'

'Onze tijd is wat weinig. Het is nodig dat u de volgende autobus naar het vliegveld neemt.' Hij begon het diplomatenkoffertje uit te pakken op het bureau: eerst een vliegticket, vervolgens een paspoort, een pot die er uitzag alsof er lijm in kon zitten, een uitpuilende plastic zak, een haarborstel en een kam, een scheermes.

'Ik heb alles bij me wat ik nodig heb,' zei Castle, de correcte toon overnemend.

De man reageerde er niet op. Hij zei: 'U zult zien dat uw ticket slechts geldig is tot Parijs. Dat is iets dat ik u zal uitleggen.'

'Ze zullen vast alle vliegtuigen in de gaten houden, waar ze ook heengaan.'

'Ze zullen vooral het vliegtuig naar Praag in de gaten houden, dat op dezelfde tijd moet vertrekken als het vliegtuig naar Moskou dat vertraging heeft als gevolg van motorstoring. Iets dat zelden voorkomt. Misschien wacht Aeroflot op een belangrijke passagier. De politie zal Praag en Moskou zeer scherp controleren.'

'De controle zal al eerder zijn – bij de douane. Ze zullen niet bij de toegangen tot het vliegveld staan.'

'Dat wordt geregeld. U moet bij de douane staan – laat me uw horloge eens zien – over ongeveer vijftig minuten. De bus vertrekt over een half uur. Dit is uw paspoort.'

'Wat moet ik in Parijs doen als ik zover kom?'

'Iemand zal u daar opwachten als u de luchthaven verlaat, en dan krijgt u een andere ticket. U heeft dan net tijd genoeg om een ander vliegtuig te nemen.'

'Waar naar toe?'

'Ik heb geen idee. Dat merkt u allemaal wel in Parijs.'

'Interpol zal de politie daar inmiddels gewaarschuwd hebben.'

'Nee. Interpol treedt nooit op in politieke zaken. Dat is in strijd met de reglementen.'

Castle sloeg het paspoort open. 'Partridge,' zei hij, 'u heeft een toepasselijke naam uitgezocht. Het jachtseizoen is nog niet voorbij.' Toen keek hij naar de pasfoto. 'Maar met deze foto zal het nooit lukken. Ik lijk er helemaal niet op.'

'Dat is zo. Maar nu gaan we u er meer op laten lijken.'

Hij bracht de werktuigen van zijn professie naar de badkamer. Tussen de wastafelglazen zette hij een vergroting van de pasfoto overeind.

'Wilt u op deze stoel gaan zitten, alstublieft.' Hij begon Castles wenkbrauwen bij te knippen en begon toen aan zijn haar – de man op de pasfoto had kortgeknipt haar. Castle volgde in de spiegel de bewegingen van de schaar – hij was verbaasd om te zien hoe dat kortgeknipte haar het hele gezicht veranderde, doordat het het voorhoofd vergrootte; zelfs de uitdrukking van de ogen scheen erdoor te veranderen. 'U heeft me tien jaar jonger gemaakt,' zei Castle.

'Stilzitten, alstublieft.'

De man begon toen de haren van een dun snorretje aan te brengen – de snor van een schuchtere man zonder zelfvertrouwen. Hij zei: 'Een baard of een grote snor wekt altijd verdenking.' Het was een vreemde die Castle aankeek in de spiegel. 'Zo. Klaar. Het is lang niet kwaad, vind ik.' Hij liep naar zijn koffertje en haalde er een witte staaf uit die hij uitschoof tot een wandelstok. Hij zei: 'U bent blind. Een voorwerp van medelijden, meneer Partridge. Een hostess van Air France is verzocht u van de bus van het hotel af te halen en u langs de douane naar het vliegtuig te begeleiden. In Parijs op Rossy wordt u als u de luchthaven verlaat naar Orly gereden – ook daar staat een vliegtuig met motorpech. Misschien bent u dan niet meer meneer Partridge, een andere grimering in de auto, een ander paspoort. Het menselijk gezicht is oneindig veranderbaar. Dat is een goed argument tegen de erfelijkheidstheorie. We worden allemaal met bijna hetzelfde gezicht geboren – denk maar aan een baby – maar het milieu verandert het.'

'Het lijkt gemakkelijk,' zei Castle, 'maar zal het lukken?'

'Wij denken dat het lukt,' zei de kleine man terwijl hij zijn koffertje inpakte. 'Gaat u nu naar buiten, en denk eraan om uw stok te gebruiken. Beweeg alstublieft uw ogen niet, beweeg uw hele hoofd als iemand u aanspreekt. Probeer de ogen leeg te houden.'

Zonder na te denken pakte Castle *The Way We Live Now* op.

'Nee, nee, meneer Partridge. Een blinde wordt niet geacht een boek te hebben. En dat tasje moet u achterlaten.'

'Er zit alleen maar een schoon overhemd in, een scheermes...'

'In een schoon overhemd zit een wasmerk.'

'Zal het niet vreemd lijken als ik geen bagage heb?'

'Dat kan de douaneambtenaar niet weten of hij moet uw ticket willen zien.'

'Dat wil hij vast.'

'Dat hindert ook niet, u bent gewoon op weg naar huis. U woont in Parijs. Het adres staat in uw paspoort.'

'Wat is mijn beroep?'

'Gepensioneerd.'

'Dat is tenminste waar, in zekere zin,' zei Castle.

Hij stapte uit de lift en begaf zich tikkend met zijn stok in de richting van de ingang waar de bus wachtte. Toen hij de deuren passeerde die naar de bar en de vijver voerden, zag hij Blit. Blit zat op zijn horloge te kijken met een uitdrukking van ongeduld. Een bejaarde vrouw pakte Castles arm en zei: 'Moet u met de bus mee?'

'Ja.'

'Ik ook. Laat me u helpen.'

Hij hoorde een stem die hem nariep. 'Maurice!' Hij moest langzaam lopen omdat de vrouw langzaam liep. 'Hi! Maurice.'

'Ik geloof dat iemand u roept,' zei de vrouw.

'Moet een vergissing zijn.'

Hij hoorde voetstappen achter zich. Hij maakte zijn arm van de vrouw los en draaide zijn hoofd om zoals hij was geïnstrueerd en staarde met een lege blik enigszins langs Blit heen. Blit keek hem verbaasd aan. Hij zei: 'Het spijt me. Ik dacht...'

De vrouw zei: 'De chauffeur wenkt ons. We moeten opschieten.'

Toen ze naast elkaar in de bus zaten, keek ze door het raam. Ze zei: 'U moet wel erg veel op zijn vriend lijken. Hij staat daar nog steeds te staren.'

'Iedereen ter wereld, zeggen ze, heeft een dubbelganger,' antwoordde Castle.

DEEL 6

1

Ze had zich omgedraaid om door de achterruit van de taxi te kijken en niets gezien door het rookgrijze glas: het was alsof Maurice zich moedwillig, zonder zelfs maar een kreet, in het water van een staalachtig meer had verdronken. Ze was beroofd, zonder hoop het ooit te herkrijgen, van het enige gezicht en stemgeluid dat ze wenste, en ze haatte alles wat haar uit liefdadigheid werd opgedrongen zoals het surrogaat dat de slager aanbiedt voor het goede stuk vlees dat hij voor een betere klant heeft bestemd.

De lunch in het huis tussen de laurierstruiken was een beproeving. Haar schoonmoeder had een gast die ze niet had kunnen afzeggen – een predikant met de onaantrekkelijke naam Bottomley – ze noemde hem Ezra – die terug was gekeerd van een zendingsveld in Afrika. Sarah voelde zich als een voorbeeldexemplaar bij een van de dia-lezingen die hij waarschijnlijk gaf. Mevrouw Castle stelde haar niet voor. Ze zei eenvoudig: 'Dit is Sarah,' alsof ze uit een weeshuis afkomstig was, wat inderdaad klopte. Meneer Bottomley was onuitstaanbaar aardig tegen Sam en behandelde haar als een lid van zijn gekleurde gemeente met opgelegde belangstelling. Tinker Bell, die gevlucht was zo gauw hij hen zag, uit angst dat Buller er zou zijn, was nu een en al vriendelijkheid en klauwde aan haar rok.

'Vertel me eens hoe het werkelijk is in een wijk als Soweto,' zei meneer Bottomley. 'Mijn terrein, weet u, was Rhodesië. De Engelse kranten overdreven daar ook. We zijn niet zo zwart als we afgeschilderd worden,' voegde hij eraan toe en bloosde toen om zijn vergissing. Mevrouw Castle schonk hem nog een glas water in. 'Ik bedoel,' zei hij, 'kan men daar een klein ventje naar behoren opvoeden?' en zijn heldere blik richtte zich op Sam als een spotlight in een nachtclub.

'Hoe kan Sarah dat nu weten, Ezra?' zei mevrouw Castle. Ze legde met tegenzin uit: 'Sarah is mijn schoondochter.'

Meneer Bottomley's blos werd dieper. 'O, dus u bent hier op bezoek?' vroeg hij.

'Sarah woont bij me in huis,' zei mevrouw Castle. 'Voorlopig. Mijn zoon heeft nooit in Soweto gewoond. Hij was bij de ambassade.'

'De jongen zal het wel heerlijk vinden,' zei meneer Bottomley, 'om zijn oma op te zoeken.'

Sarah dacht: Zal zo mijn leven voortaan zijn?

Nadat meneer Bottomley vertrokken was, zei mevrouw Castle tegen haar dat ze eens ernstig moesten praten. 'Ik heb Maurice opgebeld,' zei ze, 'en hij was bijzonder onredelijk gestemd.' Ze wendde zich tot Sam: 'Ga jij maar in de tuin spelen, schat.'

'Het regent,' zei Sam.

'Dat was ik vergeten, lieverd. Ga dan maar naar boven met Tinker Bell spelen.'

'Ik ga wel naar boven,' zei Sam, 'maar ik speel niet met uw poes. Buller is mijn vriend. Die weet wat hij met katten moet doen.'

Toen ze alleen waren zei mevrouw Castle: 'Maurice zei tegen me dat hij, als jij terug zou komen, het huis zou verlaten. Wat heb je toch *gedaan*, Sarah?'

'Ik praat er liever niet over. Maurice heeft me gezegd hier naar toe te gaan, dus ben ik gegaan.'

'Wie van jullie beiden is – wel, wat ze de schuldige partij noemen?'

'Moet er dan altijd een schuldige partij zijn?'

'Ik bel hem nog een keer op.'

'Ik kan u er niet van weerhouden, maar het heeft geen zin.'

Mevrouw Castle draaide het nummer en Sarah bad de God in wie ze niet geloofde dat ze tenminste de stem van Maurice zou horen, maar 'Er wordt niet opgenomen,' zei mevrouw Castle.

'Hij is waarschijnlijk op kantoor.'

'Op zaterdagmiddag?'

'Hij heeft een baan met ongeregelde tijden.'

'Ik dacht dat Buitenlandse Zaken beter georganiseerd was.'

Sarah wachtte tot de avond, tot ze Sam naar bed had gebracht, en liep toen naar de stad. Ze ging naar de Crown en nam een J. & B. Ze maakte er een dubbele van ter gedachtenis van Maurice en ging toen naar de telefooncel. Ze wist dat Maurice haar gezegd had geen contact met hem op te nemen. Als hij nog thuis was en zijn telefoon werd afgeluisterd, zou hij boosheid moeten voorwenden, een ruzie moeten voortzetten die niet bestond, maar ze zou dan tenminste weten dat hij thuis was en niet in een politiecel of op weg door een Europa dat ze nooit had gezien. Ze liet de telefoon lange tijd overgaan voor ze de hoorn neerlegde – ze besefte dat ze het Hun gemakkelijk maakte het telefoontje te traceren, maar het kon haar niet schelen. Als Zij haar kwamen opzoeken dan zou ze tenminste nieuws over hem horen. Ze verliet de telefooncel en dronk haar J. & B. op aan de bar en liep terug naar mevrouw Castles huis. Mevrouw Castle zei: 'Sam heeft om je geroepen.' Ze ging naar boven.

'Wat is er, Sam?'

'Zou alles wel goed zijn met Buller?'

'Natuurlijk is het goed met hem. Wat zou hem kunnen overkomen?'
'Ik heb iets gedroomd.'
'Wat heb je gedroomd?'
'Ik weet het niet meer. Buller zal me missen. Ik wou dat we hem hier hadden.'
'Dat kan niet. Dat weet je. Op een gegeven moment zou hij vast Tinker Bell doodbijten.'
'Dat zou me niks kunnen schelen.'

Ze ging met tegenzin naar beneden. Mevrouw Castle zat naar de televisie te kijken.

'Nog iets interessants bij het nieuws?' vroeg Sarah.

'Ik kijk zelden naar het nieuws,' zei mevrouw Castle. 'Ik lees het nieuws liever in *The Times*.' Maar de volgende morgen was er geen nieuws in de zondagsbladen dat haar ook maar enigszins interesseerde. Zondag – hij hoefde nooit te werken op zondag. Aan het eind van de ochtend ging ze weer naar de Crown en belde opnieuw naar huis, en weer hield ze lange tijd vol – hij zou in de tuin kunnen zijn met Buller, maar tenslotte moest ze zelfs die hoop opgeven. Ze troostte zich met de gedachte dat hij inderdaad ontvlucht was, maar toen herinnerde ze zichzelf eraan dat Zij gerechtigd waren om hem vast te houden – was het niet drie dagen? – zonder beschuldiging.

Mevrouw Castle liet de lunch – een stuk rosbief – punctueel om één uur opdienen. 'Zullen we naar het nieuws luisteren?' vroeg Sarah.

'Niet met je servetring spelen Sam, schatje,' zei mevrouw Castle. 'Haal alleen je servet eruit en leg de ring naast je bord.' Sarah zocht Radio 3 op. Mevrouw Castle zei: 'Op zondag is er nooit nieuws van enig belang,' en ze had natuurlijk gelijk.

Nooit was een zondag trager voorbijgegaan. De regen hield op en het zwakke zonnetje probeerde een opening te vinden in het wolkendek. Sarah nam Sam mee op een wandeling door wat – waarom wist ze niet – een woud werd genoemd. Er waren geen bomen – alleen lage bosjes en struikgewas [een bepaald gedeelte was vrijgemaakt voor een golfbaan]. Sam zei: 'Ik vind Ashridge leuker,' en even later: 'Een wandeling is geen echte wandeling zonder Buller.' Sarah vroeg zich af: Hoelang zal het leven zo blijven? Ze staken een hoek van de golfbaan over om thuis te komen en een golfspeler die kennelijk wat al te overvloedig geluncht had, schreeuwde naar hen dat ze het terrein af moesten gaan. Toen Sarah niet snel genoeg reageerde, riep hij: 'Hé! Jij daar! Ik heb het tegen jou, Topsy!' Sarah dacht zich te herinneren dat Topsy een zwart meisje in een of ander boek was dat de methodisten haar als kind te lezen hadden gegeven.

Die avond zei mevrouw Castle: 'Het is tijd dat we eens een ernstig gesprek hebben, liefje.'

'Waarover?'

'Je vraagt me waarover? Ach kom, Sarah! Over jou en mijn kleinzoon natuurlijk – en Maurice. Geen van jullie beiden wil me vertellen waar deze ruzie om is. Heb jij of heeft Maurice gronden voor een echtscheiding?'

'Misschien. Verlating is een reden, nietwaar?'

'Wie heeft wie verlaten? Naar het huis van je schoonmoeder gaan is nauwelijks verlating te noemen. En Maurice – die heeft jou niet verlaten als hij nog thuis is.'

'Hij is niet thuis.'

'Waar is hij dan?'

'Ik weet het niet, ik weet het niet, mevrouw Castle. Kunt u niet nog even wachten en er niet over praten?'

'Dit is *mijn* huis, Sarah. Het zou prettig zijn om te weten hoelang je van plan bent te blijven. Sam hoort op school te zitten. Er is een wet die dat gebiedt.'

'Ik beloof u als we maar een week mogen blijven...'

'Ik jaag je niet weg, liefje, ik probeer je je te laten gedragen als een volwassen mens. Ik vind dat je met een advocaat moet gaan praten als je niet met mij wilt praten. Ik kan morgen meneer Bury opbellen. Hij verzorgt mijn testament.'

'Geef me nog een week de tijd, mevrouw Castle.' [Er was een tijd geweest dat mevrouw Castle had voorgesteld dat Sarah haar 'moeder' zou noemen, maar ze was merkbaar opgelucht geweest toen Sarah haar mevrouw Castle bleef noemen.]

Op maandagochtend nam ze Sam mee naar de stad en liet hem in een speelgoedwinkel achter terwijl ze naar de Crown ging. Daar belde ze op naar kantoor – het was onzinnig, want als Maurice nog vrij in Londen rondliep, zou hij haar zeker opgebeld hebben. Lang geleden in Zuid-Afrika, toen ze voor hem had gewerkt, zou ze nooit zo onvoorzichtig zijn geweest, maar in dit vredige provincieplaatsje dat nooit rassenonlusten of een middernachtelijke klop op de deur had gekend, leek de gedachte aan gevaar te fantastisch om waar te zijn. Ze vroeg meneer Castles secretaresse te spreken en toen een vrouwenstem antwoordde, zei ze: 'Spreek ik met Cynthia?' [Ze kende haar bij die naam, hoewel ze elkaar nooit gezien of gesproken hadden.] Er was een lange pauze – een pauze die lang genoeg was om iemand te vragen mee te luisteren – maar ze kon het niet geloven in dit kleine plaatsje met gepensioneerde mensen terwijl ze keek hoe twee vrachtwagenchauffeurs hun bier opdronken. Toen zei de droge schriele stem: 'Cynthia is er niet vandaag.'

'Wanneer is ze er weer?'

'Dat kan ik u helaas niet zeggen.'

'En meneer Castle?'

'Hoe is uw naam alstublieft?'

Ze dacht: Ik heb Maurice bijna verraden en ze legde de hoorn neer. Ze had het gevoel dat ze ook haar eigen verleden had verraden – de geheime afspraken, de gecodeerde berichten, de moeite die Maurice zich in Johannesburg had getroost om haar te instrueren en hen beiden uit de handen van BOSS te houden. En, na dat alles, was Muller hier in Engeland – hij had bij haar aan tafel gezeten.

Toen ze bij het huis terugkwam, zag ze een vreemde auto op de oprit staan en mevrouw Castle kwam haar tegemoet in de gang. Ze zei: 'Er is iemand voor je, Sarah. Hij wacht in de studeerkamer.'

'Wie is het?'

Mevrouw Castle liet haar stem dalen en zei op misprijzende toon: 'Ik geloof dat het een politieman is.'

De man had een grote blonde snor die hij zenuwachtig streelde. Het was beslist niet het soort politieman dat Sarah in haar jeugd had gekend en ze vroeg zich af waaraan mevrouw Castle zijn beroep had kunnen bespeuren – zij zou hem voor een kleine winkelier hebben gehouden die door de jaren heen de plaatselijke families had bediend. Hij zag er even gezellig en vriendelijk uit als dokter Castles studeerkamer die sinds het overlijden van de dokter onveranderd was gebleven: het pijpenrek nog boven het bureau, de Chinese kom die als asbak diende, de draaistoel waarvoor de vreemde te weinig op zijn gemak was geweest om in te gaan zitten. Hij stond bij de boekenkast, met zijn zware gestalte gedeeltelijk het zicht blokkerend op de rode banden van de Loeb Classics en de groen leren *Encyclopaedia Britannica*, 11de editie. Hij vroeg: 'Mevrouw Castle?' en bijna antwoordde ze: 'Nee. Dat is mijn schoonmoeder,' zozeer voelde ze zich een vreemde in dit huis.

'Ja,' zei ze. 'Hoezo?'

'Ik ben inspecteur Butler.'

'Ja?'

'Ik ben opgebeld uit Londen. Ze vroegen me om even met u te gaan praten – dat wil zeggen, als u hier zou zijn.'

'Waarover?'

'Ze dachten dat u ons misschien zou kunnen zeggen hoe we contact kunnen opnemen met uw echtgenoot.'

Ze voelde een enorme opluchting – hij zat dus toch niet in de gevangenis – tot de gedachte in haar opkwam dat dit een valstrik zou kunnen zijn – zelfs de vriendelijkheid en schuchterheid en kennelijke oprechtheid van inspecteur Butler zouden een valstrik kunnen zijn, het soort valstrik dat BOSS zou kunnen opzetten. Maar dit was niet het land van BOSS. Ze zei: 'Nee. Dat kan ik niet. Ik weet het niet. Waarom?'

'Nu, mevrouw Castle, het gaat ten dele om een hond.'

'Buller?' riep ze uit.

'Wel... als hij zo heet.'

'Zo heet hij. Vertelt u me alstublieft wat er aan de hand is.'

'U heeft een huis in King's Road in Berkhamsted. Dat klopt toch, niet-waar?'

'Ja.' Ze lachte even van opluchting. 'Heeft Buller weer een kat doodge-beten? Maar ik ben hier. Ik ben onschuldig. U moet mij niet hebben maar mijn man.'

'Dat hebben we geprobeerd, mevrouw Castle, maar we kunnen hem niet bereiken. Op zijn kantoor zeggen ze dat hij er niet is. Hij schijnt weggegaan te zijn en de hond achtergelaten te hebben, alhoewel...'

'Was het een erg kostbare kat?'

'Het gaat ons niet om een kat, mevrouw Castle. De buren klaagden over een geluid – een soort gejank – en iemand heeft het politiebureau gebeld. Begrijpt u, er is onlangs een inbraak gepleegd in Boxmoor. Nu, de politie heeft er een man op afgestuurd – en hij vond een open kelderraampje – hij heeft geen ruit hoeven indrukken... en de hond...'

'Hij is toch niet gebeten? Ik heb nooit meegemaakt dat Buller een *mens* beet.'

'De arme hond kon helemaal niet meer bijten: niet in de toestand waarin hij werd aangetroffen. Hij was door zijn kop geschoten. Degene die het heeft gedaan, heeft slordig werk geleverd. Helaas, mevrouw Castle, hebben ze uw hond moeten afmaken.'

'O God, wat zal Sam zeggen?'

'Sam?'

'Mijn zoon. Hij was dol op Buller.'

'Ik houd ook van dieren.' De twee minuten stilte die volgden, leken erg lang, zoals de twee minuten stilte op de dag van de dodenherdenking. 'Het spijt me dat ik slecht nieuws breng,' zei inspecteur Butler tenslotte en het dagelijkse verkeer kwam weer op gang.

'Ik vraag me af wat ik tegen Sam moet zeggen.'

'Zeg hem dat de hond overreden is en onmiddellijk dood was.'

'Ja. Ik denk dat dat het beste is. Ik lieg niet graag tegen een kind.'

'Je hebt vergeeflijke en onvergeeflijke leugens,' zei inspecteur Butler. Ze vroeg zich af of de leugens die hij haar zou dwingen te vertellen vergeeflijk of onvergeeflijk waren. Ze keek naar de dikke blonde snor en in de vriendelijke ogen en vroeg zich af wat ter wereld hem tot politieman had kunnen maken. Het zou een beetje zijn alsof ze tegen een kind loog.

'Wilt u niet gaan zitten, inspecteur?'

'Gaat u maar zitten, mevrouw Castle, als u het me niet kwalijk neemt. Ik heb de hele ochtend al gezeten.' Hij keek geconcentreerd naar de rij pijpen in het pijpenrek: het had een waardevol schilderij kunnen zijn dat hij, als kenner, naar waarde kon schatten.

'Ik dank u dat u persoonlijk bent gekomen en het me niet gewoon over de telefoon heeft verteld.'

'Nu, mevrouw Castle, ik moest wel komen omdat er nog enkele andere vragen zijn. De politie in Berkhamsted denkt dat er een roofoverval kan hebben plaatsgevonden. Er was een kelderraam open en de inbreker kan de hond neergeschoten hebben. Er schijnt niets verdwenen te zijn, maar alleen u of uw man kan dat met zekerheid zeggen, en ze schijnen uw man niet te kunnen vinden. Had hij vijanden? Er zijn geen aanwijzingen dat er een worsteling is geweest, maar dat zou ook niet het geval zijn als de ander een wapen had.'

'Ik weet van geen vijanden af.'

'Een van de buren zei dat hij het idee had dat hij op Buitenlandse Zaken werkte. Ze hebben vanmorgen heel wat moeite moeten doen om het juiste departement te vinden en toen bleek dat ze hem sinds vrijdag niet meer hadden gezien. Hij had er wel moeten zijn, zeiden ze. Wanneer heeft u hem voor het laatst gezien, mevrouw Castle?'

'Zaterdagmorgen.'

'U bent hier zaterdag gekomen?'

'Ja.'

'Hij is daar gebleven?'

'Ja. Ziet u, we hadden besloten om uit elkaar te gaan. Voorgoed.'

'Een ruzie?'

'Een besluit, inspecteur. We zijn zeven jaar getrouwd. Na zeven jaar vlieg je niet meer op.'

'Bezat hij een revolver, mevrouw Castle?'

'Niet dat ik weet. Het is mogelijk.'

'Was hij erg geschokt – vanwege het besluit?'

'We waren geen van beiden gelukkig, als u dat bedoelt.'

'Bent u bereid om naar Berkhamsted te gaan en het huis te bekijken?'

'Ik wil er niet heen, maar ik neem aan dat ze me kunnen dwingen, is 't niet zo?'

'Van dwingen is geen sprake. Maar, ziet u, het is niet uitgesloten dat er een diefstal is gepleegd... Er kan iets kostbaars in huis zijn geweest waarvan ze niet weten dat het ontbreekt. Juwelen, bijvoorbeeld?'

'Ik heb nooit juwelen gehad. We zijn geen rijke mensen, inspecteur.'

'Of een schilderij?'

'Nee.'

'Dan moeten we ons afvragen of hij misschien niet iets doms of onbezonnens heeft gedaan. Als hij in de put zat en het zijn revolver was.' Hij nam de Chinese kom op en bestudeerde de decoratie, toen draaide hij zich om en bestudeerde haar. Ze besefte dat die vriendelijke ogen bij nader inzien toch niet de ogen van een kind waren. 'Over *die* mogelijkheid schijnt u zich geen zorgen te maken, mevrouw Castle.'

'Dat doe ik ook niet. Het is zijn aard niet om zo iets te doen.'

'Ja, ja. U kent hem natuurlijk beter dan wie ook en ik geloof zeker dat u gelijk heeft. Dus u wilt het ons wel direct laten weten, nietwaar, als hij contact met u opneemt, bedoel ik?'

'Natuurlijk.'

'In gespannen toestand doen mensen soms vreemde dingen. Sommigen verliezen zelfs hun geheugen.' Hij wierp een laatste blik op het pijpenrek alsof hij er node van kon scheiden. 'Ik zal naar Berkhamsted telefoneren, mevrouw Castle. Ik hoop dat u verder niet lastig gevallen hoeft te worden. En ik zal het u laten weten als ik iets hoor.'

Toen ze bij de deur waren, vroeg ze hem: 'Hoe wist u dat ik hier was?'

'Buren met kinderen komen meer aan de weet dan u zou denken, mevrouw Castle.'

Ze keek hem na tot hij goed en wel in zijn auto zat en toen ging ze het huis weer in. Ze dacht: Ik zal het Sam nog niet vertellen. Laat hem eerst maar wat wennen aan het leven zonder Buller. De andere mevrouw Castle, de echte mevrouw Castle, kwam haar bij de zitkamer tegemoet. Ze zei: 'Het eten wordt koud. Het *was* een politieman, nietwaar?'

'Ja.'

'Waar kwam hij voor?'

'Voor het adres van Maurice.'

'Waarom?'

'Hoe kan ik dat weten?'

'Heb je het hem gegeven?'

'Hij is niet thuis. Hoe kan ik weten waar hij is?'

'Ik hoop dat die man niet meer terugkomt.'

'Het zou me niet verbazen als hij dat wel doet.'

2

Maar de dagen gingen voorbij zonder inspecteur Butler en zonder nieuws. Ze belde niet meer naar Londen. Het had nu geen zin meer. Toen ze een keer de slager opbelde om uit naam van haar schoonmoeder wat lamskoteletten te bestellen, had ze de indruk dat de lijn werd afgetapt. Het was waarschijnlijk verbeelding. Afluisteren was een zo verfijnde techniek geworden dat een amateur het niet meer kon bespeuren. Onder druk van mevrouw Castle nam ze contact op met de plaatselijke school om Sam als leerling in te schrijven; van dit onderhoud keerde ze diep gedeprimeerd terug – het was alsof ze zojuist het nieuwe leven had bestendigd, het als een document met een lakstempel had bezegeld, niets kon het ooit nog veranderen. Op weg naar huis ging ze langs de groenteboer, langs de bibliotheek, langs de drogist – mevrouw Castle had haar een lijstje meegegeven: een blik doperwten, een roman van Georgette Heyer, een flesje aspirines voor de hoofdpijn waarvan Sarah zeker was dat zij en Sam er de oorzaak van waren. Zonder een duidelijk aanwijsbare reden dacht ze aan de grote grijsgroene piramides van aarde rondom Johannesburg – zelfs Muller had over de kleur gesproken die ze in het avondlicht hadden, en ze voelde zich meer met Muller, de vijand, de racist, verwant dan met mevrouw Castle. Ze zou dit plaatsje in Sussex met zijn ruimdenkende inwoners die haar met zo'n minzame welwillendheid behandelden zelfs graag verruild hebben voor Soweto. Welwillendheid kon een grotere barrière zijn dan een klap. Het was niet welwillendheid waarmee men omringd wilde zijn – het was liefde. Ze hield van Maurice, ze hield van de geur van het stof en de vernedering van haar land – nu zat ze zonder Maurice en zonder een land. Misschien was dat de reden dat ze zelfs blij was met de stem van een vijand aan de telefoon. Ze wist onmiddellijk dat het een vijandelijke stem was hoewel hij zich voorstelde als 'een vriend en collega van uw man'.

'Ik hoop dat ik u niet op een ongelegen tijdstip opbel, mevrouw Castle.'

'Nee, maar ik heb uw naam niet gehoord.'

'Dokter Percival.'

De naam kwam haar vaag bekend voor. 'Ja. Ik geloof dat Maurice het wel eens over u heeft gehad.'

'We hebben een keer een gedenkwaardig avondje in Londen gehad.'

'O ja, nu weet ik het weer. Met Davis.'

'Ja. Arme Davis.' Er was een korte stilte. 'Ik vroeg me af, mevrouw Castle, of we eens zouden kunnen praten.'

'Dat doen we nu toch?'

'Nu ja, wat intiemer dan over de telefoon mogelijk is.'

'Ik zit ver van Londen af.'

'We zouden een auto kunnen sturen om het te vergemakkelijken.'

'We', dacht ze, 'we'. Het was een fout van zijn kant om als organisatie te spreken. 'Wij' en 'zij' waren verontrustende termen. Ze hielden een waarschuwing in, ze deden je op je hoede zijn.

De stem zei: 'Ik had gedacht, dat als u deze week een keer de gelegenheid zou hebben om te lunchen...'

'Ik weet niet of ik dat kan regelen.'

'Ik wilde met u praten over uw man.'

'Ja. Dat vermoedde ik al.'

'We zijn allemaal nogal bezorgd over Maurice.' Er flitste een gevoel van vreugde door haar heen. 'We' hielden hem niet vast op de een of andere geheime plaats waar inspecteur Butler niet van afwist. Hij was ver weg – heel Europa lag tussen hen. Het was alsof ook zij, evenals Maurice, ontsnapt was – ze was al op weg naar huis, dat huis dat was waar Maurice was. Ze moest evengoed zeer voorzichtig zijn, zoals in vroeger dagen in Johannesburg. Ze zei: 'Ik heb niets meer met Maurice te maken. We zijn uit elkaar gegaan.'

'Niettemin, neem ik aan, zult u toch wel wat nieuws over hem willen horen?'

Dus ze *hadden* nieuws. Het was net zoals toen Carson haar vertelde: 'Hij zit veilig in L.M. en wacht daar op je. Nu hoeven we alleen nog maar te zien dat we jou daar krijgen.' Als hij vrij was, zouden ze spoedig weer bij elkaar zijn. Ze realiseerde zich dat ze glimlachte tegen de telefoon – goddank hadden ze nog niet een visuele telefoon uitgevonden, maar evengoed trok ze haar gezicht weer in de plooi. Ze zei: 'Tot mijn spijt kan het me niet veel schelen waar hij is. Kunt u me niet schrijven? Ik heb een kind waarvoor ik moet zorgen.'

'Nou nee, mevrouw Castle, er zijn dingen die men niet kan schrijven. Als we morgen een auto voor u kunnen sturen...'

'Morgen is onmogelijk.'

'Donderdag dan?'

Ze aarzelde zolang ze durfde. 'Tja...'

'We zouden om elf uur een auto voor u kunnen laten komen.'

'Maar ik heb geen auto nodig. Er gaat een goede trein om kwart over elf.'

'Goed, laten we dan afspreken in een restaurant, Brummell – dicht bij Victoria Station.'

'In welke straat?'

'Daar vraagt u me wat. Walton – Wilton – het doet er niet toe, iedere taxichauffeur kent Brummell. Het is een heel rustige gelegenheid,' voegde hij er bemoedigend aan toe alsof hij met professionele kennis van zaken een goed verpleegtehuis aanbeval, en Sarah vormde zich een vluchtig beeld van de man aan de telefoon – een zeer zelfverzekerd dokterstype uit Wimpole Street, met een bungelende monocle die hij alleen zou gebruiken als het tot het uitschrijven van het recept kwam: het teken, dat het tijd was voor de patiënt om te vertrekken.

'Tot donderdag,' zei hij. Ze gaf er zelfs geen antwoord op. Ze hing op en ging op zoek naar mevrouw Castle – ze was weer te laat voor de lunch maar het kon haar niet schelen. Ze neuriede een lofzang die de methodistische zendelingen haar hadden geleerd, en mevrouw Castle keek naar haar met verbazing. 'Wat is er met je? Is er iets aan de hand? Was het die politieman weer?'

'Nee. Het was een dokter. Een vriend van Maurice. Niets aan de hand. Zou u er voor een keer geen bezwaar tegen hebben als ik donderdag naar Londen ga? Ik zal Sam 's morgens naar school brengen en dan kan hij wel alleen naar huis komen.'

'Ik heb er geen *bezwaar* tegen natuurlijk, maar ik was van plan om meneer Bottomley weer eens voor de lunch uit te nodigen.'

O, Sam en meneer Bottomley kunnen het best met elkaar vinden.'

'Ga je een advocaat opzoeken als je in Londen bent?'

'Misschien wel.' Een leugentje was een lage prijs in ruil voor haar nieuwe geluk.

'Waar ga je lunchen?'

'O, ik denk dat ik ergens even een sandwich eet.'

'Wat spijtig toch dat je donderdag gekozen hebt om te gaan. Ik heb een groot stuk vlees besteld. Maar anderzijds,' probeerde mevrouw Castle een lichtpuntje te vinden, 'als je bij Harrods de lunch zou gebruiken, zou je het een en ander voor me mee kunnen brengen.'

Ze lag die avond in bed zonder te kunnen slapen. Het was alsof ze een kalender had aangeschaft en nu kon beginnen de dagen af te strepen. De man met wie ze had gesproken, was een vijand – daar was ze van overtuigd – maar hij was niet van de veiligheidspolitie, hij was niet van BOSS, ze zou haar tanden niet kwijtraken of een blind oog oplopen in Brummell: ze had geen reden tot angst.

3

Niettemin voelde ze zich een beetje teleurgesteld toen ze hem ontdekte achterin de lange flonkerende eetzaal van Brummell waar hij op haar zat te wachten. Hij was achteraf toch geen Wimpole Street-specialist: hij had meer weg van een ouderwetse huisdokter met zijn zilveren brilmontuur en een klein rond buikje dat steun scheen te zoeken op de rand van de tafel toen hij opstond om haar te begroeten. Hij had een menukaart van abnormale afmetingen in zijn hand in plaats van een recept. Hij zei: 'Ik ben erg blij dat u de moed heeft kunnen opbrengen om hier te komen.'

'Waarom is daar moed voor nodig?'

'Nou, dit is een van de gelegenheden waar de Ieren graag bomaanslagen op plegen. Ze hebben er al een keer een kleintje naar binnen gegooid, maar in tegenstelling met de blitz kunnen hun bommen heel goed tweemaal op dezelfde plaats inslaan.' Hij gaf haar een menu om te bekijken: een hele pagina was gewijd, zag ze, aan wat voorgerechten werden genoemd. Het hele menu, dat de titel Bill of Fare droeg met daaronder een portret, leek bijna zo uitgebreid als mevrouw Castles plaatselijke telefoongids. Dokter Percival zei behulpzaam: 'Ik moet u de gerookte forel afraden – ze is hier altijd een beetje droog.'

'Ik heb niet veel eetlust.'

'Dan moeten we die maar wat opwekken, terwijl we de zaak overwegen. Een glaasje sherry?'

'Ik heb liever een whisky als u het goedvindt.' Op de vraag welk merk ze verkoos, zei ze: 'J. & B.'

'Bestelt u maar voor mij,' verzocht ze dokter Percival. Hoe eerder al deze inleidende zaken achter de rug waren, hoe eerder ze het nieuws zou krijgen waarop ze wachtte met een honger die ze niet ten aanzien van voedsel had. Terwijl hij zijn besluit nam, keek ze om zich heen. Er hing een glanzend portret van twijfelachtig gehalte aan de muur met het onderschrift George Bryan Brummell – het was hetzelfde portret als op de menukaart – en de inrichting getuigde van een onberispelijke maar vervelende goede smaak – je kreeg het gevoel dat kosten noch moeite gespaard waren en dat geen enkele kritiek aanvaard zou worden: de enkele gasten waren allemaal mannen en ze zagen er allemaal eender uit alsof ze bij het koor van een ouderwetse musical hoorden: zwart haar, niet te lang en niet te kort, donkere pakken en vesten. Hun tafels waren op een discrete afstand van elkaar geplaatst en de twee tafels naast die van dokter Percival waren onbezet – ze vroeg zich af of dit opzettelijk of toevallig was. Ze merkte voor het eerst op dat alle ramen van metaalgaas voorzien waren.

'In een gelegenheid als deze,' zei dokter Percival, 'is het beter om het maar Engels te houden en ik stel voor de Lancashire-jachtschotel te nemen.'

'U zegt het maar.' Maar hij zei lange tijd niets behalve enkele woorden tegen de ober over de wijn. Tenslotte richtte hij zijn aandacht en zijn zilveromrande bril op haar met een diepe zucht: 'Zo, het moeilijkste is gebeurd. Nu is het verder hun zaak,' en hij nipte van zijn sherry. 'U moet een zeer zorgelijke tijd hebben doorgemaakt, mevrouw Castle.' Hij stak een hand uit en legde die op haar arm, alsof hij werkelijk haar huisdokter was.

'Zorgelijk?'

'Van dag tot dag in het ongewisse...'

'Als u Maurice bedoelt...'

'We waren allemaal zeer op Maurice gesteld.'

'U spreekt alsof hij dood is. In de verleden tijd.'

'Dat was ongewild. Natuurlijk zijn we nog steeds op hem gesteld – maar hij is een andere weg ingeslagen en naar ik vrees een zeer gevaarlijke. We hopen allemaal dat u er niet bij betrokken zal worden.'

'Hoe zou dat kunnen? We zijn uit elkaar.'

'O ja, ja. Dat kon ook moeilijk anders. Het zou wat opvallend zijn geweest als u samen was vertrokken. Ik geloof niet dat ze aan de grens werkelijk zo dom zouden zijn om u beiden te laten gaan. U bent een zeer aantrekkelijke vrouw en bovendien uw huidskleur...' Hij zei: 'We weten natuurlijk dat hij u niet thuis heeft opgebeld, maar er zijn zoveel manieren om contacten op te nemen – een publieke telefooncel, een tussenpersoon – we konden niet al zijn vrienden afluisteren, zelfs al zouden we ze allemaal kennen.' Hij schoof zijn sherry opzij om plaats te maken voor de jachtschotel. Ze begon zich meer op haar gemak te voelen nu het onderwerp openlijk ter tafel was gebracht – zoals de jachtschotel die daar voor hen stond. Ze zei: 'U denkt dat ik ook een verrader ben?'

'Ach, weet u, bij de firma gebruiken we zo'n woord als verrader niet. Dat is goed voor de kranten. U bent een Afrikaanse – ik zeg niet *Zuid*afrikaanse – en uw kind ook. Maurice moet daar behoorlijk door zijn beïnvloed. Laten we zeggen – hij heeft voor een andere loyaliteit gekozen.' Hij nam een hapje van de jachtschotel. 'Wees voorzichtig.'

'Voorzichtig?'

'Ik bedoel de worteltjes zijn erg heet.' Als dit werkelijk een ondervraging was dan werd er wel een heel andere methode toegepast dan die van de veiligheidspolitie in Johannesburg of Pretoria. 'Mevrouwtje,' zei hij, 'wat bent u van plan te doen – *als* hij contact met u opneemt?'

Ze liet haar voorzichtigheid varen. Zolang ze voorzichtig was, zou ze niets te weten komen. Ze zei: 'Dan doe ik wat hij zegt dat ik moet doen.'

Dokter Percival zei: 'Ik ben erg blij dat u dat zegt. Het betekent dat we openhartig tegen elkaar kunnen zijn. We weten natuurlijk, en ik veronderstel dat u het ook weet, dat hij veilig in Moskou is aangekomen.'

'God zij dank.'

'Ik weet niet of God er iets mee te maken heeft gehad, maar u kunt zeker de KGB danken. [Laat ik niet dogmatisch zijn – ze kunnen natuurlijk aan dezelfde kant staan.] Ik stel me voor dat hij u vroeg of laat zal vragen daarheen te komen.'

'En dan ga ik ook.'

'Met uw kind?'

'Vanzelfsprekend.'

Dokter Percival wierp zich weer op zijn jachtschotel. Hij was duidelijk een man die van eten hield. Ze werd roekelozer, opgelucht als ze was door de wetenschap dat Maurice in veiligheid was. Ze zei: 'Jullie kunnen me niet beletten om te gaan.'

'O, wees daar maar niet al te zeker van. Op kantoor, weet u, hebben we een heel dossier over u. U bent zeer bevriend geweest in Zuid-Afrika met een man genaamd Carson. Een communistisch agent.'

'Natuurlijk was ik met hem bevriend. Ik hielp Maurice – voor uw organisatie, hoewel ik dat toen niet wist. Hij vertelde me dat het voor een boek over de apartheid was dat hij aan het schrijven was.'

'En misschien hielp Maurice zelfs toen Carson al. En Maurice zit nu in Moskou. Strikt genomen is het onze zaak niet, natuurlijk, maar MI5 zou best eens van mening kunnen zijn dat er een onderzoek naar u moet worden ingesteld – een grondig onderzoek. Als u een raad aan wilt nemen van een oude man – een oude man die een vriend was van Maurice...'

Er flitste een herinnering door haar geest van een weghobbelende figuur in een teddyjas verstoppertje spelend met Sam tussen de winterse bomen. 'En van Davis,' zei ze, 'u was toch ook een vriend van Davis, nietwaar?'

Een lepel vleesnat op weg naar dokter Percivals mond kwam tot stilstand.

'Ja. Arme Davis. Het was een droevig sterfgeval voor een nog zo jonge man.'

'Ik drink geen port,' zei Sarah.

'Meisje toch, wat heeft dat er nu mee te maken? Laten we de beslissing of er al of niet port wordt gedronken laten rusten tot we aan de kaas toe zijn – ze hebben hier een uitstekende Wensleydale. Het enige dat ik wilde zeggen is, wees nu verstandig. Blijf rustig in de provincie wonen bij uw schoonmoeder en uw kind...'

'Het kind van Maurice.'

'Misschien.'

'Hoe bedoelt u, misschien?'

'U heeft die man Cornelius Muller thuis gehad, een nogal onsympathiek type van BOSS. En wat een naam! Hij heeft de indruk dat de echte vader – mijn kind, vergeef me dat ik het wat ronduit zeg – ik zou niet graag willen dat u dezelfde fout maakt als Maurice heeft gedaan...'

'U bent niet erg ronduit.'

'Muller gelooft dat de vader een van uw eigen mensen is.'

'O, ik weet wie hij bedoelt – zelfs al was het waar, hij is dood.'

'Hij is niet dood.'

'Natuurlijk is hij dood. Hij is omgekomen tijdens een oproer.'

'Heeft u zijn lijk gezien?'

'Nee, maar...'

'Muller zegt dat hij veilig achter slot en grendel zit. Hij heeft levenslang – naar wat Muller zegt.'

'Ik geloof er niets van.'

'Muller zegt dat die knaap klaarstaat om het vaderschap op te eisen.'

'Muller liegt.'

'Ja, ja. Dat is heel goed mogelijk. Die knaap kan best een stroman zijn.

Ik heb me nog niet in de juridische aspecten verdiept, maar ik betwijfel of hij voor onze rechtbanken iets zou kunnen bewijzen. Is het kind in uw paspoort bijgeschreven?'

'Nee.'

'Heeft hij een eigen paspoort?'

'Nee.'

'Dan zou u een paspoort voor hem moeten aanvragen om hem uit het land mee te kunnen nemen. Dat betekent een heleboel bureaucratische rompslomp. Bij het paspoortenbureau kunnen ze soms zeer, zeer traag zijn.'

'Wat een schoften zijn jullie toch. Jullie hebben Carson vermoord. Jullie hebben Davis vermoord. En nu...'

'Carson is aan longontsteking gestorven. Arme Davis – dat was levercirrose.'

'Muller zegt dat het longontsteking was. U zegt dat het levercirrose was, en nu zit u mij en Sam te bedreigen.'

'Niet bedreigen, kindje, adviseren.'

'Uw advies...'

Ze moest haar woorden afbreken. De ober was gekomen om hun borden weg te nemen. Dat van dokter Percival was volkomen leeg, maar het grootste deel van haar portie was blijven liggen.

'Wat denkt u van een oudengelse appeltaart met kruidnagels en een stukje kaas?' vroeg dokter Percival, zich verleidelijk naar haar overbuigend en op gedempte toon sprekend alsof hij de prijs noemde die hij voor bepaalde gunsten bereid was te betalen.

'Nee. Niets. Ik wil niet meer.'

'Och hemel, de rekening dan maar,' zei dokter Percival teleurgesteld tegen de ober, en toen de ober weg was, berispte hij haar: 'Mevrouw Castle, u moet niet boos worden. Er zit niets persoonlijks in dit alles. Als u boos wordt zult u vast en zeker een verkeerd besluit nemen. Het is gewoon een kwestie van hokjes,' begon hij uit te weiden, en brak toen af alsof hij besefte dat die beeldspraak deze keer toch niet van toepassing was.

'Sam is *mijn* kind en ik neem hem overal mee naar toe waar ik maar wil. Naar Moskou, naar Timboektoe, naar...'

'U kunt Sam niet meenemen of hij moet een paspoort hebben, en er is me veel aan gelegen om MI5 ervan te weerhouden preventieve activiteiten tegen u te ondernemen. Als ze te weten zouden komen dat u een paspoort had aangevraagd... en ze te weten zouden komen...'

Ze liep weg, ze liep weg van alles, en liet dokter Percival zitten om op de rekening te wachten. Als ze nog even langer was blijven zitten, wist ze niet zeker of ze zichzelf had kunnen vertrouwen met het mes dat naast haar bord was blijven liggen voor de kaas. Vroeger had ze eens gezien hoe een blanke man, even weldoorvoed als dokter Percival, werd neergestoken in een park in Johannesburg. Het had zo gemakkelijk geleken om te doen. Bij de deur keek ze naar hem om. Het traliewerk voor het raam achter hem wekte de indruk alsof hij aan een bureau op een politiebureau zat. Blijkbaar had hij haar met zijn blik gevolgd, en nu stak hij zijn wijsvinger omhoog en bewoog die zachtjes heen en weer in haar richting. Het kon worden opgevat als een vermaning of als een waarschuwing. Het kon haar ook niet schelen, wat het was.

2

1

Vanuit het raam op de twaalfde verdieping van het grote grijze gebouw kon Castle de rode ster boven de universiteit zien. Het uitzicht had een zekere schoonheid zoals over alle steden 's nachts. Alleen bij daglicht was het grauw. Ze hadden hem duidelijk gemaakt, vooral Ivan die hem in Praag van het vliegtuig had afgehaald en hem voor een ondervraging naar een plaats had gebracht in de buurt van Irkoetsk met een onuitspreekbare naam, dat hij met zijn onderkomen bijzonder veel geluk had. De flat, bestaande uit twee kamers met een keuken en een douchecel, had toebehoord aan een onlangs gestorven kameraad die er voor zijn dood bijna in was geslaagd om hem volledig te meubileren. Een lege flat bevatte in de regel alleen maar een radiator – alle andere dingen, zelfs tot de toiletpot toe, moest men zelf aanschaffen. Dat was niet gemakkelijk en het kostte een heleboel tijd en energie. Castle vroeg zich soms af of de kameraad daar misschien aan was gestorven, uitgeput van zijn langdurige jacht op de groene rieten leunstoel, de bruine sofa, zo hard als een plank en zonder kussens, de tafel die tot een bijna gelijkmatige kleur gebracht leek te zijn door middel van jusvlekken. Het televisietoestel, het nieuwste zwart-wit model, was een geschenk van de staat. Ivan had dat nauwkeurig uiteengezet toen ze de eerste keer de flat bezochten. Door zijn manier van praten gaf hij zijn persoonlijke twijfel te kennen of het wel echt verdiend was. Castle vond Ivan hier al niet veel sympathieker dan in Londen. Misschien was hij gebelgd dat hij teruggeroepen was en weet hij dat aan Castle.

Het meest waardevolle voorwerp in de flat scheen hem de telefoon toe. Hij was met stof bedekt en niet aangesloten, maar evengoed had hij een symbolische waarde. Op zekere dag, misschien al spoedig, zou hij in gebruik genomen kunnen worden. Hij zou dan met Sarah kunnen spreken – haar stem te horen betekende alles voor hem, welke komedie ze ook zouden moeten opvoeren voor de meeluisteraars, want meeluisteraars zouden er zeker zijn. Haar te horen zou het lange wachten draaglijk maken. Een keer begon hij erover tegen Ivan. Hij had gemerkt dat Ivan bij voorkeur buitenshuis met hem sprak, zelfs met het koudste weer, en daar Ivan de opdracht had hem de stad te leren kennen, nam hij de gelegenheid waar voor het grote GUM-warenhuis [een gebouw waarin hij zich bijna thuis voelde omdat het hem deed denken aan foto's die hij van het Crystal Palace had gezien]. Hij vroeg: 'Is het mogelijk, denk je, dat mijn telefoon aangesloten wordt?' Ze waren naar GUM gegaan om voor Castle een met bont gevoerde winterjas te kopen – de temperatuur was vijf graden onder nul.

'Ik zal het vragen,' zei Ivan, 'maar ik denk dat ze je voorlopig nog wel in de ijskast willen houden.'

'Is dat een langdurig proces?'

'In het geval van Bellamy was dat wel zo, maar jij bent niet zo'n belangrijk geval. We kunnen uit jou niet veel publiciteit halen.'

'Wie is Bellamy?'

'Je herinnert je Bellamy toch wel? Een zeer belangrijk man in jullie British Council. In West-Berlijn. Dat is altijd een dekmantel geweest, nietwaar, zoals het Peace Corps?'

Castle deed geen moeite om het te ontkennen – hij had er niets mee te maken.

'O ja, nu herinner ik het me weer, geloof ik.' Het was gebeurd ten tijde van de grootste spanning in zijn leven, toen hij in Lourenço Marques op nieuws van Sarah wachtte, en hij herinnerde zich geen details van het overlopen van Bellamy. Waarom zou iemand van de British Council overlopen en wat voor voordeel of nadeel zou dat voor wie dan ook kunnen hebben? Hij vroeg: 'Leeft hij nog?' Het leek allemaal zo lang geleden.

'Natuurlijk. Waarom niet?'

'Wat doet hij?'

'Hij leeft van onze dankbaarheid.' Ivan voegde eraan toe: 'Net zoals jij ook. O, we hebben een baantje voor hem gecreëerd. Hij adviseert onze publikatieafdeling. Hij heeft een *dacha* op het platteland. Het is een beter leven dan hij thuis als gepensioneerde zou hebben gehad. Ik vermoed dat ze voor jou hetzelfde zullen doen.'

'Boeken lezen in een *dacha* op het platteland?'

'Ja.'

'Zijn er veel zoals wij – ik bedoel mensen die op die manier van jullie dankbaarheid leven?'

'Ik ken er minstens zes. Je had Cruickshank en Bates – die zal je je wel herinneren – die hoorden bij jullie dienst. Je zal ze denk ik wel tegenkomen in de Aragvi, ons Georgische restaurant – ze zeggen dat de wijn er goed is – voor mij is het te duur – en je zal ze in het Bolsjoi zien, als je uit de ijskast mag.'

Ze kwamen langs de Lenin Bibliotheek – 'Daar zal je ze ook aantreffen.' Hij voegde er met venijn aan toe: 'Met de Engelse kranten voor zich.'

Ivan had een grote dikke vrouw van middelbare leeftijd voor hem gevonden als werkster die hem ook zou helpen om een beetje Russisch te leren. Ze noemde het Russische woord voor ieder voorwerp in de flat, ze een voor een met een plompe vinger aanwijzend, en ze was zeer pietluttig ten aanzien van de uitspraak. Hoewel ze verscheidene jaren jonger was dan Castle behandelde ze hem alsof hij een kind was, met een vermanende strengheid die langzaam, naarmate zijn africhting vorderde, overging in een soort moederlijke genegenheid. Als Ivan verhinderd was, breidde ze het terrein van haar lessen uit door hem mee te nemen naar de Grote Markt om eten te kopen en ging met hem in de metro. [Ze schreef cijfers op een stukje papier om de prijzen van artikelen en kaartjes uit te leggen.] Na enige tijd begon ze hem foto's van haar familie te laten zien – haar echtgenoot, een jonge man in uniform, ergens genomen in een park met een kartonnen silhouet van het Kremlin achter zijn hoofd. Hij droeg zijn uniform op een slordige manier [je kon zien dat hij er niet aan gewend was], en hij glimlachte naar de camera met een zeer tedere blik – misschien had zij achter de fotograaf gestaan. Hij was gesneuveld, maakte ze hem duidelijk, bij Stalingrad. Als tegenprestatie haalde hij voor haar een kiekje te voorschijn van Sarah en Sam dat hij buiten meneer Halliday's medeweten in zijn schoen had verstopt. Ze toonde zich verbaasd dat ze zwart waren, en daarna scheen ze voor korte tijd een koelere houding tegenover hem aan te nemen – ze was niet zozeer verontwaardigd als wel gedesoriënteerd, hij had haar besef van orde geschokt. In dat opzicht leek ze op zijn moeder. Na enkele dagen was alles weer goed, maar gedurende die paar dagen voelde hij zich een balling binnen zijn ballingschap en zijn verlangen naar Sarah werd sterker.

Hij was nu twee weken in Moskou, en met het geld dat Ivan hem had gegeven, had hij wat accessoires voor de flat gekocht. Hij had zelfs Engelse schooluitgaven gevonden van de toneelstukken van Shakespeare, twee romans van Dickens, *Oliver Twist* en *Hard Times*, *Tom Jones* en *Robinson Crusoe*. De sneeuw lag tien centimeter dik in de zijstraten en hij had steeds minder zin in sightseeing met Ivan of zelfs in de educatieve uitstapjes met Anna – ze heette Anna. 's Avonds warmde hij wat soep op en zat dan in elkaar gedoken bij de radiator, met de stoffige niet aangesloten telefoon naast zich, en las *Robinson Crusoe*. Soms kon hij Crusoe horen spreken, zoals op een bandrecorder, met zijn eigen stem: 'Ik heb mijn wederwaardigheden op schrift gesteld; niet zozeer ten behoeve van degenen die na mij zouden komen, want waarschijnlijk zou ik slechts luttele nakomelingen hebben, als wel om mijn gedachten te bevrijden van het dagelijks gepeins en het kwellen van mijn geest.'

Crusoe verdeelde de voorspoed en tegenspoed van zijn situatie in Goed en Kwaad en in de rubriek Kwaad schreef hij: 'Ik heb geen sterveling om mee te spreken, of om me op te beuren.' In de rubriek Goed noteerde hij 'zovele noodzakelijke dingen' die het wrak had opgeleverd en 'die in mijn behoeften zullen voorzien, of me in staat stellen mezelf te redden zolang ik leef'. Welnu, hij had de groene rieten stoel, de tafel met de jusvlekken, de ongemakkelijke sofa en de radiator die hem nu verwarmde. Dat zou voldoende zijn geweest als Sarah er zou zijn – ze was veel ergere omstandigheden gewend en hij herinnerde zich een paar van de ellendige kamers waarin ze gedwongen waren geweest elkaar te ontmoeten en de liefde te bedrijven in twijfelachtige hotels die geen rassenscheiding kenden in de armere wijken van Johannesburg. In het bijzonder herinnerde hij zich een kamer zonder enig meubilair van welke aard ook waar ze een zeer gelukkig samenzijn hadden gehad op de vloer. De volgende dag toen Ivan zijn hatelijke toespelingen op 'dankbaarheid' weer maakte, barstte hij woedend uit: 'Noem je dit dankbaarheid?'

'Niet zoveel mensen die alleen wonen hebben een keuken en een douche helemaal voor zichzelf... en twee kamers.'

'Daar klaag ik ook niet over. Maar ze hebben me beloofd dat ik hier niet alleen zou zijn. Ze hebben me beloofd dat mijn vrouw en kind me zouden volgen.'

De hevigheid van zijn woede verontrustte Ivan. Ivan zei: 'Het kost tijd.'

'Ik heb zelfs geen werk. Ik ben een steuntrekker. Is dat jullie vervloekte socialisme?'

'Kalm, kalm,' zei Ivan. 'Heb nog even geduld. Als ze je uit de ijskast laten...'

Castle gaf Ivan bijna een klap en hij zag dat Ivan dat wist. Ivan mompelde iets en vluchtte de betonnen trap af.

2

Was het misschien een microfoon die deze scène aan een hogere autoriteit kenbaar had gemaakt of had Ivan er rapport van uitgebracht? Castle zou het nooit te weten komen, maar in elk geval had zijn boosheid het

237

gewenste resultaat. Hij was van de ijskast af, en zelfs, naar hij later merkte, van Ivan. Net zoals toen Ivan uit Londen werd teruggehaald omdat ze geconcludeerd moesten hebben dat hij niet de geschikte aard had om de juiste control voor Castle te zijn, zo liet men hem nu nog slechts één optreden – een nogal ingetogen optreden – en daarna verdween hij voor altijd. Misschien hadden ze een staf van controls, net zoals er in Londen een staf van secretaressen was geweest, en was Ivan op non-actief gesteld. Bij dit soort diensten werd waarschijnlijk nooit iemand ontslagen, uit vrees voor onthullingen.

Ivan gaf zijn zwanezang ten beste als tolk in een gebouw niet ver van de Lubianka-gevangenis, die hij Castle trots had aangewezen op een van hun wandelingen. Castle vroeg hem die ochtend waar ze naar toe gingen en hij antwoordde ontwijkend: 'Ze hebben besloten je werk te geven.'

De kamer waar ze moesten wachten, was vol boeken met lelijke goedkope banden. Castle las de namen van Stalin, Lenin, Marx in Russisch schrift – het stemde hem tevreden dat hij het schrift langzamerhand kon ontcijferen. Er stond een groot bureau met een luxueus leren vloeiblok erop en een negentiende-eeuws bronzen beeld van een man te paard dat te groot en te zwaar was om als presse-papier te dienen – het kon daar alleen maar staan om decoratieve redenen. Uit een deur achter het bureau verscheen een gezette oudere man met een grijze bos haar en een ouderwetse snor die geel was van de sigaretterook. Hij werd gevolgd door een zeer correct geklede jonge man die een dossier bij zich had. Hij deed denken aan een misdienaar die een priester van zijn geloof ter zijde staat, en ondanks de zware snor *was* er ook iets priesterlijks aan de oude man, aan zijn minzame glimlach en de hand die hij uitstak als een zegening. Er ontspon zich een heel gesprek – vragen en antwoorden – tussen hen drieën, en toen nam Ivan het woord als vertaler. Hij zei: 'De kameraad wil dat je weet hoe hooglijk je werk wordt gewaardeerd. Hij wil dat je begrijpt dat juist de belangrijkheid van je werk ons voor problemen stelt die op hoog niveau opgelost moesten worden. Dat is de reden dat je in afzondering werd gehouden gedurende deze twee weken. De kameraad dringt erop aan dat je niet denkt dat het uit gebrek aan vertrouwen voortkwam. Men hoopte dat je aanwezigheid hier pas op het juiste moment bij de Westerse pers bekend zou worden.'

Castle zei: 'Ze moeten nu toch wel weten dat ik hier ben. Waar zou ik anders zijn?' Ivan vertaalde het en de oude man antwoordde, en de jonge misdienaar glimlachte om het antwoord met neergeslagen ogen.

'De kameraad zegt: "Weten is niet hetzelfde als publiceren." De pers kan het pas publiceren als je hier officieel bent. Daar zorgt de censuur voor. Er zal zeer spoedig een persconferentie worden belegd en dan zullen we je laten weten wat je tegen de journalisten moet zeggen.

Misschien zullen we het van tevoren allemaal nog een beetje repeteren.'

'Zeg tegen de kameraad,' zei Castle, 'dat ik hier zelf de kost wil verdienen.'

'De kameraad zegt dat je die al dubbel en dwars verdiend hebt.'

'Als dat zo is, verwacht ik dat hij de belofte nakomt die ze me in Londen hebben gedaan.'

'Welke belofte?'

'Er is me gezegd dat mijn vrouw en mijn zoon me hier zouden volgen. Vertel hem, Ivan, dat ik hier verdraaid eenzaam ben. Zeg hem dat ik over mijn telefoon wil beschikken. Ik wil mijn vrouw opbellen, dat is het enige, niet de Britse ambassade of een journalist. Als ik nu uit de ijskast ben, laat me dan met haar spreken.'

De vertaling nam een heleboel tijd. Een vertaling, wist hij, werd altijd langer dan de oorspronkelijke tekst, maar deze was buitensporig veel langer. Zelfs de misdienaar scheen er ruim een zin of twee aan toe te voegen. De hoge kameraad sprak nauwelijks – hij bleef minzaam kijken als een bisschop.

Eindelijk wendde Ivan zich weer tot Castle. Hij had een korzelige uitdrukking op zijn gezicht die de anderen niet konden zien. Hij zei: 'Ze willen je heel graag als medewerker hebben op de publikatieafdeling die zich met Afrika bezighoudt.' Hij knikte in de richting van de misdienaar die zich een bemoedigend glimlachje veroorloofde dat een gipsafdruk had kunnen zijn van dat van zijn superieur. 'De kameraad zegt dat hij je de functie aanbiedt van hoofdadviseur voor Afrikaanse literatuur. Hij zegt dat er een groot aantal Afrikaanse schrijvers is en ze zouden graag de meest waardevolle onder hen uitkiezen om vertaald te worden, en natuurlijk worden de beste schrijvers [naar jouw keuze] door de Bond van Auteurs uitgenodigd om ons een bezoek te brengen. Dit is een zeer belangrijke positie en ze zijn blij je die te kunnen bieden.'

De oude man maakte een gebaar naar de boekenkasten alsof hij Stalin, Lenin en Marx – ja, en daar stond Engels ook – uitnodigde om de schrijvers te verwelkomen die hij voor hen zou selecteren.

Castle zei: 'Ze hebben me nog geen antwoord gegeven. Ik wil mijn vrouw en mijn zoon hier bij me hebben. Dat hebben ze beloofd. Boris heeft het me beloofd.'

Ivan zei: 'Wat je nu zegt, wil ik niet vertalen. Al dat soort dingen valt onder een heel ander departement. Het zou een grote fout zijn om de zaken door elkaar te halen. Ze bieden je aan...'

'Zeg hem dat ik nergens over wil praten voor ik mijn vrouw heb gesproken.'

Ivan haalde zijn schouders op en sprak. Deze keer was de vertaling niet langer dan de tekst – een kortaffe nijdige zin. Het was het commentaar van de oude kameraad dat alle ruimte in beslag nam, zoals de voetnoten van een overbewerkt boek. Om zijn vastbeslotenheid te tonen, wendde Castle zich af en keek door het raam in een smalle greppel van een straat tussen muren van beton waarvan hij de top niet kon zien vanwege de sneeuw die de greppel instroomde als uit een enorme onuitputtelijke emmer daarboven. Dit was niet de sneeuw die hij zich uit zijn kindertijd herinnerde en associeerde met sneeuwballen en sprookjes en spelletjes met tobogans. Dit was een meedogenloze, eindeloze, vernietigende sneeuw, een sneeuw waarvan men zou kunnen denken dat de wereld erin zou vergaan.

Ivan zei nijdig: 'We gaan nu weg.'

'Wat zeggen ze?'

'Ik begrijp niets van de manier waarop ze je behandelen. Ik weet van mijn tijd in Londen wat voor waardeloze informatie je ons toestuurde. Kom mee.' De oude kameraad stak hoffelijk zijn hand uit: de jonge keek enigszins verontrust. Buiten was de stilte van de in sneeuw gehulde straat zo intens dat Castle aarzelde om haar te doorbreken. Beiden liepen ze snel voort als heimelijke vijanden die op zoek zijn naar een geschikte plek om hun geschillen eens voor al te beslechten. Tenslotte, toen hij de onzekerheid niet langer kon verdragen, zei Castle: 'Nou, wat was het resultaat van al dat gepraat?'

Ivan zei: 'Ze hebben me gezegd dat ik je verkeerd aanpakte. Zoals ze ook al tegen me zeiden toen ze me uit Londen terughaalden. "Er is meer psychologie voor nodig, kameraad, meer psychologie." Ik zou veel beter af zijn als ik een verrader was zoals jij.' Het geluk bezorgde ze een taxi en toen ze erin zaten, verviel hij tot een gekwetst stilzwijgen. [Castle had al opgemerkt dat hij nooit sprak in een taxi.] Voor de ingang van het flatgebouw gaf Ivan met tegenzin de informatie die Castle verlangde.

'O, op die baan kun je wel rekenen. Je hebt niets te vrezen. De kameraad is zeer begrijpend. Hij zal met andere mensen spreken over je telefoon en je vrouw. Hij smeekt je – smeekt, dat was het woord dat hij zelf gebruikte – om nog even geduld te hebben. Je zal spoedig wat horen, zegt hij. Hij begrijpt – begrijpt, let wel – je bezorgdheid. *Ik* begrijp helemaal nergens iets van. Ik ben kennelijk slecht in psychologie.'

Hij liet Castle bij de ingang staan en stapte weg door de sneeuw en dat was het laatste dat Castle ooit van hem zag.

3

De volgende avond, terwijl Castle in *Robinson Crusoe* zat te lezen bij de radiator, werd er op zijn deur geklopt [de bel was defect]. Een neiging tot wantrouwen die door de jaren heen in hem was gegroeid, deed hem automatisch roepen voor hij de deur opendeed: 'Wie is daar?'

'Mijn naam is Bellamy,' antwoordde een schelle stem, en Castle deed open. Een kleine grijze man in een grijze bontjas en met een grijze astrakan muts op kwam op een schichtige en schuchtere manier binnen. Hij deed denken aan een komiek die een muis speelt in een pantomime en een applaus van kleine handjes verwacht. Hij zei: 'Ik woon hier zo dichtbij dat ik maar eens de stoute schoenen heb aangetrokken om u op te zoeken.' Hij keek naar het boek in Castles hand. 'Och, jeetje, ik stoor u bij het lezen.'

'Het is *Robinson Crusoe* maar. Ik zal er nog meer dan genoeg tijd voor hebben.'

'Aha, de grote Daniel. Hij was er een van ons.'

'Een van ons?'

'Nou ja, Defoe was misschien toch meer een MI5-type.' Hij trok zijn grijze bonthandschoenen uit en warmde zich aan de radiator en keek rond. Hij zei: 'Ik zie wel dat u nog in het behoeftige stadium verkeert. Dat hebben we allemaal doorgemaakt. Ik wist ook helemaal niet hoe ik aan dingen moest komen tot Cruickshank me inwijdde. En later, wel, heb ik Bates weer ingewijd. Heeft u ze nog niet ontmoet?'

'Nee.'

'Het verbaast me dat ze u nog niet hebben opgezocht. U bent uit de ijskast gelaten, en naar ik hoor zult u vandaag of morgen een persconferentie geven.'

'Hoe weet u dat?'

'Van een Russische vriend,' zei Bellamy met een nerveus giecheltje. Diep uit zijn bontjas haalde hij een halve fles whisky te voorschijn. 'Een presentje,' zei hij, 'voor het nieuwe lid.'

'Dat is erg vriendelijk van u. Gaat u toch zitten. De stoel is gemakkelijker dan de sofa.'

'Ik zal mezelf eerst eens even uitpellen als u het goedvindt. Uitpellen – dat is het juiste woord.' Het uitpellen nam nogal wat tijd in beslag – er waren een heleboel knopen. Toen hij in de groene rieten stoel had plaatsgenomen, giechelde hij weer. 'Hoe is *uw* Russische vriend?'

'Niet zo vriendelijk.'

'Zorg dan dat u van hem afkomt. Laat u niets aanleunen. Ze *willen* dat we gelukkig en tevreden zijn.'

'Hoe kan ik van hem afkomen?'

'Laat ze gewoon merken dat hij uw type niet is. Een paar onverholen opmerkingen die opgevangen worden door een van die kleine apparaatjes waarin we nu waarschijnlijk zitten te praten. Weet u dat ze me, toen ik hier kwam, toevertrouwden aan – u raadt het nooit – aan een oudere dame van de Bond van Auteurs? Dat was vanwege het feit dat ik bij de British Council had gezeten, denk ik. Nu, ik kwam er al gauw achter hoe je met *die* situatie moet afrekenen. Iedere keer als Cruickshank en ik bij elkaar waren en we over haar spraken, noemde ik haar minachtend "mijn gouvernante" en toen was het gauw met haar bekeken. Ik was haar al kwijt toen Bates kwam en – het is erg lelijk van me dat ik erom lach – Bates is met haar getrouwd.'

'Ik begrijp niet hoe het komt – ik bedoel wat de reden was dat ze u hier wilden hebben. Ik was niet in Engeland toen het allemaal plaatsvond. Ik heb de kranteverslagen niet gelezen.'

'Och gut, de kranten – die waren werkelijk afschuwelijk. Ze hebben me *afgemaakt*. Ik heb ze later gelezen in de Lenin Bibliotheek. Je zou echt hebben gedacht dat ik een soort Mata Hari was.'

'Maar welke betekenis had u voor hen – bij de British Council?'

'Ach, ziet u, ik had een Duits vriendje en naar het schijnt had hij een heleboel agenten in het Oosten zitten. Het kwam nooit bij hem op dat mijn persoontje hem in de gaten hield en notities maakte – toen kwam de domme jongen ertoe om zich te laten verleiden door een zeer nare vrouw. Hij had straf verdiend. Hij was volkomen veilig, ik zou nooit iets gedaan hebben dat *hem* in gevaar zou brengen, maar zijn agenten... natuurlijk kon hij wel raden wie hem erbij had gelapt. Nou ja, ik moet zeggen dat ik het hem niet moeilijk heb gemaakt om dat te raden. Maar ik moest zeer snel weg zien te komen omdat hij het bij de ambassade had aangegeven. Wat was ik blij toen ik Checkpoint Charlie achter me had.'

'En bent u hier gelukkig?'

'Ja, zeker. Geluk is voor mij altijd meer een kwestie van personen dan van plaatsen, en ik heb een heel fijne vriend. Het is bij de wet verboden, natuurlijk, maar voor de dienst maken ze wel uitzonderingen, en hij is officier bij de KGB. Natuurlijk moet de arme jongen wel eens ontrouw zijn bij het uitoefenen van zijn functie, maar het is heel anders dan met mijn Duitse vriend – het is geen *liefde*. We moeten er samen wel eens om lachen zelfs. Mocht u zich eenzaam voelen, hij kent een heleboel meisjes...'

'Ik ben niet eenzaam. Zolang ik nog boeken heb.'

'Ik zal u een zaakje aanwijzen waar ze Engelstalige pockets onder de toonbank verkopen.'

Het was middernacht toen ze de halve fles whisky op hadden en Bellamy opstond om te vertrekken. Hij deed er een hele tijd over om zich weer in zijn bont te hullen, en hij babbelde aan één stuk door. 'U moet beslist Cruickshank eens ontmoeten – ik zal hem zeggen dat ik bij u ben geweest – en Bates ook, natuurlijk, maar dat betekent eveneens een ontmoeting met mevrouw Bond van Auteurs-Bates.' Hij liet zijn handen goed warm worden aan de radiator voor hij zijn handschoenen aantrok. Hij wekte de indruk zich hier volkomen thuis te voelen, hoewel 'In het begin was ik wel een beetje ongelukkig,' gaf hij toe. 'Voor ik mijn vriend had, voelde ik me nogal verloren – zoals in dat refrein van Swinburne: "de vreemde gezichten, de sprakeloze nachtwake en" – hoe was het ook weer? – "alle zielepijn". Ik gaf vroeger college over Swinburne – een onderschatte dichter.' Bij de deur zei hij: 'U moet mijn *dacha* eens komen bekijken als het voorjaar wordt...'

4

Castle merkte dat hij zelfs Ivan miste na een paar dagen. Hij miste iemand om een hekel aan te hebben – billijkerwijs kon hij niet een hekel hebben aan Anna, die scheen te beseffen dat hij nu eenzamer was dan ooit. Ze bleef 's morgens wat langer en preste hem dan met haar wijzende vinger om nog meer Russische benamingen in zich op te nemen. Ze werd ook nog veeleisender dan ze al was ten aanzien van zijn uitspraak: ze begon werkwoorden aan zijn vocabulaire toe te voegen, beginnend met het woord voor 'hollen', waarbij ze hollende bewegingen maakte met haar ellebogen en haar knieën. Ze moest haar loon ontvangen van de een of andere instantie, want hij betaalde haar niets; trouwens, het kleine bedrag aan roebels dat Ivan hem bij zijn aankomst had gegeven, was al aanmerkelijk geslonken.

Het was een onaangename bijkomstigheid van zijn isolement dat hij niets verdiende. Hij begon zelfs te verlangen naar een bureau waaraan hij lijsten van Afrikaanse schrijvers kon bestuderen – het zou misschien zijn gedachten enigszins afleiden van wat er met Sarah was gebeurd. Waarom was ze hem niet gevolgd met Sam? Wat deden ze om hun belofte te vervullen?

Op een avond, om negen uur tweeëndertig, kwam hij aan het eind van Robinson Crusoe's beproeving – door notitie te nemen van de tijd gedroeg hij zich een beetje zoals Crusoe. 'En zo verliet ik het eiland, de negentiende december, en naar ik aan de hand van de tijdrekening van het schip vaststelde, in het jaar 1686, nadat ik er achtentwintig jaar, twee maanden en negentien dagen op had verkeerd...' Hij liep naar het raam: er viel geen sneeuw op dat moment en hij kon duidelijk de rode ster boven de universiteit zien. Zelfs op dat uur waren vrouwen aan het werk om sneeuw te ruimen: van boven af leken ze op reusachtige schildpadden. Er belde iemand aan de deur – laat maar bellen, hij deed niet open, het zou Bellamy wel zijn of misschien iemand die nog minder welkom was, de onbekende Cruickshank of de onbekende Bates – maar, herinnerde hij zich, de bel was toch defect? Hij draaide zich om en staarde met verbazing naar de telefoon. Het was de telefoon die rinkelde.

Hij nam de hoorn op en een stem sprak tegen hem in het Russisch. Hij verstond er geen woord van. Toen hoorde hij niets meer – alleen de hoge kiestoon – maar hij hield de hoorn aan zijn oor, in domme afwachting. Misschien had de telefonist hem gezegd aan de lijn te blijven. Of had hij gezegd – 'Leg de hoorn neer. We bellen u terug'? Misschien was er telefoon uit Engeland. Met tegenzin legde hij de hoorn op de haak en bleef naast de telefoon zitten wachten tot hij weer zou gaan. Hij was 'uit de ijskast' en nu scheen hij 'aangesloten' te zijn. Hij zou 'in contact' zijn geweest als hij maar de nodige termen van Anna had kunnen leren – hij wist zelfs niet hoe hij de telefonist moest opbellen. Er was geen telefoonboek in de flat – dat had hij twee weken geleden geconstateerd.

Maar de telefonist moest hem toch iets hebben willen zeggen. Hij was er zeker van dat de telefoon ieder ogenblik kon gaan. Hij viel naast het toestel in slaap en droomde, zoals in geen twaalf jaar was gebeurd, van zijn eerste vrouw. In zijn droom maakten ze ruzie, wat ze tijdens haar leven nooit hadden gedaan.

Anna trof hem 's morgens slapend aan in de groene rieten stoel. Toen ze hem wakker maakte, zei hij tegen haar: 'Anna, de telefoon is aangesloten,' en omdat ze het niet begreep, gebaarde hij ernaar en zei: 'Tingelingeling,' en ze moesten allebei lachen om de absurditeit van zo'n kinderlijk geluid uit de mond van een oudere man. Hij haalde de foto van Sarah uit zijn zak en wees naar de telefoon en ze knikte en glimlachte hem bemoedigend toe, en hij dacht: Ze zal het best kunnen vinden met Sarah, ze zal haar wijzen waar ze kan winkelen, ze zal haar Russische woorden leren, ze zal van Sam houden.

5

Toen later op die dag de telefoon ging, was hij er zeker van dat het Sarah zou zijn – iemand in Londen moest haar het nummer hebben medegedeeld, misschien Boris. Zijn mond was droog toen hij de hoorn opnam en hij kon nauwelijks de woorden uitbrengen: 'Met wie spreek ik?'

'Met Boris.'

'Waar ben je?'

'Hier in Moskou.'

'Heb je Sarah gezien?'

'Ik heb met haar gesproken.'

'Is alles goed met haar?'

'Ja, ja, ze maakt het goed.'

'En Sam?'

'Die maakt het ook goed.'

'Wanneer komen ze hier?'

'Daar wil ik juist met je over spreken. Wacht thuis op me. Ga niet weg. Ik kom nu naar je flat toe.'

'Maar wanneer zie ik ze?'

'Dat is iets waar we over moeten praten. Er zijn problemen.'

'Wat voor problemen?'

'Wacht maar tot ik bij je ben.'

Hij kon geen rust vinden: hij pakte een boek op en legde het weer neer; hij ging naar de keuken waar Anna soep aan het maken was. Ze zei: 'Tingelingeling,' maar het was niet grappig meer. Hij liep naar het raam terug – weer sneeuw. Toen de klop op de deur kwam, had hij het gevoel dat er uren verstreken waren.

Boris overhandigde hem een duty-free plastic tasje. Hij zei: 'Sarah heeft me gezegd dat ik J. & B. voor je moest kopen. Een fles van haar en een van Sam.'

Castle zei: 'Wat zijn de problemen?'

'Geef me even de tijd om mijn jas uit te trekken.'

'Heb je haar echt gezien?'

'Ik heb met haar over de telefoon gesproken. Vanuit een telefooncel. Ze is in de provincie bij je moeder.'

'Dat weet ik.'

'Het zou wat opvallend zijn geweest als ik haar daar had opgezocht.'

'Hoe weet je dan dat ze het goed maakt?'

'Dat heeft ze me gezegd.'

'Klonk ze goed?'

'Ja, ja, Maurice. Ik ben er zeker van...'

'Wat zijn de problemen? Je hebt *mij* toch ook het land uit gekregen.'

'Dat was een heel eenvoudige zaak. Een vals paspoort, de blindemanstruc en dat incidentje bij de douane dat we gearrangeerd hebben op het moment dat jij door die hostess van Air France erlangs werd geleid. Een man die wel wat op jou leek. Op weg naar Praag. Zijn paspoort was niet helemaal in orde...'

'Je hebt me nog niet verteld wat voor problemen er zijn.'

'We zijn altijd van de veronderstelling uitgegaan dat ze, als jij eenmaal veilig en wel hier zou zijn, Sarah er niet van zouden kunnen weerhouden om zich bij je te voegen.'

'Dat kunnen ze ook niet.'

'Sam heeft geen paspoort. Je had hem in dat van zijn moeder bij moeten laten schrijven. Blijkbaar *kan* het heel lang duren voordat zoiets geregeld is. En nog een ander punt – mensen van je departement hebben door laten schemeren dat Sarah, als ze probeert te vertrekken, gearresteerd kan worden op grond van medeplichtigheid. Ze was bevriend met Carson, ze was je agent in Johannesburg... Beste Maurice, het is helemaal geen eenvoudige zaak, vrees ik.'

'Jullie hebben het beloofd.'

'Ik weet dat we het beloofd hebben. Te goeder trouw. Het zou misschien nog mogelijk zijn om haar het land uit te smokkelen als ze het kind achterliet, maar ze zegt dat ze dat niet wil. Hij heeft het niet naar zijn zin op school. Hij heeft het niet naar zijn zin bij je moeder.'

Het duty-free plastic tasje wachtte op tafel. Er was altijd nog whisky – de medicijn tegen de wanhoop. Castle zei: 'Waarom hebben jullie me laten verdwijnen? Ik was niet in acuut gevaar. Ik dacht toen van wel, maar jullie moeten geweten hebben...'

'Je hebt het noodsignaal gegeven. Wij hebben daarop gereageerd.'

Castle scheurde het plastic open en brak de whisky aan, het etiket J. & B. deed hem pijn als een droevige herinnering. Hij schonk twee grote glazen in. 'Ik heb geen soda.'

'Geeft niet.'

Castle zei: 'Neem de stoel maar. De sofa is zo hard als een schoolbank.' Hij nam een slok. Zelfs de smaak van J. & B. deed hem pijn. Had Boris maar een andere whisky voor hem meegebracht – Haig, White Horse, Vat 69, Grant – hij somde in zichzelf de namen van de whisky's op, al zeiden ze hem niets, om de gedachten uit zijn geest te weren en zijn wanhoop te onderdrukken tot de J. & B. zou gaan werken – Johnnie Walker, Queen Anne, Teacher. Boris vatte zijn zwijgen verkeerd op. Hij zei: 'Je hoeft niet bang te zijn voor microfoons. Hier in Moskou, zou je kunnen zeggen, zitten we veilig in het centrum van de cycloon.' Hij voegde eraan toe: 'Het was zeer belangrijk voor ons om je het land uit te krijgen.'

'Waarom? Mullers aantekeningen waren veilig en wel in handen van de oude Halliday.'

'Er is je nooit verteld hoe de zaak werkelijk in elkaar zat, hè? Die stukjes economische informatie die je ons toestuurde, hadden op zichzelf geen enkele waarde.'

'Wat was dan de reden...?'

'Ik weet dat ik niet erg duidelijk ben. Ik ben geen whisky gewend. Laat ik het je proberen uit te leggen. Jouw mensen verbeeldden zich dat ze een agent ter plaatse hadden, hier in Moskou. Maar het was een man van ons die we hun toegespeeld hadden. De informatie die jij ons gaf, retourneerde hij weer aan hen. Jouw rapporten bewezen zijn authenticiteit in de ogen van jullie dienst, ze konden ze controleren, en intussen gaf hij andere informatie aan ze door die we ze wilden laten geloven. Dat was de werkelijke betekenis van je rapporten. Een mooi stukje misleiding. Maar toen kwam die affaire met Muller en Uncle Remus. We besloten dat de beste manier om Uncle Remus te bestrijden, publiciteit was – daarvoor moesten we jou hier hebben. Jij moest onze informatiebron zijn – jij bracht Mullers aantekeningen mee.'

'Ze weten dan ook dat ik het nieuws van het lek heb meegebracht.'

'Juist. We hadden een dergelijk spel toch niet veel langer kunnen volhouden. Hun agent in Moskou zal in een groot stilzwijgen verdwijnen. Misschien zullen jouw mensen over een paar maanden geruchten horen van een geheim proces. Dat zal hen er des te meer van overtuigen dat alle informatie die hij hun gaf waar was.'

'Ik dacht dat ik alleen maar Sarah's volk hielp.'

'Je hebt veel meer gedaan dan dat. En morgen verschijn je voor de pers.'

'Stel dat ik weiger iets te zeggen als jullie Sarah niet hier brengen...'

'Dan redden we ons wel zonder jou, maar dan zou je niet meer van ons kunnen verwachten dat we het probleem met Sarah oplossen. We zijn je dankbaar, Maurice, maar dankbaarheid moet evenals liefde dagelijks hernieuwd worden, anders kwijnt ze weg.'

'Je praat nu net zoals Ivan.'

'Nee, niet zoals Ivan. Ik ben je vriend. Ik wil je vriend blijven. Als je een nieuw leven in een nieuw land moet beginnen, heb je een vriend hard nodig.'

Het aanbod van vriendschap had nu de klank van een bedreiging of een waarschuwing. De avond in Watford kwam in zijn herinnering op, toen hij tevergeefs had gezocht naar het haveloze leraarshuis met de Berlitz-plaat aan de muur. Het scheen hem toe dat hij zijn hele leven, sinds hij als midden twintiger bij de dienst was gekomen, niet had kunnen spreken. Als een trappist had hij voor een professie van zwijgen gekozen, en nu zag hij te laat in dat het een valse roeping was geweest.

'Neem nog een borrel, Maurice. Het is allemaal niet zo erg als het lijkt. Je moet alleen geduld hebben, dat is alles.'

Castle nam de borrel.

3

1

De dokter bevestigde Sarah's bezorgdheid over Sam, maar het was mevrouw Castle die als eerste de aard van zijn hoest had onderkend. Oude mensen behoeven geen medische opleiding – ze schijnen diagnoses te vergaren gedurende een levenslange ondervinding in plaats van gedurende een zes jaar lange intensieve studie. De dokter was niet meer dan een soort wettelijke vereiste – om zijn handtekening onder *haar* voorschrift te zetten. Het was een jonge man die mevrouw Castle met grote eerbied behandelde alsof ze een eminent specialiste was van wie hij een heleboel kon leren. Hij vroeg Sarah: 'Komt er veel kinkhoest voor – ik bedoel bij u thuis?' Met thuis doelde hij blijkbaar op Afrika.

'Ik weet het niet. Is het gevaarlijk?' vroeg ze.

'Niet gevaarlijk.' Hij voegde eraan toe: 'Maar een nogal lange quarantaine' – een uitspraak die niet geruststellend was. Zonder Maurice bleek het moeilijker om haar bezorgdheid te verbergen omdat ze die met niemand kon delen. Mevrouw Castle was zeer kalm – zij het enigszins geërgerd vanwege de inbreuk op haar dagelijks leven. Als die stomme ruzie er niet was geweest, dacht ze klaarblijkelijk, had Sam zijn ziekte daar in Berkhamsted kunnen doormaken, en had ze het nodige advies telefonisch kunnen verschaffen. Ze verliet hen beiden, Sam een kus toewerpend met een oude herfstbladachtige hand, en ging naar beneden om naar de televisie te kijken.

'Mag ik niet naar huis nu ik ziek ben?' vroeg Sam.

'Nee. Je moet binnen blijven.'

'Ik wou dat Buller hier was om tegen te praten.' Hij miste Buller meer dan Maurice.

'Zal ik je voorlezen?'

'Ja, graag.'

'Daarna moet je gaan slapen.'

Ze had op goed geluk een paar boeken ingepakt in de haast van hun vertrek, waaronder het Tuinboek, zoals Sam het altijd noemde. Hij was er veel meer op gesteld dan zij – de herinneringen van haar kindertijd kenden geen tuinen: het harde licht was van golfijzeren daken afgeketst op een speelterrein van gebakken leem. Zelfs bij de methodisten was geen gras geweest. Ze sloeg het boek open. De televisiestem pruttelde voort beneden in de zitkamer. Zelfs van een afstand zou men het niet voor een levende stem kunnen houden – het was een stem als een blik sardines. Ingeblikt.

Zelfs voor ze het boek opengeslagen had, was Sam al in slaap, zijn ene arm uit bed hangend, zoals zijn gewoonte was, zodat Buller hem kon likken. Ze dacht: O ja, ik houd van hem, natuurlijk houd ik van hem, maar hij bindt mijn handen als de boeien van de veiligheidspolitie. Het zou weken duren voor ze vrijgelaten zou worden, en zelfs dan... Ze was weer bij Brummell, achteromstarend door het flonkerende restaurant bezet met onkostendeclaranten naar dokter Percival's waarschuwende vinger. Ze dacht: Zouden ze zelfs dit gearrangeerd kunnen hebben?

Ze deed zacht de deur dicht en ging naar beneden. De ingeblikte stem was afgezet en mevrouw Castle stond haar beneden aan de trap op te wachten.

'Ik heb het nieuws gemist,' zei Sarah. 'Hij wilde dat ik hem voorlas, maar hij slaapt nu.' Mevrouw Castle keek met starre blik langs haar heen als naar een schrikbeeld dat zij alleen kon zien.

'Maurice is in Moskou,' zei mevrouw Castle.

'Ja. Ik weet het.'

'Daar was hij op het scherm met een heleboel journalisten. Zich rechtvaardigend. Hij had de euvele moed, de onbeschaamdheid... Was dat de reden van je ruzie met hem? O, je hebt er goed aan gedaan om hem te verlaten.'

'Dat was niet de reden,' zei Sarah. 'We deden maar alsof we ruzie hadden. Hij wilde niet dat ik erbij betrokken zou raken.'

'Was je erbij betrokken?'

'Nee.'

'God zij dank. Ik zou je niet graag het huis uit zetten met het zieke kind.'

'Zou u Maurice het huis uit hebben gezet als u het geweten had?'

'Nee. Ik zou hem net lang genoeg hier hebben gehouden om de politie te bellen.' Ze draaide zich om en liep de zitkamer weer binnen – ze liep de kamer helemaal door tot ze tegen het televisietoestel aanbotste als een blinde vrouw. Ze was ook zo goed als blind, zag Sarah – haar ogen waren gesloten. Ze legde haar hand op mevrouw Castles arm.

'Ga zitten. Het is een schok voor u geweest.'

Mevrouw Castle deed haar ogen open. Sarah had verwacht dat ze nat van de tranen zouden zijn, maar ze waren droog, droog en meedogenloos. 'Maurice is een verrader,' zei mevrouw Castle.

'Probeer het te begrijpen, mevrouw Castle. Het is mijn schuld. Niet die van Maurice.'

'Je zei dat je er niet bij betrokken was.'

'Hij probeerde mijn volk te helpen. Als hij niet van mij en Sam had gehouden... Het was de prijs die hij betaalde om ons te redden. Men kan zich hier in Engeland geen voorstelling maken van het soort verschrikkingen waarvan hij ons heeft gered.'

'Een verrader!'

Ze verloor haar beheersing door de herhaling van dat woord. 'Goed – een verrader dan. Een verrader van wie? Van Muller en zijn vrienden? Van de veiligheidspolitie?'

'Ik heb geen flauw idee wie Muller is. Hij is een verrader van zijn land.'

'O, zijn land,' zei ze wanhopig vanwege al de goedkope clichés die tot een oordeel leidden. 'Hij heeft eens gezegd dat ik zijn land ben – en Sam.'

'Ik ben blij dat zijn vader dood is.'

Alweer een cliché. Misschien klemt men zich in een crisis aan oude clichés vast, zoals een kind aan zijn ouders.

'Zijn vader zou het misschien beter begrepen hebben dan u.'

Het was een zinloze ruzie net zoals ze die laatste avond met Maurice had gehad. Ze zei: 'Het spijt me. Dat had ik niet moeten zeggen.' Ze was bereid alles te geven voor een beetje verzoening. 'Zo gauw Sam beter is, vertrek ik.'

'Waar naar toe?'

'Naar Moskou. Als ze me laten gaan.'

'Je neemt Sam niet mee. Sam is mijn kleinzoon. Ik ben zijn voogdes,' zei mevrouw Castle.

'Alleen als Maurice en ik dood zijn.'

'Sam is een Brits onderdaan. Ik zal hem laten opnemen als een "Ward in Chancery". Morgen ga ik naar mijn advocaat.'

Sarah had geen flauw vermoeden wat een 'Ward in Chancery' was. Het was, veronderstelde ze, alweer een obstakel waar zelfs de stem die over de telefoon tegen haar gesproken had vanuit een publieke telefooncel, niet op had gerekend. De stem had zich verontschuldigd: de stem had, evenals dokter Percival, beweerd een vriend van Maurice te zijn, maar ze vertrouwde hem meer, ondanks zijn omzichtigheid en dubbelzinnigheid en de lichte klank van iets buitenlands in zijn toon.

De stem verontschuldigde zich voor het feit dat ze nog niet op weg was om zich bij haar echtgenoot te voegen. Het zou bijna onmiddellijk geregeld kunnen worden als ze alleen zou gaan – het kind maakte het praktisch onmogelijk om onopgemerkt de douane te passeren, hoe overtuigend een door hen verzorgd paspoort ook mocht lijken.

Met de toonloze stem van de wanhoop had ze hem gezegd: 'Ik kan Sam niet alleen achterlaten,' en de stem verzekerde haar dat er 'te zijner tijd' een oplossing zou worden gevonden voor Sam. Als ze maar vertrouwen in hem had... De man begon voorzichtige aanwijzingen te geven hoe en wanneer ze elkaar konden ontmoeten, alleen wat handbagage – een warme jas – alles wat ze nodig had kon op de plaats van bestemming worden aangeschaft – maar 'Nee,' zei ze. 'Nee. Ik kan niet zonder Sam gaan' en ze legde de hoorn neer. Nu zat ze met die ziekte van hem en met die mysterieuze term, die haar tot haar slaapkamer achtervolgde, 'als Ward in Chancery laten opnemen'. Het klonk als een afdeling van een ziekenhuis. Kon een kind gedwongen worden om zich in een ziekenhuis op te laten nemen zoals het gedwongen kon worden om naar school te gaan?

2

Er was niemand wie ze het kon vragen. In heel Engelend kende ze niemand behalve mevrouw Castle, de slager, de groenteboer, de bibliothecaris, de hoofdonderwijzeres – en natuurlijk meneer Bottomley die voortdurend opdook, aan de deur, in de High Street, zelfs aan de telefoon. Hij had zo lang op zijn Afrikaanse zendingspost gewoond dat hij zich misschien alleen bij haar echt thuis voelde. Hij was zeer vriendelijk en zeer nieuwsgierig en hij uitte zich nu en dan in vrome gemeenplaatsen. Ze vroeg zich af wat hij zou zeggen als ze hem zou vragen haar te helpen uit Engeland te ontvluchten.

De ochtend na de persconferentie belde dokter Percival op om een wat wonderlijke reden. Blijkbaar had Maurice nog enig geld te goed en ze wilden het nummer van zijn bankrekening hebben om het te kunnen overmaken: ten aanzien van kleine dingen schenen ze uiterst gewetensvol te zijn, hoewel ze zich naderhand afvroeg of ze misschien bang waren dat geldzorgen haar tot een of andere wanhoopsdaad zouden kunnen brengen. Het zou een soort omkoping kunnen zijn om haar in het gareel te houden. Dokter Percival zei tegen haar, nog altijd op de huisdoksterstoon: 'Ik ben erg blij dat u zo verstandig bent. Ga zo door,' ongeveer zoals hij het advies zou geven 'Ga door met de antibiotica.'

En toen, om zeven uur 's avonds, toen Sam in bed lag en mevrouw Castle in haar slaapkamer was om zich 'op te knappen', zoals ze het noemde, voor het diner, ging de telefoon. Het was echt een tijd voor meneer Bottomley om te bellen, maar het was Maurice. Zijn stem kwam zo helder over dat hij vanuit de kamer ernaast had kunnen spreken. Ze zei met verbazing: 'Maurice, waar ben je?'

'Je weet waar ik ben. Ik hou van je, Sarah.'

'Ik hou van jou, Maurice.'

Hij legde uit: 'We moeten snel praten, je weet nooit wanneer ze de verbinding verbreken. Hoe gaat het met Sam?'

'Ziek. Niets ernstigs.'

'Boris zei dat het goed met hem was.'

'Ik heb het hem niet verteld. Het is alleen maar weer een moeilijkheid erbij. Er zijn wel vreselijk veel moeilijkheden.'

'Ja. Ik weet het. Doe Sam de groeten van me.'

'Natuurlijk doe ik dat.'

'We hoeven niet meer op onze woorden te passen. Ze luisteren toch altijd mee.'

Er viel een stilte. Ze dacht dat hij weg was of dat de verbinding was verbroken. Toen zei hij: 'Ik mis je ontzettend, Sarah.'

'O, ik jou ook. Ik jou ook, maar ik kan Sam niet achterlaten.'

'Natuurlijk kan je dat niet doen. Dat begrijp ik heel goed.'

Ze zei in een impuls waar ze onmiddellijk spijt van had: 'Als hij wat ouder is...' Het klonk als de belofte van een verre toekomst als ze allebei oud zouden zijn. 'Je moet geduld hebben.'

'Ja – dat zegt Boris ook. Ik zal geduld hebben. Hoe is het met moeder?'

'Ik praat liever niet over *haar*. Praat over ons. Vertel eens hoe het met je gaat.'

'O, iedereen is erg aardig. Ze hebben me een soort baantje gegeven. Ze zijn me dankbaar. Voor veel meer dan ik ooit bedoeld had om voor ze te doen.' Hij zei iets dat ze niet verstond vanwege een gekraak in de lijn – iets over een vulpen en een broodje waarin een reep chocolade zat. 'Mijn moeder had niet helemaal ongelijk.'

Ze vroeg: 'Heb je vrienden?'

'O zeker, ik ben niet eenzaam, maak je geen zorgen, Sarah. Er is een Engelsman die bij de British Council heeft gezeten. Hij heeft me op zijn *dacha* in de provincie uitgenodigd als het voorjaar wordt. Als het voorjaar wordt,' herhaalde hij op een toon die ze nauwelijks herkende – het was de toon van een oude man die er niet met zekerheid op kon rekenen dat het nog een keer voorjaar voor hem zou worden.

Ze zei: 'Maurice, blijf alsjeblieft hopen,' maar tijdens de lange aanhoudende stilte die volgde, besefte ze dat de verbinding met Moskou was verbroken.